Doderer (Hrsg.)
Über Märchen für Kinder von heute

Kay F. Stone
Winnipeg
1983

Jugendliteratur heute

Schriftenreihe
des Instituts für Jugendbuchforschung
der Johann Wolfgang Goethe-Universität
Frankfurt am Main

Herausgegeben
von Prof. Dr. Klaus Doderer

Über Märchen für Kinder von heute

Essays
zu ihrem Wandel und ihrer Funktion

Herausgegeben
von Klaus Doderer

Beltz Verlag
Weinheim und Basel 1983

Klaus Doderer, Dr. phil., Jahrgang 1925,
ist Professor für Germanistik
und Direktor des Instituts für Jugendbuchforschung
der Universität Frankfurt/M.

CIP-Kurztitelaufnahme der Deutschen Bibliothek

Über Märchen für Kinder von heute : Essays zu
ihrem Wandel u. ihrer Funktion / hrsg. von Klaus
Doderer. – Weinheim ; Basel : Beltz, 1983.
(Jugendliteratur heute)
ISBN 3-407-56600-X
NE: Doderer, Klaus [Hrsg.]

© 1983 Beltz Verlag · Weinheim und Basel
Druck und buchbinderische Verarbeitung:
Beltz Offsetdruck, 6944 Hemsbach über Weinheim
Satz: Satzstudio Frohberg, Freigericht-Somborn
Umschlagbild: Eva Johanna Rubin,
aus: Der goldene Schlüssel
mit freundlicher Genehmigung des A. Betz Verlages, Wien
Umschlaggestaltung: E. Warminski, Frankfurt/M.
Printed in Germany
ISBN 3 407 56600 X

Vorwort

Dieses Buch enthält Beiträge von Märchenforschern aus Europa und den beiden Amerikas. Es geht aber, soweit auch die Standorte der beteiligten Essayisten geographisch auseinanderliegen mögen, um dieselbe Sache, nämlich um die Betrachtung der europäischen Volksmärchen und deren Rezeption und Wirkungen bis in unsere Gegenwart, sei es bei Kindern oder sei es bei Erwachsenen in der westlichen Welt.

Erstaunlich viele Parallelen des Fragens und erstaunlich viele Ähnlichkeiten der Erkenntnisse bei den nach Fachrichtung und Nationalität verschiedenen Gelehrten lassen sich finden. Das gilt für die Suche nach den pädagogischen Funktionen des Märchens – ob im Frankreich des 18. Jahrhunderts oder in Lateinamerika seit der Kolonialzeit – genauso wie für die Suche nach den Formen der Vermarktung und Verbreitung des Märchens in Europa und USA, nach der Stellung der Frau innerhalb der Märchenwelt oder nach Ansätzen für eine kreative Nutzung der Märchenphantasie.

Märchen für Kinder von heute gibt es unendlich viele. Ihr Konsum wird zwanghaft nahegelegt. Die Autoren des hier vorgelegten Buches sehen dies nicht unbedingt als begrüßenswerte Tatsache, vielmehr als ein ernstes Problem. Sie beleuchten von verschiedenen Seiten die Intentionen, Strukturen, Funktionen und Auswirkungen dessen, was man – teils mit allzu enger begrifflicher Abgrenzung – gemeinhin Märchen nennt. Die versammelten Aufsätze wurden angeregt durch zwei Symposien, welche das Institut für Jugendbuchforschung der Johann Wolfgang Goethe-Universität in Frankfurt am Main in den Jahren 1980 und 1981, jeweils im Herbst, abhielt. Das letztere war unter Beteiligung von Fachgelehrten aus der Bundesrepublik, der Schweiz, den USA und Italien ausschließlich dem Thema „Märchen für Kinder von heute" gewidmet.

An dieser Stelle ist vielen sehr zu danken, besonders dem Bundesministerium für Jugend, Familie und Gesundheit für die Förderung des Märchen-Symposiums 1981, Ingeborg Wernicke für umsichtige organisatorische und Helmut Müller und Jack Zipes für übersetzerische und konzeptionelle Hilfen.

Klaus Doderer

5

Inhaltsverzeichnis

KLAUS DODERER

Einleitung

Viel Wind um die Märchen

Man könne endlich wieder aufatmen, denn „. . . das Volks-, Haus-, Zauber-
und Kunstmärchen darf wieder leben, in Reinform". So äußerte sich ein
Literaturpädagoge und Jugendliteraturfachmann vor ein paar Jahren und
nannte als Grund: „Dafür hat vor allem Bruno Bettelheim, der Chicagoer
Psychoanalytiker, gesorgt, der mit der lapidaren Feststellung ,Kinder brauchen Märchen' (deutsch bei dva 1976) allen ,Ent-Grimmern' die Bedeutung
des Märchens für die Entwicklung der kindlichen Persönlichkeit entgegenge-
halten hat" (Gärtner 1978, S. 182).

Kann man aufatmen, soll man aufatmen? Das Zitat tut so, als ob ein
Sturm vorübergezogen sei und nun die glücklichen Verhältnisse wie vordem
wiederhergestellt wären.

In der Tat hat es in den letzten anderthalb Jahrzehnten, zumindest in den
siebziger Jahren, eine Reihe von kontrovers geführten Debatten zum Thema
Märchen gegeben. Eine von bürgerlicher Pädagogik und bildungsbeflissener
Elternschaft seit der ersten Hälfte des 19. Jahrhunderts gehätschelte Erzählform, als deren Bewahrer, Wiedererneuerer und Meister die Brüder Grimm
angesehen wurden und werden, geriet bei jüngeren, sozialkritisch orientierten Wissenschaftlern und erziehungsreformerischen jungen Eltern in den
Verdacht, auf das Bewußtsein jugendlicher Rezipienten restaurativ zu wirken, falsche Vorstellungen und Einstellungen zu erwecken und also nichts
beizutragen zur Befreiung des jungen Menschen aus den gesellschaftlichen
Zwängen. Eine zugegebenermaßen manchmal triviale Ideologiekritik, das
forsche Entdeckertum intellektueller Spürnasen stieß in den Jahren der Stu-
dentenbewegung am Ende der sechziger Jahre beim Märchen auf einen
Gegenstand der Kunst, uralter dazu noch, um ihm in seiner derzeitigen
Nutzung und Gestalt vorzuwerfen, Instrument zur Erzeugung „falschen Bewußtseins" zu sein. Dieser Kernpunkt der Kritik rief die verschiedensten
Reaktionen hervor, mehr oder weniger bewußt:

Erstens versuchte man, den Gegenbeweis anzutreten. Dies – so sieht es doch wohl der anfangs hier zitierte Fachmann an – habe spätestens Bruno Bettelheim mit seinem Buch „Kinder brauchen Märchen" getan. Dem allerdings ist nicht so, da der Psychiater aus Amerika mit seinem Buch nichts weiter beabsichtigte, als zu zeigen, wie aus psychoanalytischer Sicht die Nutzung traditionellen Märchengutes (dem er ewige Werte zugesteht, das er mythologisiert und damit historisierender Betrachtung entzieht) notwendige Nahrung für das Wachstum der Einzelpersönlichkeit sei. Er ignoriert bzw. kennt weithin nicht die Ergebnisse sozialhistorischer Untersuchungen, zeigt sich gegenüber den Forschungsergebnissen der Ideologiekritik immun und kann deshalb auch auf sie nicht reagieren.

Zweitens sind aus der massiven Kritik gegenüber dem „Monument Märchen" die Konsequenzen gezogen worden – und zwar zum Teil von den Kritikern selbst –, einzelne Märchen im Sinne der neuen Erkenntnisse umzufunktionieren, also z.b. die Hexe nicht mehr als Inkarnation des Bösen auftreten zu lassen, sondern als asozial gewordene, aber resozialisierbare Frau. Der Versuch ist dort nicht weit gediehen, wo er mit fast philologischer Treue, also in ganz enger Anlehnung an die (Grimmsche) Vorlage vollzogen wurde. Oder er führte zu Parodien, wie in Iring Fetschers Sammlung „Wer hat Dornröschen wachgeküßt?" (Fetscher 1972), gelegentlich auch nur zu witzigen Paraphrasen wie etwa zu jener in Wolfdietrich Schnurres Zwengel-Geschichten (Schnurre 1967) – die „Zwengel" sind eine Kreuzung zwischen Zwergen und Engeln:

„Wie stehen die Zwengel zu Rotkäppchen?" –
„Sie werfen ihm vor, daß es zu selten bei seiner Großmutter war; und sie fragen: Wie hätte es sonst wohl den Wolf verwechseln können mit ihr?"

In der parodistischen Paraphrase bleibt das Märchen noch in seinem irrationalen Kern – wenn auch aus Vernunftgründen in Zweifel gezogen, ja lächerlich gemacht – dahingestellt. Die Umfunktionierer allerdings meinten, im Märchen eine Art didaktisches Instrument vor sich zu haben, bei dem man nur ein paar Teile auswechseln bzw. eine Schraube verstellen müsse, um es wieder einsetzen zu können. Umgepolt hülfe es nun, in die „richtige" Richtung zu erziehen, zu beeinflussen, aufzuklären.

Drittens ereignete sich allerdings bei Janosch, Astrid Lindgren und anderen Autoren, insofern anderes, als sie mit origineller Phantasie neue Märchen schrieben, manchmal auch eigenwillige neue Varianten erfunden haben und moderne Requisiten, auch Probleme unserer Umwelt in die uralte Erzählform einbrachten. Da entstanden also, teilweise im Zusammenhang mit der einsetzenden Kritik am herkömmlichen Märchengut, ganz neue Märchen für Kinder, von Schriftstellern entworfen, welche — wie z.B. bei Janosch — den Däumling einen Mercedes-Zündschlüssel reinigen, Damenarmbanduhren reparieren und an Radioapparaten herumbasteln lassen, den Doktor Allwissend als einen sich in der modernen Wohlstandsgesellschaft sicher bewegenden neureichen Arzt beschreiben und das Rotkäppchen in ein „elektrisches Rotkäppchen" verwandeln, während die Bremer Stadtmusikanten in einer

Der amerikanische Bilderbuch-Künstler Maurice Sendak (*1928) interpretiert „Hänsel und Gretel" in dem an die Genre-Bilder des 19. Jahrhunderts angelehnten Stil. Er zeigt isolierte Figuren, deren introvertierte Blicke aneinander vorbeigehen.

Plattenfirma kurz vor ihrem Tod noch „vermarktet" werden. Und bei Astrid Lindgren tauchen Zwerge und Elfen im heutigen Stockholm auf, der Herr Lilienstengel kommt bei Dämmerung einfach durchs Fenster ins Zimmer der Wohnung im Kalbergsweg. Die Figuren und Vorgänge der Phantasie werden also wieder ganz in die Nähe unserer Wirklichkeit geholt. Der Märchenwald ist nicht mehr so weit weg, und das wunderliche Geschehen ereignet sich gleichzeitig mit dem wirklichen Heute. Das in die Ferne rückende „Es war einmal . . ." hat sich da zu einem viel näheren „Stell Dir mal vor, hier oder jetzt . . ." verwandelt.

Das Feld, auf dem neue Märchen wachsen können, ist weit und vielfach noch unbekannt, obwohl doch heutzutage der Boden der Phantasie die mit neorealistischer Problemliteratur gesättigte Leserschaft magnetisch anzieht – man sieht es an den wachsenden Sympathien junger Menschen für die phantastischen privatmythologischen Erzählungen Tolkiens und Michael Endes. Die übermächtige Tradition der Grimmschen Märchen und des besonders von Wilhelm Grimm geschaffenen Volksmärchentons aus der Biedermeierzeit ist nicht unbedingt ein Motor, Neues zu erfinden. Wir haben im deutschen Kulturbereich, ja auch darüber hinaus, eine tiefsitzende, eingefahrene Märchen-Vorstellung. Sie wurde durch die einmalige historische Konstellation zu Beginn des vorigen Jahrhunderts hervorgerufen, als die Volksmärchen in der Bearbeitung der Brüder Jacob und Wilhelm Grimm nicht nur ein Stück bis dahin lange Zeit verdrängter Phantasie, sondern auch ein Stück verdrängter nationaler Identität und damit auch die Idee progressiver gesellschaftlicher Selbstverwirklichung realiter und symbolhaft einfingen und erstarren ließen.

Und damit soll die letzte, die vierte Folgerung, die aus der an vielen Stellen in den sechziger und siebziger Jahren sichtbar werdenden kritischen Haltung dem Märchen, besser müßte man sagen, der Gattung Grimm gegenüber gezogen wurde, erwähnt werden: Es ist die Vorstellung einer neuen Methode, sich dem Volksmärchen zu nähern, das Plädoyer für eine veränderte Einstellung gegenüber den alten Erzählgebilden. Diese grundsätzliche Intention eint fast alle Kritiker, von Dieter Richter über Otto F. Gmelin bis zu Rudolf Schenda. Man müsse das Märchen als historisches Phänomen verstehen, als Literatur bzw. Erzählform, gemacht für Menschen unter bestimmten sozialen Bedingungen mit der Aufgabe einer bestimmten Funktionserfüllung (Entlastung, Unterhaltung, Betäubung). Sollte jemand eine solche Ansicht als materialistisch kennzeichnen wollen, so sei ihm dies unbenommen. Sollte er sie allerdings als dem Märchen inadäquat abtun wollen, so zeigt er sich auf einem Auge blind. Die Fragen nach den historischen und soziokulturellen Hintergründen führen in eine längst vergangene Zeit der Feudalherrschaft zurück, legen Entstehungsbegründungen nahe, machen deutlich, daß das Märchen geschichtlichem Wandel unterliegt und keine ewige Erscheinung ist, und weisen darauf hin, daß Veränderungen der Rezeptionsform von früher bis heute unumgänglich sind. Dies ist eine entmythologisierte Sicht, sicherlich nicht vollzogen von Bruno Bettelheim und nicht gerne gesehen von vielen, die heutzutage für das Märchen als Kinderlektüre eintreten und diese Gattung als eine Figuration von traumhaften Welten sehen möchte, fernab von der Wirklichkeit angesiedelt, Ersatzbefriedigung für unerfüllbare Wünsche gebend.

Man darf sich auch in den achtziger Jahren nicht täuschen: Wer − in einem offensichtlich nur scheinbar aufgeklärten, wissenschaftlichen Zeitalter − von „Verketzerung" des Märchens durch materialistische Literaturkritik spricht, für den ist die Position religiöser-mythologischer Betrachtung, wobei das „Märchen als Form von Offenbarung des Weltsinns" verstanden wird, in annehmbare Nähe gerückt[1]. Was bleibt dem Menschen am Ende des 20. Jahrhunderts dann noch zu tun, als die Märchen auf dem in dem bürgerlichen Bildungsklima des 19. Jahrhunderts errichteten Sockel zu lassen, anzustaunen und allenfalls auf die Wirkung ihrer heilenden, beruhigenden, belehrenden Kräfte zu warten und zu vertrauen.

Die kritischen Gänge der letzten Jahre und ihre heftigen Resonanzen stehen in Zusammenhängen. Die Verbindung zu reformerischen Zeittendenzen liegt auf der Hand: Wer politisch argumentierte und für mehr Demokratie eintrat, konnte leicht in vielen Märchen die Struktur feudaler Gesellschaftsordnung erblicken; wer repressionsfreier, gar antiautoritärer Erziehung als Ideal zuneigte, sah demzufolge viele Kinderfiguren in den Kinder- und Hausmärchen den Unterdrückungen durch Eltern, Stiefmütter, Prinzen und Könige ausgesetzt; wer dem Ziel der emanzipatorischen Erziehung zu folgen gedachte, wurde auf den schlimmen Tatbestand aufmerksam, daß etwa das Sterntaler-Märchen schon in der Kaiserzeit bis heute genutzt wurde, um die Hingabe, ja die Aufgabe seiner selbst zu propagieren, also das Beispiel des blanken Gegenteils von Selbständigkeit und Selbstbestimmung in Märchenform der Schuljugend vor Augen zu führen. Wer die langanhaltende Unterdrückung der Frau aufmerksam beobachtete, stieß schnell darauf, daß im Märchen oftmals nicht nur „brave" Kinder, sondern unterwürfige Frauen als Symbole späteren Glücks gezeigt werden. Und wer nach Modellen suchte, wo Phantasie-Reiche dazu dienen können, Bewußtwerdungsprozesse in Gang

---

1 Ottilie Dinges in einem Bericht über die Tagung der „Europäischen Märchengesellschaft", die im September 1980 zum Thema „Gott im Märchen" in Bad Karlshafen stattfand (Dinges 1981).

zu setzen und im Rezipienten Bewußtseinsveränderungen herbeizuführen, dem wird schnell bei Märchen — schon von der Struktur her — deutlich: Da schließt sich viel eher ein Zirkel, als daß sich eine neue Perspektive auftut: das Happy-End, die Rückkehr nach Hause, die endliche Findung der Getrennten, das Glück im vertrauten Winkel, die Heirat und die ewige Zufriedenheit sind vielleicht in den herkömmlichen Sammlungen von Märchen für Kinder häufiger zu finden als der Weg in die Freiheit, das Beharren auf dem eigenen Glücksanspruch oder die aufmüpfige Geste. Kurzum, die Kritiker fanden an dem doch so hochgeschätzten deutschen Volksmärchen, das — politisch gesehen — alle Epochen, ob Kaiserreich, Weimarer Republik, Hitlerzeit oder die Zeit nach dem Zweiten Weltkrieg bis heute glänzend überstanden hatte, eine Menge auszusetzen. Die Fragen der Kritiker des vergangenen Jahrzehnts waren allerdings Fragen an die Inhalte der Märchen, an die ableitbaren ideellen Konzepte, an die Haltungen und Handlungsweisen der Helden. Und die Antworten taten meist so, als ob man nicht einen wunderbaren Teppich der Phantasie, vielmehr ein realexistierendes Territorium, ein von moderner Zivilisation und Sozialstruktur bisher ausgespartes Eiland endlich einmal säuberlich historisch-soziologisch analysiert hätte.

Und am Ende ist festzustellen: Während des kritikreichen Jahrzehnts — in dem übrigens selten von der Abschaffung, viel aber von einem neuen Verhältnis zum Märchen die Rede war — ist die Produktion von Märchenbüchern, Märchenplatten, Märchenfilmen, Märchenkassetten für Kinder ungehindert, ja in wachsendem Umfang weitergegangen. Kinder lesen, hören und sehen unvermindert gerne die alten Märchenstoffe, gleich ob sie in erzählter, dramatisierter, originaler oder veränderter Form präsentiert werden. Die Erwachsenen sorgen für die Verbreitung. Daß das Interesse am Märchen groß ist, läßt sich übrigens auch an der Entwicklung und Resonanz der 1956 gegründeten „Europäischen Märchengesellschaft", angeblich der drittgrößten literarischen Gesellschaft in der Bundesrepublik, ablesen. Keines der kritischen Werke zur Märchen-Theorie dürfte einen gleichgroßen Widerhall gefunden haben wie das Werk, das alle neuen Einwände und Erkenntnisse unbeachtet läßt: Bettelheims „Kinder brauchen Märchen".

Dort, wo der Markt seine Stände auf- und ausgebaut hat und wo geschickt mit alten Vorurteilen, Geschmacksmustern und Gewohnheiten manipuliert wird, haben es der neue Gedanke und die lebendige Phantasie schwer, Inno-

▷

Das „schwarze Männchen" bringt die schlafende Königstochter dem alten entlassenen Soldaten in dem Grimmschen Märchen „Das blaue Licht". Friedrich Karl Waechter (*1937) löst die mysteriöse Szene in einer dem Cartoonisten naheliegenden Weise.

vationen zu erreichen. Wo eine massierte Kulturindustrie das Bewußtsein bedient, hat es die Erkenntnis schwer, sich Gehör zu verschaffen.

Der Spielraum des Märchens

Holt man das Märchen einmal vom Sockel herunter und betrachtet es mit all seinen Ingredienzen, Teilen, Formeln, Gesten und auch schillernden Möglichkeiten, dann ist es eine eigenwillige Form des Ausdrucks, ein Wurf über die platte Wirklichkeit hinweg, zugleich auch ein Entwurf einer anderen Welt, der gar nichts von der ihm angedichteten Enge und Strenge und auch nichts von der mythologischen Tiefe, gar nichts Einseitiges an sich hat. Es gibt, selbst noch in den Kinder- und Hausmärchen der Brüder Grimm, so viele unterschiedliche Erzählungen — Schwänke, Fabeln, Gespenster-, Abenteuer- und Liebesgeschichten, Zauber- und Scherzerzählungen, witzige und moralische Geschichten von allerlei Volk, großen und kleinen Leuten, daß man sich fragt, wieso es passieren konnte, daß der Blick auf die Gattungsfülle der volkstümlich-einfachen Erzählungen so zu Gunsten des „Zauber-Märchens" verengt werden konnte. Unsere heutige Immobilität gegenüber den Kreationen klein-epischer Phantasie, unsere festgefahrene Märchenvorstellung, ist zum Teil ein Ergebnis des großen erdrückenden Volumens überlieferter Texte seit dem romantischen Zeitalter zu Beginn des 19. Jahrhunderts im Zusammenhang mit dem Anwachsen einer immensen und detaillierten Märchentheorie. Beide Erscheinungen sind — wie Rudolf Schenda meint (Schenda 1978, II) — eine „schwere Last". Denn wer gegen die übermächtige Tradition angeht, ist schnell ein Ketzer und wird verbrannt.

Es wäre gut, wir würden uns entschließen können, die Gloriole um das Märchen aufzubrechen, Unvoreingenommenheit gegenüber allen möglichen Formen des phantasievollen Erzählens wieder zurückgewinnen, wie sie vor den Grimms, ja bei ihnen selbst noch vorhanden war. Dann ergibt sich erst die Chance, den riesengroßen Spielraum des Märchens sine ira et studio wahrzunehmen. Nichts nämlich ist hier formal und thematisch, stilistisch oder nach Figuren- und Handlungsmustern verfestigt, es sei denn, wir geben es dafür aus.

Manfred Klein hat seinen Artikel, in dem er für die Erweiterung unseres Blickes plädiert, in diesem Sinne verstanden. Denn er hat bei der Frage an einen Zehnjährigen erfahren, daß dieser alles gerne läse, „was nicht wirklich" sei, aber auch, daß der Junge Märchen mit „Donald Duck", „Die Brüder Löwenherz", „Momo", „Die unendliche Geschichte", „Micky Mouse", „Heldensagen", „Tom Sawyer", „Der kleine Hobbit" und „Der Herr der

Ringe", „Wickie", „Superman" und „auch was über Sternenkriege" in eine Reihe stellte. Daraus hat Klein den sicher richtigen Schluß gezogen, daß es wohl für den jugendlichen Leser eine ziemlich deutliche Unterscheidung zwischen fiktionalen und nicht-fiktionalen Texten gäbe, aber nicht zwischen dem, was uns die Gattungslehre der Literaturwissenschaft auseinanderzuhalten gelehrt hat: Märchen, Science Fiction, Abenteuererzählung, Comics etc. Mit anderen Worten: das Märchen stellt offensichtlich für den jungen Leser, aber nicht nur für ihn, nichts besonderes dar. Dieser Umstand, so Manfred Klein, „legte den Gedanken nahe, das Märchen gerade unter dem Aspekt der Phantastik nicht von den anderen fiktionalen Erzählformen zu trennen, vielmehr möglichst eng zu ihnen in Beziehung zu setzen".

Wir sollten somit den noch stillschweigend verbreiteten Einfluß einer Märchenforschung, welche nach Weltanschauung und Weltdeutungen sucht und diese vorwiegend aus dem Zaubermärchen herauslesen möchte, abzuschütteln versuchen und uns klar machen, was denn alles an phantastischen Erzählungen vorhanden ist, gelesen wird und entstehen kann. Da ist zum Beispiel das hungernde Kind im Konzentrationslager Theresienstadt. Es artikuliert seinen Wunsch nach der doppelten Portion Nahrung in den beiden Sätzen:

„Es war einmal ein König und der hatte Hunger.
Er ging zum Schalter und sagte: ‚Zweimal!' "

Wir dürfen vermuten, der „König" erhielt den Doppelschlag und war glücklich. Hier ist ein Märchen im menschlichen Elend entstanden. Die Symbolfigur des Königs dient zur Artikulation des Wunsches innerhalb der existentiellen Bedrängnis. „Das ist das ganze Märchen, das ist das ganze Theresienstadt. Die Kinderphantasie von der doppelten Portion", schreibt dazu Karel Fleischmann (Stanic 1979, S. 103).

Anders, gänzlich anders, und nicht zu vergleichen mit dem existentiellen Motiv der Kinder im KZ, aber dennoch Beispiel für die extremen Möglichkeiten des Entstehens von fiktiven Strukturen in den Köpfen von Menschen, können sich Märchen gleichsam aus dem Moment der Lebensfreude entwickeln. Etwa bei den jungen Leuten, die am Strand zusammensitzen und sich ins Erzählen von kuriosen Begebenheiten ihres Lebens verlieren, dabei beginnen, den Realitätsraum zu verlassen, indem sie übertreiben, die Motorradfahrt geschwinder werden lassen, die Anzahl der gegessenen Bratwürste ein wenig anheben oder die Zahl der Liebesnächte vermehren. Sie sind von der fröhlichen Alltagsgeschichte ins Märchen des eigenen Lebens gewechselt und haben partout nicht an Tausend-und-eine-Nacht oder die Gattung Grimm gedacht.

Überall liegen die Sehnsucht und die Angst, die Liebe und die Eifersucht, die Abenteuerlust und die Versuchung, der Hang nach mehr Besitz und die Verführung, überall liegen sie in uns und um uns bereit. Und manchmal werden die Erfahrungen mit Wörtern und Sätzen ausformuliert. Dann entstehen Märchen, auch wenn sie nicht mit „Es war einmal . . .“ beginnen. Aber Märchen, die viel mit unserer Wirklichkeit zu tun haben. Phantasie und Realität stehen nämlich nicht im Widerspruch. Nein, im Gegenteil, ohne ein Verhältnis zur Wirklichkeit kann sich Phantasie nur schwerlich sinnvoll entwickeln. Hier herrscht eine Wechselwirkung vor, bei der — was nun einmal der Phantasie obliegt — diese den Spielraum für das Mögliche im Gegensatz zu dem Zwang des Wirklichen abgibt.

Beim Heben vom Sockel stellt sich demnach etwas Verblüffendes ein: eine Befreiung des Betrachters gegenüber einer angenommenen Einseitigkeit, als ob die Märchen alle nach Ton und Thema aus einem Topf kämen, und zwar einem, in dem nur Wunder- und Zaubersuppen gekocht würden. Der Götzendienst traf das falsche Objekt, die Denkmalpflege hat den rechten Umgang behindert.

Aber schon taucht ein in letzter Zeit häufig gebrauchtes Wort auf: Märchen seien Geschichten aus der „Anderswelt“, Teile einer Gegenkultur gegenüber der unseren. Diese Konstruktion gefährdet die Zusammenhänge mit der Wirklichkeit und koppelt die Phantasie in Richtung einer isolierten und damit unbrauchbaren Gegenkultur ab. Dabei muß sich doch eine unversponnene, noch nicht selbstgenügsam gewordene Phantasie den Bezug zur realen Umwelt, zum erlebbaren Geschehen in Gesellschaft, Zeit und Ort offenhalten. Es lugt gleichsam durch alle Ritzen der Fiktion die Beziehung zur Realität hervor, am meisten natürlich dort, wo — infolge des Literarisierungsprozesses — das Blut noch nicht gewichen und das papierene Nachempfinden noch nicht begonnen hat, wo noch erzählt und zugehört wird.

Blickrichtungen auf das Märchen

Die „Ketzer“ waren über ein Jahrzehnt lang besonders eifrig am Werk. Sie haben übrigens nur selten radikale Bilderstürmerei betrieben, aber viele Kahlschläge vorgenommen, durch die hindurch das Weltreich der märchenhaften Utopie besser in Sicht gekommen ist.

Die in dem hier vorliegenden Band zu Wort kommenden Autoren schreiben aus der Perspektive und in dem Bewußtsein, daß Märchen — wie weit immer der Radius dieses riesigen Genres gezogen werden mag — ein Produkt menschlicher Phantasie sind, Kunststücke des Alltags oder artifizieller Anstrengung, in denen zum Ausdruck kommt — anschaulich, bildhaft, einfach und prägnant —, was in abstrakte Formeln und kluge Reden nicht einzubringen ist. Es steht das Märchen nicht vor, sondern neben anderen — realistischen, umschreibenden, abstrakt-theoretischen — Versuchen, Bedeutung und Sinn in unser Dasein zu legen. Auf diesen Aspekt legt Gerhard Haas in seinem Beitrag „Wozu Märchen gut sind" besonderes Gewicht. Und das Märchen ist offenbar nicht angetan, seine Weisheiten auf andere Weise preiszugeben als durch eine möglichst aktive Rezeption, zum Vergnügen und Gewinn der Beteiligten, mögen Hörer und Erzähler in einer freundlichen oder aber auch feindlichen Umwelt leben.

Bei der hier vorgelegten Betrachtung des Märchens für Kinder von heute wird zwar die Blickrichtung von Kapitel zu Kapitel geändert, jedoch das umfängliche, variantenreiche sozial- und kulturgeschichtlich so interessante und aufschlußreiche Objekt nie aus dem Auge verloren. Rudolf Schendas Essay „Märchen erzählen — Märchen verbreiten" eröffnet die Folge der Beiträge. Der Züricher Kulturanthropologe dürfte am facettenreichsten die später detailliert gezeichneten Linien angedeutet, ja teilweise selbst schon programmatisch ausgezogen haben. Er ist besorgt um die freimütige Betrachtung volkstümlicher Erzählweisen und warnt vor philologischer Engstirnigkeit. Er ist es, der gleichsam für den „aufrechten Gang" beim Erforschen des Märchens eintritt; er findet es „nützlich, das Monument Märchen von seinem Sockel zu heben, es auf den Boden zu bringen, damit man es nicht von unten nach oben betrachten muß, sondern ihm gerade ins Gesicht blicken kann." Und er erinnert an die Geschichtlichkeit von Märchenerfinden und Märchenrezipieren und weist auf die Notwendigkeit hin, zu erkennen, „daß die Märchen gesellschaftliche Normen und Werte transportieren, welche zumeist dem höfisch-absolutistischen oder dem bürgerlich-vordemokratischen Zeitalter angehören". Er folgert daraus, man möge sich historisierend annähern, möglichst „Ur-Texte" unverletzt lassen. Und er fragt sich — übrigens nicht nur in dem hier abgedruckten Aufsatz —, ob man den Didaktikern nicht eher ab- als zuraten solle, sich mit dem Märchen zu befassen, nachdem es doch so lebendige moderne Kinderphantasieliteratur gibt. Dahinter steht die ernstgemeinte Frage, ob Kinder überhaupt die traditionellen Märchen brauchen.

Solchermaßen mit Ansichten, Betrachtungen und Fragen versehen, wendet sich der Leser in den folgenden Abschnitten dieses Buches der Beobachtung insgesamt dreier Bereiche zu:

1. des Gebrauchs und Mißbrauchs der Märchenkammer durch politisch-gesellschaftliche Kräfte,

Um „Däumlings" Körpergröße besser demonstrieren zu können, greift Janosch (*1931) in seinem modernen Märchen „Der Däumling" zum Requisit des Mercedes-Zündschlüssels als Maßeinheit.

2. der Tradierung und Verwandlung des Märchenstoffes in einer durch Massenmedien und dadurch auch durch veränderte Kommunikationsformen bestimmten Gesellschaft und
3. der didaktisch-methodischen Handhabung des Märchens an den Orten, an denen Jugend enkulturiert wird, vorwiegend also in der Schule.

Die Frage nach der Art und Weise der Nutzung der Märchenkammer kann von jedem der an diesem Abschnitt beteiligten Autoren – Jorge Enrique Adoum, Jack Zipes und Kay f. Stone – nur ausschnittweise angegangen werden. Daß jedoch sowohl dann, wenn europäische Kolonialisten in Lateinamerika weißhäutige Märchenprinzessinnen mit sich führen, als auch dann, wenn am französischen Hof Erziehungsmaßnahmen in angenehmer Märchendrapierung vorgeführt werden oder wenn die Internalisierung des Aschenputtel-Idols in der (nicht nur) amerikanischen Gesellschaft zur Debatte steht, letztlich der Märchenzauber, die lockere Form amüsanten Erzählens gebraucht, ja mißbraucht werden, um Unterdrückung der eigenen Gefühle einsichtig und sogar erstrebenswert erscheinen zu lassen, dürfte als gemeinsame Erkenntnis die drei so verschieden angelegten und thematisch auseinanderliegenden Artikel verbinden. Wenn es erlaubt ist, den Begriff des Kolonialismus auch auf Fälle der Literatur zu übertragen, in denen demnach die Zivilisation der Vorherrschaftsgesellschaft zur kulturellen Unterdrückung Abhängiger mißbraucht wird, so trifft dies auch in den hier analysierten Fällen zu: die mit den Märchen der Europäer beglückten lateinamerikanischen Jugendlichen; die Knaben und Mädchen im alten Frankreich, welche die Zähmung und Unterwerfung der Märchenheldin unter die Vorherrschaft des Mannes vor Augen geführt bekamen; oder die Frauen in den Vereinigten Staaten – und anderswo –, welche ihren Cinderella-Komplex aufgrund des Märchen-Musters infiltriert und gesellschaftlich verankert bekamen und bekommen.

Die Tradierung und Verwandlung des Märchenstoffes in einer durch Massenmedien-Kommunikation bestimmten Gesellschaft – Thema der Beiträge von Lutz Röhrich, Linda Degh und Jan-Uwe Rogge im nächsten Abschnitt – läßt zumindest zweierlei auf Anhieb erkennen: Die Märchen werden nicht ohne Verschleißerscheinungen tradiert, sie werden vielmehr – ob in den USA oder in Westeuropa – „zerzählt", variiert, renoviert und massenmedial vermarktet; sie werden aber auch in ihren zentralen Figuren und Pointen in teilweise völlig verkürzten Formen aufbewahrt und aufgrund von Requisitenverschiebungen der jeweiligen Situation angepaßt. Trotz der in vielen Details gewiß unterschiedlichen Gesellschaftsstrukturen diesseits und jenseits des Atlantik dürften sich jedoch erstaunliche Ähnlichkeiten zwischen den Feststellungen der Märchenforscher von hüben und drüben ergeben haben.

Zur didaktischen Handhabung des Märchens äußern sich Gerhard Haas, Manfred Klein und Carl-Heinz Mallet im letzten Abschnitt. Es ist nicht zu übersehen, daß sich Gerhard Haas – wie am Anfang Rudolf Schenda – mit Akribie um eine Standortbestimmung seiner Gedanken im Hinblick auf die kontroverse Diskussion des vergangenen Jahrzehnts bemüht, ehe er ansetzt, die Sprache, Form, Struktur des Märchens als besondere Möglichkeit außerrationaler Aussage zu umschreiben. Es wird deutlich, daß ein solcher Ansatz wegführen muß von der Suche nach kognitiven Erkenntniszielen und allein rational faßbaren Einsichten im Märchen, und hinführt zu dem, was im letzten Beitrag, einem Erfahrungsbericht eines praktizierenden Pädagogen, zur Sprache kommt, nämlich zu der Überzeugung, daß der adäquate Umgang mit den Konstrukten der Phantasie die Bewegung der eigenen Phantasie ist. Und hier tauchen Vorstellungen auf, die schon ganz zu Anfang, nämlich in Rudolf Schendas Essay, zu der Formulierung geführt haben: „Die nur passive Rezeption von Erzähltexten, ganz gleich welcher Qualität, ist auf die Dauer steril; die aktive Produktion von Erzählungen, die nicht selbstverständlich jedermann gegeben ist, sollte häufiger geübt werden." Schenda formulierte im Anschluß den Aufruf zu einer „alternativen Märchen-Didaktik, einer grünen Erzähl-Politik", ein Ausspruch, der seitdem in der Öffentlichkeit viel Beachtung fand.

So findet sich — trotz aller bei den einzelnen Autoren deutlich erkenntlichen Unterschiede im Standort — dennoch eine parteiliche Grundlinie dem Märchen gegenüber, die sich grundsätzlich abhebt von der der Vertreter mythologisierender Auffassungen: Diese einfache Erzählform ist zur freien phantasievollen Ausgestaltung unseres geistigen Fassungsvermögens aufnahmebereit, sie ist als ein sozialhistorisch bedingtes Kunstprodukt anzusehen, das uns erfreut und beeindruckt und jedermann zum adäquaten Spiel anregen sollte, Jung und Alt, Schriftsteller und „Laien".

Märchen erzählen – Märchen verbreiten

RUDOLF SCHENDA

Märchen erzählen — Märchen verbreiten

Wandel in den Mitteilungsformen einer populären Gattung

Fragestellungen

Bei dem Thema „Märchen für Kinder von heute" stellen sich für den Histori-
ker der europäischen Volksliteratur mehrere komplexe und komplizierte
Fragen. Lassen Sie mich einige von diesen Fragen aufwerfen und dann versuchen, Antworten darauf zu finden. Ist das „Märchen" eigentlich eine
durch alte Traditionen fest bestimmte Gattung oder hat es sich unter ganz
spezifischen historischen Bedingungen erst relativ spät herausgebildet? Darf
man im Rahmen der bekannten Volkserzählungs-Fakten dem Märchen den
hohen Stellenwert zubilligen, den es heute einnimt? Was hat das Märchen
mit dem Erzählen zu tun, ist es eigentlich eine Form der mündlichen Kommunikation oder eine Form gedruckter Mitteilung, also ein Lesestoff, und
wie verhalten sich diese sehr unterschiedlichen Mitteilungsformen historisch
zueinander? Hat das Märchen, von dieser oder jener Gestalt, mündlich oder
schriftlich mitgeteilt, eigentlich immer mit Kindern zu tun gehabt, oder ist
diese Ausrichtung auf ein minderjähriges Publikum eine Entwicklung neueren Datums? Welche Absichten stecken möglicherweise hinter solchen Kom-
binationen wie „Kindermärchen", „Märchen für Kinder" oder gar in der
Behauptung „Kinder brauchen Märchen"? Wie ist überhaupt der Kommuni-
kationskomplex „Märchen" zusammengesetzt, das heißt: wer sind seine
Produzenten, Vermittler, Konsumenten in Geschichte und Gegenwart?
   Alle diese Fragen — und noch einige andere — sind wohlvertraut. Aber
vielleicht ergibt sich doch durch eine zusammenfassende Darstellung eine
Basis für neue Diskussionen und durch die zum Teil pointierte Darstellungs-
weise auch ein Anlaß zu Meinungsverschiedenheiten.

Wir besitzen leider keine Geschichte des Erzählens, also von Erzähl-Akten, seit dem Mittelalter, wohl aber zahlreiche Belege dafür, daß bei den unterschiedlichsten Zusammenkünften von verschiedenen Personen nicht nur Faktisches berichtet, sondern auch Ungewöhnliches, Phantasievolles und Lustiges wechselseitig und Zeit in Anspruch nehmend erzählt wurde. Erzählen ist ein sozialer Akt, der einen (oftmals begabten) Erzähler und ein Publikum voraussetzt, wobei die Rollen durchaus vertauscht werden können. Zu den sozialen Fakten gesellen sich die kommunikativen, vornehmlich die verbalen der Sprache, aber auch die nonverbalen der Mimik und Gestik. Erzählakte dieser Art sind keine Einweg-Kommunikationen, denn der Erzähler braucht die Reaktionen des Publikums, seine Einwände, Fragen, Zustimmungen, Proteste, sein Gelächter und sein Weinen, die Unterbrechungen und auch das Abgelöst-(Abgewechselt-)Werden durch einen anderen Erzähler. Es gibt den Austausch von Erzähl-Erfahrungen von einem Mehr-Wissenden an Weniger-Wissende, also mit einem Dominanz-Verhältnis, aber auch den kollektiven Austausch von Erzählwissen (Schenda 1978, S. 58–61). Wir kennen aus der Geschichte des Erzählens ungewöhnliche und alltägliche Erzählgelegenheiten: Ungewöhnlich sind die Reise-Situationen beim Wandern der Handwerker, beim Pilgern der Frommen[1], bei den Kutschen-Fahrten der Begüterten. Gewöhnlich sind alltägliche Erzählvorgänge bei bestimmten Arbeitsverrichtungen oder, nach Feierabend, beim Zusammensein in einem Wirtshaus, einer Arbeitsstube, in einem Nachtquartier von Landarbeitern. Das gewöhnliche Erzählmilieu kann zu einem ungewöhnlichen werden, wenn ein Fremder, von einer weiten Reise kommend, seine Erlebnisse schildert oder Geschichten erzählt, die er wieder von anderen gehört hat.

Das Problem der Gattungen

Für alle diese Arten von Kommunikationsakten haben wir zahlreiche Zeugnisse; aus dem Quellenzusammenhang können wir auch erschließen, daß Abenteuerliches, Frommes und Lustiges erzählt wurde; von festgelegten Gattungsbezeichnungen findet sich aber vor dem 18. Jahrhundert kaum eine Spur. Man spricht eben von „Erzählungen", „tales", von „contes", „cuentos", „racconti" und meint damit all das, was später Märchen, Sage und Schwank genannt wurde. Ganz grundsätzlich aber sollten wir festhalten, daß die Gattung, die wir heute „Märchen" nennen, bei Erzählakten schon immer eine untergeordnete Rolle gespielt hat, also weniger gebräuchlich war als der

Schwank und die Abenteuererzählung (Wetzel 1974), von Alltagsgeschichten über Krankheit und Sterben ganz zu schweigen[2]. Erst durch eine bestimmte literarische Mode am Ende des 17. und Anfang des 18. Jahrhunderts, „la mode des fées", und durch forcierte Hervorlockungen dieses Genres im 19. Jahrhundert hat das Märchen zeitweilig ein gewisses Übergewicht erhalten.

Die Illustration, entnommen der französischen Märchensammlung „Contes des Fées" von Elise Voiart und Amable Tastu, erschienen in Paris 1838, gibt Einblick in die Atmosphäre, die seinerzeit Märchenerzählen erzeugen sollte.

Zuerst also waren da einmal Erzählungen, Erzählstücke aller Art. Wer hat dann diese Gattungsdifferenzierungen eingeführt? (Folk Narrative Research 1976, S. 13–74). Das 18. Jahrhundert kennt zumindest noch keine Unterscheidung von Märchen und Sagen. Im 3. Band seiner „Unterhaltungen für Kinder und Kinderfreunde" bringt Christian Gotthilf Salzmann in der Beschreibung einer Reise von Dessau nach Thüringen verschiedene Erzählungen von Kyffhäuser; er nennt sie bald „abenteuerliche Geschichten, die ich in meiner Jugend [. . .] hatte erzählen hören", dann nennt er die Geschichte von Kaiser Rotbart nicht etwa eine Sage, sondern eine Erzählung, aber nach zwei weiteren Erzählungen mit wunderbaren Ereignissen um diesen Zauberberg rufen seine Kinder: „Ach! Vater spaset! Vater hat uns ein Mährchen erzählt", und Salzmann stimmt zu: „und [ich] sagte, daß ich es für nichts anderes, als ein Mährchen ausgebe". Der Pädagoge freut sich also, daß seine Kinder die Wirklichkeit von der Phantasie unterscheiden können; er setzt die neuen Vernunftkinder in Kontrast zu den Schulkameraden seiner eigenen Jugend, welche „beständig diese und andere Histörchen vom Kiphäuser, überdiss auch vom wüthenden Heere, von schwarzen Männern und weissen Frauen [. . .] erzählten, und diss alles glaubten." (Salzmann 1812, S. 168– 171). Hier haben wir alle möglichen Gattungsbezeichnungen beisammen: „Geschichte", „Erzählung", „Märchen" und „Histörchen", nur nicht die, welche wir heute verwenden würden, nämlich „Sage". In der Tat ist noch das 18. Jahrhundert in bezug auf populäre Erzählungen nicht gattungs-fixiert; das Hauptaugenmerk liegt doch auf der Unterscheidung zwischen Vernunft und Aberglauben; die Kinder müssen lernen, die Gespensterfurcht zu überwinden, die Phantasien zu zügeln, der Realität, der rationalen Lebensbewältigung ins Auge zu sehen.

Findung und Erfindung des Märchens

Die Genre-Trennung wird eindeutig von anderen Interessen gelenkt. Im Zuge der romantischen Aneignung zahlloser neuer Literaturdenkmale aus dem Mittelalter wird die Findung philologischer Kategorien, die Einrichtung von Genre-Schubladen nützlich und notwendig; im Zuge der literarischen Entwicklung eines neuen Volks-Tones durch Achim von Arnim und Clemens Brentano (Frühwald 1979, S. 80) wird die Erfindung neuer poetischer Gattungen möglich. Das Märchen, wie es sich seit 1812 in einem langsamen historischen Prozeß herauskristallisiert, ist ein Produkt philologischer Notwendigkeit und poetischer Möglichkeit; es erfüllt außerdem, wie ich noch zeigen möchte, die politischen Erwartungen einer breiten literarischen Öffentlichkeit.

Selbst Wilhelm und Jacob Grimm sind anfänglich unsicher im Gebrauch der Genre-Schubladen. Das geht aus den Märchensammlungen von 1812 und 1815[3] ebenso hervor wie aus dem Vorwort zu den „Deutschen Sagen" von 1816 und 1818 (Schneider 1914, Bd. 1–2) oder aus der Materialienverwendung in Jakob Grimms „Deutscher Mythologie" von 1835. Die bekannte Formulierung von 1816: „Das Märchen ist poetischer, die Sage historischer" (Schneider 1914, Bd. 1, S. 17) zeugt von dieser Unsicherheit, die sich bei den Epigonen bis zur Mitte des 19. Jahrhunderts fortsetzt.

Mißverständnisse: „Mündlich", „Aus dem Volke"

Ich habe von Genre-Findung durch Philologen und von Märchen-Erfindung durch Poeten, also durch Literatur-Macher gesprochen, und ich meine, wir sollten uns der Inhalte und der Tragweite dieses vor allem deutschen Prozesses ganz bewußt sein. Zwei Mißverständnisse sind vor allem in aller Sachlichkeit, aber doch mit dem nötigen Nachdruck auszuräumen: Ich meine das eine Mißverständnis von der Mündlichkeit alter Märchen und Sagen und das andere von der Volks-, also der Unterschichten-Herkunft dieser beiden Gattungen. Nichts wäre in der Tat falscher als die Brüder Grimm oder ihre Epigonen als Feldforscher mit Überlandstiefeln und Loden-Umhang, mit Notizheft und Schreibstift zu sehen. Eine große Mehrzahl der Stücke in der Märchensammlung sind literarischen Ursprungs und wurden in bürgerlichem Milieu, nämlich in Kassel bei den Wilds und Hassenpflugs aufgezeichnet, besser: nachgeschrieben[4]. Die Frau Viehmann, von der 1814 in der Vorrede zum zweiten Teil der „Kinder- und Hausmärchen" die Rede ist, war in der Tat eine „Bäuerin" aus Zwehrn bei Kassel, aber die Brüder Grimm berichten uns nur von ihrer Physiognomie („ist wahrscheinlich in ihrer Jugend schön gewesen"!) und von ihrer konstanten Erzählweise[5], aber nichts von ihrem Bildungsgrad und ihrem sozialen Status. Was die „Deutschen Sagen" anbetrifft, so sind sie allesamt aus gedruckten oder geschriebenen Quellen geschöpft; da wo der Ursprung als „Mündlich" bezeichnet wird, ist nur gemeint, daß ein Beiträger in seiner Brief-Mitteilung an die Brüder behauptet hatte, eine solche Geschichte sei in seiner Umgebung irgendwo und irgendwann erzählt worden[6]. Wir dürfen solchen Nachweisen aus zweiter und dritter Hand starke Bedenken in bezug auf ihre Mündlichkeit entgegenbringen. Literarisch überliefert, das zeigt jedes Faszikel der „Enzyklopädie des Märchens" aufs Neue, sind zahllose Märchen-Typen und -Motive aus der

Schatzkiste der mittelalterlichen Epik und der Legenden-Literatur, der Renaissance-Novellistik und der Humanisten-Kompilationen, der Barockpredigten und der Aufklärungsdissertationen, der Volkskalender und der Volksbücher entnommen[7]. Wir haben viel zu wenig von den Unmassen dieser niederen Literaturgattungen gelesen, als daß wir behaupten könnten, irgendeine „mündliche" Überlieferung sei nicht kurz zuvor, maximal zwei Generationen zuvor, irgendwo niedergeschrieben oder gedruckt gewesen und gelesen oder vorgelesen und damit weitertransportiert worden.

Ich leugne damit keineswegs die Eigenkreativität und die Gedächtnisleistung des Volkes, fühle mich in keinerlei Opposition zu den diesbezüglichen Theorien der DDR-Forschung[8]; ich kaue keine Hans-Naumann-These vom abgesunkenen Kulturgut nach. Ich stelle nur die romatischen Theorien von mündlicher Überlieferung seit heidnischer Zeit und vom Unterschichten-Ursprung der sogenannten „Volks"-Erzählung radikal in Frage, und damit erlaube ich mir, vor den Gattungen „Märchen" und „Sage", so wie sie in der Grimm-Nachfolge und vor allem von Ludwig Bechstein verherrlicht, verabsolutiert wurden, ein bißchen Respekt zu verlieren. Ein solcher Respektverlust ist umso notwendiger, wenn man vor und neben den Grimm-Märchen den ganzen Wust von romantisch-literarischer Märchenproduktion sieht, welche die angeblichen Volkserzählungen in ein literarisches Feenreich oder in die Schauerbereiche des Ritterromans emporzuheben versucht[9]. Und nach dieser Distanzierung sehe ich dann allerdings einen Teil der psychoanalytischen und pädagogischen Anbetung des Märchens als Götzendienst an, als Verehrung des falschen Objekts, als Verkennung dessen, was sich das Volk wirklich erzählt und was die wirklichen psychosozialen Bedürfnisse der Unterschichts-Angehörigen waren[10].

Es wäre indes töricht, wollten wir den Brüdern Grimm betrügerische Absichten oder literarischen Dilettantismus unterstellen. Ihr Werk ist, im Gegensatz zu dem Ludwig Bechsteins, ein geschlossenes Ganzes und ein großer Wurf: Sie suchten, als städtische Bürger und Intellektuelle, den kulturellen Eigenwert auch der Landbewohner und Analphabeten (die sie freilich mit keinem Wort erwähnen) in Sprache und Erzählüberlieferung zu erkennen; sie arbeiteten mit an der damals notwendig erscheinenden Rekonstruktion einer gemeinsamen, nationalhistorischen Vergangenheit für alle Mitglieder des deutschen Kleinstaatenwesens: sie schufen literarische Prosa-Kleindichtungen, deren beste Stücke jeden Freund romantischer Literatur nach wie vor entzücken. Aber — das muß man auch sagen dürfen — von den mündlichen Erzählformen im Rahmen von alltäglichen oder außergewöhnlichen Kommunikationsformen auf dem Lande, beim handarbeitenden, nicht alphabetisierten Volke hatten sie eher nur eine blasse Ahnung[11].

Erst sehr viel später, etwa seit der Wende zu unserem eigenen Jahrhundert, haben wir nach und nach erfahren, was sich das „Volk" wirklich erzählte. Dabei waren zunächst ganz enorme Tabuschwellen zu überschreiten in bezug auf die erotische Wohlanständigkeit (Rapunzel hat plötzlich Zwillinge – vom Geschlechtsverkehr war keine Rede gewesen) und andere Bürgertugenden, die nicht verletzt werden durften, während im Hinblick auf Gewaltszenen allenthalben zerfleischt, zerhackt und herumgewütet werden konnte (Schenda 1976, S. 78–104 und 159–178). Selbst noch der große mecklenburgische Sammler Richard Wossidlo war stark auf das erpicht, was er hören wollte, nämlich Mythenreste. Dem Volke noch näher kamen Ulrich Jahn (1891) und Gottfried Henssen (1935, 1953): ganz starke Anstöße kamen von dem 1926 erschienenen Büchlein Mark Asadowskijs „Eine sibirische Märchenerzählerin" (Dégh 1979) und von der 1962 erschienenen Arbeit von Linda Dégh über „Märchen, Erzähler und Erzählgemeinschaft" (Dégh 1962). Erst nach dem Zweiten Weltkrieg, sicherlich auch im Zuge der im Kriege gemachten Erfahrungen, befaßten sich die Forscher intensiver mit Alltagserzählungen und mit dem Erzählmilieu, den Erzählgelegenheiten und den Erzählabläufen. In den letzten Jahren sind Arbeiten erschienen, die als wegweisend für diese neue Richtung zu bezeichnen sind (Fabre 1973/74; Dégh 1975; Milillo 1977; Fischer 1978; Gerstner-Hirzel 1979; Tolksdorf 1980).

Aus diesen und anderen Studien können wir nun ersehen, wie das Märchen-Erzählen als sozialer Akt noch heute in Randzonen oder Randsituationen vor sich geht und wie es sich wahrscheinlich auch vor hundert und hundertfünfzig Jahren abwickelte[12]. Insbesondere können wir uns Vorstellungen machen von den gesellschaftlichen Bedingungen, unter denen auch Märchen erzählt wurden. Wir haben mit einem Erzählmilieu von überwiegend analphabetischen Landbewohnern zu tun, welche nur die direkten Kommunikationsformen des Sprechens, Zeichengebens, Vormachens und Nachahmens kennen. Die mündliche Kommunikation spielt in diesem Milieu eine sehr viel größere Rolle als wir Groß-Städter uns das heute vorstellen können. Für die kulturell aus den Alltagsgesprächen herausgehobene Unterhaltung stehen zwar keine Salons zur Verfügung wie beim Adel und beim Großbürgertum[13], wohl aber große Gemeinschaftsräume mit einem Herdfeuer oder einem Licht. Das Fehlen von täglich gedruckten Nachrichten macht vornehmlich den Austausch von Neuigkeiten notwendig; an den langen Winterabenden bleibt aber auch viel Zeit, um Ereignisse und Erlebnisse mitzuteilen, die zum Teil wahr, zum Teil aber auch erfunden sind, teils aktuell, teilweise aber auch aus dem Gedächtnis hervorgeholt. Das Publikum besteht aus der Großfamilie und einem Teil der Nachbarn (von den Tieren nicht zu reden); nicht selten ist einer unter ihnen, der lesen, etwas Interessantes von dem Gelesenen nacherzählen oder gar aus einem Jahrmarktsblatt oder Heftchen vorlesen kann. Die Kinder sind bei diesen „veillées", „Nachtkarzen", „veglie" (Medick 1980) gegenwärtig, gehen aber früher zu Bett als die Erwachsenen: oftmals wechseln dann die Erzählinhalte auf Themen über, welche nicht für Kinderohren bestimmt sind. Solchen Erzählkreisen ist ihr soziales Unten-Sein wohl bewußt. Märchen-, Schwank- und Sagen-Inhalte erfüllen für sie daher auf irrealer Ebene geheime Wünsche nach Reichtum und Abenteuer, Liebe und Lust, Verkehrter Welt und sozialem Anders-Sein. Auch die Märchen, die angeblich zeitlos und ahistorisch sind, stecken voll von Lokalkolorit, Hinweisen auf die sozialen Bedingungen nicht zuletzt der Kinder und voll von bäuerlichen Sinngebungen (Joisten 1965) und biographischen Momenten; aufgepropft sind ihnen zudem die Normen und Wertsetzungen der bürgerlichen Bearbeiter, etwa im Hinblick auf väterliche Autorität, Akzeptation der Armut oder Bestrafung der Verbrecher[14].

Kurzum, die Märchen haben ihr spezifisches historisches Bezugsfeld (Dégh 1979). Und weil dem so ist, wie man heute mehr und mehr erkennt (Schenda 1980; Brackert 1980; Fetscher 1980), ist eigentlich nicht recht einzusehen, warum Märchentexte aus einem bestimmten historischen Rahmen, der mit gemeinsamer Arbeit und gemeinsamen sozialen Fakten eines bestimmten Milieus zu tun hat, warum solche Texte, die einmal Kulturbesitz des Volkes waren, aus ihrem Bezugsfeld herausgerissen und Kindern von heute vorgesetzt werden in allen möglichen Formen der Verfälschung: romantisiert und verhochdeutscht, expurgiert und geschönt, ohne Gestik und Mimik, dafür illustriert von zumeist drittklassigen Farbenklecksern und auf jeden Fall: ohne ein Wort des Kommentars zu all dem, was eben zu dem Text auch noch gehört. Wenn Kinder Märchen wirklich brauchen sollten, und Zweifel daran müssen erlaubt sein[15], dann soll man ihnen auch wirklichkeitsentsprechende Märchen geben und das heißt: Erzähltexte mit historischen Erläuterungen zu ihrer Entstehung und Verbreitung.

Märchen im ideologischen Einsatz

Man kann sicherlich behaupten, daß die Kontrolle über ihre Produktion den Brüdern Grimm, und insbesondere Wilhelm, der ab 1918 allein verantwortlich war für die Ausgabe der „Kinder- und Hausmärchen"[16], aus den Händen geglitten ist. Spätestens nach der mißlungenen bürgerlichen Revolution von 1848 nahmen die National- und Jugenderzieher das Grimmsche Erbe ganz für sich in Anspruch. Im Jahre 1851 schreibt Friedrich August Wilhelm Diesterweg über die Bedeutung, den Zweck und die Mittel der Deutschen Nationalerziehung, wie wichtig es sei, alle Schätze der deutschen Nationalsprache zu heben, denn das Deutsche sei „eine Ur-, eine Krystall- und zu gleicher Zeit eine Granitsprache". Diesem Sprachschatz zuzuordnen sei „das deutsche Volkslied, das deutsche Märchen, das deutsche Volksepos und das deutsche Sprüchwort. Ich nenne die von Deutschen geschaffene Musik, die Gesänge, die Volksmelodien, unsere Märchen, unsere (meist evangelischen) Kirchenlieder, unsere Sprüchwörter deutsch." Und ein wenig weiter schreibt Diesterweg: „Mit allem dem wollen wir unsere Jugend aufnähren, speisen und tränken" (Diesterweg 1851, S. 69–70). Das sprachliche Volksgut wird also ganz im Sinne von Johannes Matthias Firmenichs „Germaniens Völkerstimmen" (1843–1866) in den Dienst genommen für die Ideologie von der germanischen Ursprünglichkeit und damit der nationalen Einheitlichkeit des deutschen Volkes (Plessner 1962; von See 1970). Diese Ideologie, welche auf die Konstitution einer zentral regierten deutschen Großmacht abzielte, sollte den Jugendlichen auch mit Märchen zugefüttert werden.

Ein Jahr später schrieb Ludwig Bechstein in dem gleichen patriotischen Organ, der „Germania" des Ernst Moritz Arndt, einen Beitrag über „Das Märchen und seine Behandlung in Deutschland" und unterstrich dabei, ganz Adept Jacob Grimms, den engen Zusammenhang zwischen der Märchenwelt und der germanischen Mythologie. Nach einem gelungenen Überblick der Märchenliteratur vom Spätmittelalter bis zu den „Kinder- und Hausmärchen" meinte Bechstein abschließend, die politische Gegenwart sei zwar eine ernste Angelegenheit, die keiner Märchen bedürfe, „aber die Jugend bedarf ihrer, wie des frischen Quellwassers, denn die Märchenwelt ist eine kastalische Poesiequelle voll unaustilgbaren Zaubers, sie ist das Beste und Unschuldigste für Hand und Auge unserer Kinder". Der beste Beweis für diese Behauptung sei sein eigenes „Deutsches Märchenbuch", das seit 1845 in 63 000 Exemplaren abgesetzt worden sei (Bechstein 1852, S. 326–327). Der Meininger Archivarius macht hier nicht nur schamlos Reklame für sein eigenes Buch, er möchte auch durch Märchen, deren Zeitlosigkeit und damit Politiklosigkeit er betont, die Kinder vom politischen Geschehen ablenken. Abermals ein Jahr später liest man bei dem hessischen Katholiken Johann Wilhelm Wolf (Pseudonym: Laicus) eine Hymne auf das Tiefe und Sinnige im deutschen Volke, und er setzt „unsere Märchen" gegen „die raffinierten Romane der neufranzösischen Schule": „denn arm und widerlich müssen diese Ausgeburten einer befleckten Phantasie und verdorbener Herzen erscheinen, wo unsere Märchen die reinen, bunten Schwingen seiner frischen, duftigen Phantasie entfaltet" (Wolf 1853, S. VII). Märchen besaßen also einen ganz hervorragenden pädagogischen und, trotz gegenteiliger Behauptungen Bechsteins, einen politischen Wert. Sie ließen sich schon damals nach allen möglichen Tendenz-Fahnen in Marsch setzen. Daß dieser ideologische Einsatz des Märchens insbesondere im Wilhelminischen Zeitalter zur Geltung kam, hat Ulrike Bastian jüngst in ihrem Buch über die „Kinder- und Hausmärchen" und die literaturpädagogische Diskussion gezeigt (Bastian 1981, S. 45–100).

Die neue Flut der Märchenbücher

Der Einsatz von Märchen- und Sagenbüchern im Schulunterricht und zum Hausgebrauch war umso notwendiger geworden, als es für die neuen Millionen von frisch alphabetisierten Kindern, Jugendlichen und Erwachsenen[17] nicht genügend geeignete Lesestoffe gab. Die bürgerlichen Volkslesestoffe der Restauration galten als veraltet; Christoph von Schmid war zu katholisch-fromm, Christian Gottlob Barth zu pietistisch-streng, Gustav Nieritz zu seicht. So griffen denn die Verleger, die ja schon damals nicht auf den Kopf gefallen waren, eifrig zu den neuen „Volks"-Lesestoffen, welche die Märchen- und Sagensammler ihnen massenweise lieferten. Für die zwanzig Jahre zwischen 1850 und 1869 habe ich, mit großem bibliographischem Aufwand, die Buch- und Aufsatztitel gezählt, welche das Stichwort „Sage" enthalten: Es handelt sich um mindestens zehn Buch- und zwanzig Aufsatz-Titel pro Jahr; rund hundert Autoren waren an diesem Werk zugange, rund dreißig lassen sich biographisch nachweisen – es sind Universitäts- und Gymnasialprofessoren, Ärzte, Juristen, Publizisten, fast ausnahmslos mit Hochschulbildung; Katholiken und Protestanten halten sich die Waage (Schenda 1982 II). Zum Auszählen der Märchentitel bin ich noch nicht gekommen, sie liegen jedenfalls niedriger als die Sagenproduktion von durchschnittlich 30 Titeln pro Jahr.

Wir haben jedoch einige Hilfsmittel, um den Märchen-Boom zumindest für unser Jahrhundert abzuschätzen. Vor zwei Jahren erschien der 83. Band des „Gesamtverzeichnisses deutschsprachigen Schrifttums" (GV) 1911–1965 mit dem Stichwort „Märchen" (Oberschelp 1979, S. 175–193). Für die 55 Jahre, welche diese deutsche Gesamtbibliographie umfaßt, lassen sich nicht weniger als 700 Titel (also rund 12 pro Jahr) von Büchern, Broschüren und Heftchen ausmachen, die etwas mit unserer Gattung zu tun haben; mit afrikanischen, ägyptischen, arabischen, baltischen, bayerischen, bretonischen Märchen und so alphabetisch weiter bis zu „Märchen von überall her" (Köln: Benziger 1962, ²1964), denn „Märchen kennen keine Grenzen" (Köln: Europa-Union-Verlag 1965), vor allem im Buchgeschäft nicht. Weil sie verkauft werden müssen, etikettieren sie die Verleger als „Neue Märchen" (acht Titel), als „Schöne Märchen", ja als „Schönste Märchen" (34 Titel!); verkaufsfördernd war offenbar auch das Herausgeben in Serien, von denen wir im „Gesamtverzeichnis" mehr als ein Dutzend finden, etwa den „Märchenborn", „Hausser's Märchenbücher" oder die „Deutsche Märchenbücherei". Man darf freilich nicht annehmen, daß hier immer wieder die alten Volkserzählungen abgedruckt wurden: Die „Kunstmärchen" überwiegen bei weitem das dem „Munde des Volkes" Entlockte. An Kuriosa fehlt es selbstverständlich nicht: In Kassel-Niederzwehren gab es 1955 in der Dorothea-Viehmann-Schule ein Märchenfest zum 200. Geburtstag der Viehmännin; im Weltkriegsjahr 1915 erschien bei Schultze & Velhagen „Ein Märchen und dennoch wahr! Ein Hoffnungsstrahl für alle Kämpfenden"; der Allgemeine Deutsche Gewerkschaftsbund veröffentlichte 1925 „Das Märchen vom Preisabbau".

Die „Märchenwelt" (18 Titel) ist also allen Zwecken verfügbar geworden. Nehmen wir ein anderes bibliographisches Handbuch zur Kontrolle: das „Verzeichnis lieferbarer Bücher von 1975/76" (Verzeichnis lieferbarer Bücher 1975, 2525–2528). Wie viele Märchenbücher, so fragen wir, sind eigentlich gegenwärtig auf dem Markt? Wir haben hier für das Stichjahr 1975: 80 Titel, die mit „Märchen . . ." beginnen, 15 Titel mit „Märchenbuch", 55 Titel mit Märchen-Komposita wie Märchen-Fibel, Märchenposter, Märchentruhe und Märchenwald, ferner 150 Querverweise auf Bücher, die im Titel das Wort ‚Märchen' führen, schließlich die 60 Einzeltitel der *Märchen der Weltliteratur* aus dem Diederichs-Verlag. Sicherlich gibt es da Überschneidungen, aber mindestens 200 Märchenbücher sind jeweils im Handel und zwei Dutzend Titel zur Märchenforschung auch. Die Frankfurter Buchmesse 1978 stand bekanntlich im Zeichen des Schwerpunkt-Themas „Kind und Buch", das dazugehörige Sonderheft des *Börsenblattes für den deutschen Buchhandel* liefert uns einige weitere Illustrationen zur Märchen-Buchmarktlage: Wir erfahren von einem 1977 von Hans-Christian Kirsch gegründeten Hans-im-Glück-Preis, wir lernen, daß jugendliche Strafgefangene sehr viel lieber Krimis als Märchen lesen, wir erhalten von den Verlagen Empfehlungen, in welchem Alter welche Märchen für welche Kinder die richtigen sind; immer wieder kriegen wir „Die schönsten Märchen"[18] und die „Schönsten Sagen" angeboten; die Märchenbücher kosten „ab DM 3,95" wie andere Billigwaren auch, und so fort (Schenda 1978 II).

Seit mehr als hundert Jahren hat sich also die Mitteilungsform der populären Erzählgattung „Märchen" radikal gewandelt. Sie wird nicht mehr in direktem Mund-zu-Ohr-Gespräch kommuniziert, sondern indirekt über das gedruckte Medium des Textes. Die Märchen-Kommunikation verliert das Sprechen und die Besonderheiten der gesprochenen Syntax (Bloch 1965, S. 560–567), die Gestik und die Mimik, gewinnt stattdessen die begleitende und Phantasie-beflügelnde Illustration. Der Märchen-Text ist zur Invariabilität erstarrt, er ist ein archaisches Relikt. Aber: er wird jetzt allgemein verfügbar, gelangt aus dem kleinen Kreis der Primär-Kommunikatoren weit hinaus, wird nicht nur den Bürgerkindern vorgelegt, sondern nach und nach auch den Unterschichts-Kindern, wird gleichsam dem Volke über das Buch zurückgegeben. Aus der mündlichen *Volks*-Erzählung ist ein populärer Lesestoff geworden. Die lesende Rezeption von Märchen ist indes kein sozialer Akt mehr, sondern isolierte Beschäftigung eines Einzelnen[19]; soziale Akte sind aber jetzt das Märchenbuch-Kaufen und das Schenken. Die märchenproduzierende Instanz ist keine lebende Einzelperson mehr, sondern ein Produktionsteam von anonymen Autoren und undurchschaubaren Verlagen. Ein Gedankenaustausch mit dem Produzenten, ein Dazwischenfragen oder Emotionen-Zeigen findet nicht mehr statt: der Märchenleser kann das Buch höchstens in die Ecke werfen oder dem Verleger einen Brief schreiben, der dann nicht beantwortet wird. Die Märchenkommunikation im Zeitalter des Lesebuchs ist also fast vollständig entpersönlicht und materialisiert; auch bei Märchen-Vorlese- oder Vortrags-Abenden sind die Märchentexte zu literarischen Standardformen reduziert und festgegossen. Das Märchen ist, wie die meisten Fakten der alten Volkskultur (vom Brotbacken bis zum Liedersingen) zur Museums-Mumie geworden. Achim von Arnim sollte Recht behalten. In einem Brief an Jacob Grimm vom 22. Oktober 1812 hatte er prophezeit, die schriftliche Fixierung der Märchen werde den ,,Tod der gesamten Märchenwelt" zeitigen[20].

Der totale Gebrauch des Märchens

Die Unterwerfung der ehemals mündlichen Erzählungen des Volkes unter die Gesetze bürgerlicher Literaturwissenschaft und industrieller Lesestoff-Herstellung hat bekanntlich noch zu zahlreichen weiteren Anwendungsformen des Märchens geführt. Ich möchte, um nicht Zeit zu vergeuden, nur ein paar Fakten in Erinnerung rufen. Das Lesen von Märchen ist inzwischen schon wieder überholt. Im Wirtschaftsjahr 1971/72 wurden auf 146 verschiedenen Schallplatten aus 19 Verlagen 71 verschiedene Grimmsche Märchen auf dem Medienmarkt feilgeboten (Janin 1974). Zu den schriftkonservierten Märchen gesellen sich also die ,,tonkonservierten Texte" (Fischer 1975); die von einem Berufssprecher vor dem Mikrophon abgelesenen Texte lassen sich mit ungewöhnlicher Frequenz und Intensität repetieren; insbesondere den stimmungserzeugenden Geräuschkulissen sind die Zuhörer hilflos ausgeliefert (Czernich 1977). In den Fünfziger Jahren beherrschten Märchenfilme das deutsche Kinderfernsehen und Märchenhörspiele den Hörfunk; seitdem hat man dort bessere Unterhaltungs- und Erziehungsstücke für Kinder gefunden (Jensen 1980, S. 83, 87, 120–121, 129). Märchen auf der Bühne sind indes nach wie vor beliebtes Weihnachtsangebot der städtischen Theater: 1977/78 waren unter 171 aufgeführten Kinder- und Jugendstücken 51 Märchenwerke, das waren 30% der Stücke und 40% aller Aufführungen (Jensen 1980, S. 96–99; Israel 1976; Jahnke 1977). Andere Gebrauchsformen des Märchens richten sich an Erwachsene. Ich erwähne nur: die Reklame-Märchen, die sich anwenden lassen für die Umsatzförderung von Schokolade, Vitaminpräparaten (Jaresmil 1971), Nudeln (Lombardi-Satriani 1973) oder Reinigungsmitteln (Sullenberger 1974); Märchen-Karikaturen, oftmals mit erotischen Zweideutigkeiten (Röhrich 1979; Röhrich 1980) und Sexy-Märchen mit erotischen Eindeutigkeiten, bei denen Schneewittchen, Rotkäppchen oder Dornröschen als knackige Lustobjekte auftreten. Weiter kennen wir Märchen-Parodien, mit denen man wiederum ganze Bände füllen kann (Gelberg 1976; Gelberg 1980) und politische Märchen-Pamphlete[21] und Flugblätter[22].

Kehren wir noch einmal zurück zu „unseren lieben Kleinen": Mit eigenen Augen habe ich folgende Dinge gesehen: Märchengärten[23], Märchenbilderbücher (Euler 1976) und Leporellos, Märchenpapiertheater, Märchenschaufenster, Märchenspielkarten und Sammelalbum-Bilder, Märchenposter, Märchenpuppen, Märchenmalhefte, einen Ausschneide-Anzug für den nackten Kaiser und ein Daumenkino mit dem gestiefelten Kater[24] und, selbstverständlich, jede Menge Knusperhäuschen zu Weihnachten. Auch das sind Mitteilungsformen des Märchens, Produkte der Kulturindustrie, welche alles Wohlbekannte vereinnahmt, um in der alten Verpackung neue Waren zu verkaufen, auch wenn deren Gebrauchswert noch so gering ist: Papierwaren, Spielwaren, Eßwaren, Freizeitwaren. Nach der Mitteilung von Märchen-Worten, die zur Märchen-Literatur eingefroren wurden, füttert man den Kindern jetzt Märchen-Waren ein, zum Teil in einer so konkreten Weise – ein Schokoladen-Rotkäppchen zum Selber-Fressen –, daß Friedrich Diesterweg, wenn er solche Verwirklichung seiner Ideen sähe, mit Horror von seinem Jugend-Speiseplan (Diesterweg 1851) Abstand nehmen würde.

Es war hier nicht meine Aufgabe, in die vertrackte Diskussion über Wert oder Unwert des Märchens für Kinder[25] einzutreten. Aber ich möchte doch ein wenig von Kindern reden: Wurden Märchen eigentlich schon in früherer Zeit Kindern erzählt? Gewiß doch! Einer meiner ältesten Belege stammt aus einer Dissertation von 1726 über den Begriff „Bocksbeutel", also das zähe Festhalten an alten Bräuchen. Der Autor, Ernst Joachim Westphal, schreibt darin von Ammen und Weiblein, die kleine Mädchen erschrecken, um ihnen den Geist und den gesunden Menschenverstand unter das Joch blinden Gehorsams zu zwingen. Sobald nämlich die Mädchen zu stammeln anfingen, hätten diese Weiber nichts Besseres zu tun, als die Kinder mit Aberglauben vollzustopfen: „Narrant multo verborum apparatu historiolas vom Blocks-Berg, von der schwartzen Hexe, von dem Kerl, der die Kinder im Sack stecket, vom Dühmling, vom König Blau-Bart, von der Kuckucks-Suppe, vom Druten-Fuß, der alten Eten Inne, von der Königs Tochter im blauen Thurn etc. et infinitas fabulas [. . .]"[26]. Hier geht es offenbar um Schreck-Erzählungen internationaler Verbreitung; die Aufklärer waren ganz und gar nicht der Meinung, daß man mit solchen Ammenmärchen die Kinder aufziehen sollte. Auch Jacob Grimm war ja in seinem Brief an Achim von Arnim vom 28. Januar 1813[27] ganz unsicher, ob die KHM für ein so junges Publikum bestimmt sein sollten: „Das Märchenbuch ist mir daher gar nicht für Kinder geschrieben, aber es kommt ihnen recht erwünscht, und das freut mich sehr." Die ursprünglichen Bedenken Jacob Grimms konnten aber im Zuge der Aufbesserung der Texte durch Wilhelm Grimm (Rölleke 1975) fallengelassen werden. Die Diskussionen des Vormärz um Kindertümlichkeit oder Kinderfeindlichkeit des Märchens[28] waren dann nach der Revolution vergessen: 1850 erschienen auch Hans Christian Andersens Märchen ausgewählt „für die Jugend"[29], 1853 konnte der schon erwähnte Johann Wilhelm Wolf bereits behaupten, daß die Grimmsche Märchensammlung und ihre Nachahmungen „bis jetzt schon von einem unberechenbaren Einfluß auf die Erziehung von Tausenden waren" und daß sie die Jugendlichen vor den „verschrobenen Fabrikaten" der „Jugendschriftsteller" errettet hätten (Wolf 1853). Im selben Jahr sorgt sich Heinrich Pröhle, der bedeutendste damalige Volkserzählungsforscher Norddeutschlands, um die voraussichtliche Rezeption seiner Märchensammlung: „Wie werdet ihr nun bestehen, norddeutsches Gemüth und norddeutscher Märchenscherz, vor dem gesammten deutschen Volke? Wird man Runzeln finden auf eurer Stirn oder werdet ihr mit den Kindern sein wie die Kinder? Wie schön, o wie schön, wenn ihr helfen könntet im Sinne der Alten, welche den Kindern Geschichten erzählten, um ihnen Grauen einzuflößen vor dem Bösen und sie das Gute lieben zu lehren! Wie schön, o wie schön, wenn ihr spielend sie lehren könntet, ihr Vaterland zu lieben, seine Grenzen heilig zu halten, ihr Volk zu achten, nie zu vergessen die Heldenthat der Väter, aber nicht mitzufeiern, wenn vorwitziger vornehmer Pöbel mit grauen Haaren dem todten Unterdrücker Feste feiert (Pröhle 1853, S. VII)." Dieses Zitat enthält die neuen Tendenzen in nuce: die Metamorphose der Gattung zur Kinderliteratur, die Betonung seines pädagogischen Nutzens und seine politische Verfügbarkeit insbesondere in seinem Einsatz gegen alles Welsche.

Zum Schluß möchte ich noch ein Beispiel aus jener restaurativen Zeit hervorkramen, welches zeigt, wie damals das Märchen zur Jugendliteratur umgemünzt wurde. In der Vorrede zu Carl und Theodor Colshorns hannoverscher Sammlung von 1854 macht ein Vater einen Spaziergang mit der kleinen Auguste, einem „herzigen Mägdlein von sieben oder acht Jahren", und er versteckt etwas Weißes im Grase, während das Kind Blumen pflückt. Da „kam sie heran gehüpft und sagte: ‚Papa darf ich nun Hasennester suchen?' Da nickte der Papa wieder mit dem Kopfe und winkte wieder mit den Augen; und sie suchte und suchte. ‚Ei, was ist das!' rief sie plötzlich aus, ‚was wird darin sein?' Rasch nahm sie das Papier hinweg und jubelte und jauchzte hoch auf. ‚O, Papa, was hat mir Häschen heut gebracht! Grimm's Märchen, in blauen Sammt gebunden, mit goldnem Schnitt und goldnem Titel!' Und sie nahm das Buch mit nach Haus, ergötzte sich an seinen köstlichen Märchen und hielt es lieb und werth. Jetzt ist Auguste groß geworden und selber eine Mama; aber das Buch ist ihr lieb und werth wie damals und wird ihr lieb und werth sein bis zu ihrem Tode" (Colshorn 1854).

Eine literarische Gattung, die bei Giambattista Basile zuerst der höfischen Unterhaltung diente, die bei Charles Perrault die Akademiker und die Hofbeamten belustigte, die dann mehr als ein Jahrhundert lang Stoffe für bürgerliche Trivialliteratur lieferte, ist um die Mitte des vorigen Jahrhunderts aus pädagogischen, politischen und buchhändlerischen Gründen zur Kinder- und Jugendliteratur umgewandelt worden. In Dutzenden von Erscheinungsformen, in Tausenden von Textverwandlungen ist den Kindern offenbar das Märchen bis heute lieb und wert geblieben — sofern der Schein nicht trügt, sofern der ganze Märchenrummel nicht ein Popanz der Bibliographien und der pädagogischen Revuen ist! Eigentlich sollte der Beobachter der heutigen Kinder- und Jugendszene nämlich erwarten, daß nicht nur jugendliche Straftäter das Märchen ablehnen, weil es ihnen nichts mehr zu sagen hat. Ein modernes Kind kann sich doch, so könnte man argumentieren, in diesen alten Erzählungen von notleidenden Helden und Errettungen durch magische Helfer überhaupt nicht mehr wiederfinden: ihre Probleme liegen doch auf ganz anderer Ebene und sind viel komplexer. Märchen liefern stattdessen den Kindern von heute ein so dickes Paket von längst überholten familialen, sozialen und konjugalen Normen, daß deren Divergenzen mit den realen Lebensabläufen zu starken Desorientierungen führen können: In der heutigen Wirklichkeit haben zum Beispiel immer mehr Kinder nicht mit glücklichen Hochzeiten, sondern mit zerrütteten und geschiedenen Ehen und mit ehelosen Geschwistern zu tun. Kinder von heute hören und lesen doch von emanzipierten Frauen und von feministischen Ideen, und sie sehen die alten patriarchalischen Rollen zusammenbrechen. Den jüngsten Anti-Bettelheim-Thesen des französischen Psychologen Pierre Péju (Péju 1981, S. 63–67) lassen sich gewiss noch weitere Diskrepanzen zwischen Märchenwirklichkeit und Kinderalltag hinzufügen. Aber ich begebe mich hier auf ein Territorium, das den Psychologen und Pädagogen gehört, und diese werden in ihrem Land die guten alten Fahnen von Phantasie und Traum schwingen und mich einschüchtern, zumal ich selbst nicht nur den aufklärerischen, sondern auch den romantischen Standpunkt gerne verteidige. Nur eine Frage möchte ich meinen pädagogischen Andeutungen noch hinzufügen: Warum sollte man die Traum- und Phantasie-Vorlagen nach wie vor aus den alten Märchenmaterialien beziehen, die, wie ich wohl doch zeigen konnte, so stark belastet sind durch die vielen historisch bedingten Verfälschungen und Ideologisierungen? Haben wir denn wirklich keine unverdächtigeren Zeugnisse menschlichen Hoffens und Wagens, träumerischer Überwindung und phantasievoller Bewältigung dieser Welt?

Schlußgedanken

Ich breche hier ab und versuche, das von mir Gemeinte noch einmal in ein paar Sätzen zusammenzufassen:

1. Aus verschiedenen historischen Gründen hat sich das Märchen zum dominanten Genre unter den verschiedenen Formen volkstümlicher Erzählweisen herausgebildet. Durch diese Entwicklung wurde der Blick auf andere Gattungen der Volkserzählung, insbesondere die Sage, den Schwank und die Alltagserzählung behindert.

2. Es mag richtig sein, daß im Zuge der Entwicklung der Massenmedien ein Verlust von Erzähl-Kummunikationen als sozialen Akten stattgefunden hat. Richtig ist aber auch, daß nach wie vor zahllose Erzählakte dieser Art stattfinden; nur werden sie, da sie nicht in die philologischen Genre-Schubladen passen, kaum beachtet.

3. Es ist nützlich, das Monument Märchen von seinem Sockel zu heben, es auf den Boden zu bringen, damit man es nicht von unten nach oben betrachten muß, sondern ihm gerade ins Gesicht blicken kann. Der Effekt ist ein doppelter: Das Märchengesicht zeigt viele Schönheitsfehler und die anderen Denkmäler der Volksdichtung erscheinen weniger kleinwüchsig.

4. Ernsthafter gesagt: Wir sollten die Märchen wieder zu historisieren versuchen, sie in ihr kulturales Umfeld reintegrieren, die Texte sozial lebendig machen.

5. Dadurch wird man erkennen, daß die Märchen gesellschaftliche Normen und Werte transportieren, welche zumeist dem höfisch-absolutistischen oder dem bürgerlich-vordemokratischen Zeitalter angehören. Wer diese Normen und Werte nach wie vor nicht in Frage stellt, gerät in Verdacht, ein Reaktionär zu sein.

6. Wir sollten aber auch versuchen, die Denkweisen der Unterschichten aus den später gesammelten, vielleicht sogar echten Märchen- und Sagentexten herauszulocken. Aber bei der Suche nach Volks-Fakten ist zu bedenken, daß es auch andere historische Quellen gibt, die über Leben und Denken des Volkes Auskunft geben.

7. Die nur passive Rezeption von Erzähltexten, ganz gleich welcher Qualität, ist auf die Dauer steril; die aktive Produktion von Erzählungen, die nicht selbstverständlich jedermann gegeben ist, sollte häufiger geübt werden. Neben die Kritik von der Sorte, wie ich sie hier vorgebracht habe, muß eine alternative Märchen-Didaktik, eine grüne Erzähl-Politik treten.

8. Wer die Entwicklung von Phantasiefähigkeit und träumender Realitätsbewältigung im Auge hat, möge bedenken, daß es auch andere Formen der Kinder- und Jugendliteratur gibt.

9. Der Wandel in den Mitteilungsformen des Märchens zeigt, daß diese Gattung mehr als andere überstrapaziert wurde. Es wäre herzlich zu wünschen, vielleicht aber auch öffentlich zu fordern, daß die Kulturwarenproduktion die Sieben Zwerge, Sieben Geißlein und Siebenmeilenstiefel ein wenig zur Ruhe kommen ließe.

10. Wenn man allerdings (ältere) Kinder und Jugendliche mit Märchen zusammenbringen will, dann sollte man die Texte unverletzt so lassen, wie sie ursprünglich, bei ihrer ersten Aufzeichnung, gewesen sind — sofern sich das überhaupt noch ermitteln läßt. Sollten Kinder allein oder zusammen mit dem Pädagogen mit solchen authentischen Texten nichts anfangen können, dann ist zu überlegen, ob man die sekundäre Märchenproduktion (in Büchern, auf Tonbändern) und die Märchendidaktik nicht begraben sollte.

Aber ich bin sicher, daß die Märchendidaktiker Mittel finden werden, um das Märchen und die Kinder von heute weiterhin vereint zu halten.

Anmerkungen

1 Sehr frühe Beispiele vom Erzählen der Pilgerreisenden liefern alte Exempelsammlungen (Arnould 1940, S. 117–118, 123 und Anmerkung Nr. 3 auf Seite 186).

2 Mehrere der Märchen- und Sagensammler stellten schon um 1850 fest, die Märchenerzählerinnen seien „fast ganz ausgestorben" (Schambach 1855, S. VII).

3 Gemeint ist einmal die Tatsache, daß zwischen „Märchen" und „Legende", „Fabel" oder „Schwank" nicht immer unterschieden wird; sprechend ist aber auch, daß in der Vorrede zum zweiten Band der Kinder- und Hausmärchen (1815) vom 30. September 1814 die Märchen der Viehmännin als „alte Sagen" bezeichnet werden.

4 Hierzu vor allem die Arbeiten von Heinz Rölleke (Rölleke 1975; Rölleke 1974).

5 Wenn die Grimms erstaunt sind, „wie genau sie [die Viehmännin] immer bei derselben Erzählung bleibt und auf ihre Richtigkeit eifrig ist", dann hätten sie sich auch fragen können, welcher (literarischen?) auctoritas sie eigentlich folgte. Die mündliche Alltagsüberlieferung hat doch gar keine Autorität (anders mag es mit der pietätvoll gehüteten Familientradition sein), ja es gilt doch die Variationsfreudigkeit als Merkmal der eigenschöpferischen Leistung der Unterschichten!

6 Eine vorläufige Übersicht über die Quellen der Deutschen Sagen gibt Fritz Erfurth (Erfurth 1938, S. 103–104).

7 Der Einfluß des Gedruckten auf das mündlich Erzählte ist in den letzten Jahren immer wieder unterstrichen worden (Pomeranceva 1965; Moser-Rath 1972; Zender 1973; Künzig 1973; Bausinger 1979).

8 Vergleiche: Strobach 1979; Dazu meine Rezension in der Zeitschrift „Fabula", Jg. 23, 1982, S. 161–164.

9 Eine Dissertation zu den Märchen vor den KHM von Manfred Grätz wird in Kürze in Göttingen im Seminar für Volkskunde abgeschlossen. Siehe auch: Grätz 1980.

10 Exkurs: Ich fühle mich in dieser keineswegs ketzerischen, sondern durchaus orthodoxen Haltung bestätigt durch zwei Randnotizen, die sich in einem Märchenbuch-Exemplar der Niedersächsischen Staats- und Universitätsbibliothek in Göttingen finden. Das Buch von dem ungenannten Autor Christian Ernst Benzel-Sternau trägt den Titel: Titania oder das Reich der Märchen, Aus dem Klarfeldischen Archive, vom Herausgeber des goldenen Kalbes (Regensburg 1807), und es trägt an einer besonders unerträglichen märchenpoetischen Stelle auf der Seite 247 den Kommentar eines kritischen Lesers: „Das Buch ist beschissen". Und ein anderer Leser hat dieser Marginalie folgenden Kommentar beigefügt: „Dummer Narr, schreib reinlicher". In der Tat: Wir müssen in der Kritik unserer Amtsvorgänger reinlicher, ehrlicher verfahren.

11 Charles Perrault macht uns weniger Schwierigkeiten, weil er zwar auch volkstümliche Elemente in großer Zahl verwendet, nicht aber behauptet, er habe sie vom Volke genommen. Das Problem Perraults lag ja darin, daß er es noch kaum wagen konnte, solche profanen Stoffe an die Akademie oder an den Hof zu bringen.

12 Zahlreiche andere Belege für die sozialen Bedingungen von Erzählakten finden sich in der autobiographischen Literatur (Brezan 1977; Schenda 1981).

13 Man beachte die Erzählrahmen zu den Sammlungen von Giovanni Boccaccio, Giambattista Basile und 1001 Nacht, aber auch die Erzählmilieus, die bei französischen Novellisten des 16. Jahrhunderts angedeutet oder ins Spiel gebracht werden.

14 Klaus Doderers Aufsatz „Das bedrückende Leben der Kindergestalten in den Grimmschen Märchen" (Doderer 1969, S. 137–151); siehe auch meine Bibliographische

Notiz zu der Bechstein-Ausgabe von Walter Scherf in der Zeitschrift „Fabula", Jg. 21, 1980, S. 353.

15 Beachte zur Bettelheim-Kritik: Péju 1981.

16 Wenig bekannt ist eine diesbezügliche Entgegnung auf eine Rezension (Liebrecht 1857, Sp. 335–336).

17 Bei einer grob abgerundeten Einwohnerzahl von 50 Millionen über 6 Jahre alten Personen und bei einer Alphabetisierungsrate von 30% im Jahre 1830, 50% 1850, 70% 1870 und 90% 1890 ergibt sich eine jährliche Zuwachsrate von rund einer halben Million Neulesern. Zur Alphabetisierungsgeschichte siehe auch: Schenda 1982.

18 „Die schönsten Märchen in einer schönen Reihe" (Verlagswerbung) offeriert zum Beispiel Bertelsmann: Die schönsten Märchen der Brüder Grimm, . . . von Wilhelm Hauff, . . . von H.C. Andersen, . . . aus 1001 Nacht, . . . aus aller Welt, und: Die schönsten Tiermärchen aus aller Welt. Beachtlich ist die Präzision der ungenannten Herausgeber: Jeder Band hat genau 287–288 Seiten und kostet ebenso genau DM 16,80!

19 Bemerkenswert dazu ein Reklametext des Schneider-Verlages: „Die Kinder kennen [Grimms Märchen] schon alle vom Erzählen und Vorlesen. Jetzt können sie die Geschichten [in Schreibschrift gedruckt] als Leseanfänger selber [d.h.: alleine] lesen. Das Lesen wird durch die Schreibschrift erleichtert und zum Erfolgserlebnis [!]. Viele Schwarzweißillustrationen und eine ganzseitige Farbillustration zu jedem Märchen sorgen noch zusätzlich [!] für Auflockerung und Abwechslung". Aus: buch aktuell, Sonderteil 1981, S. 43.

20 „[. . .] Fixierte Märchen würden endlich den Tod der gesamten Märchenwelt sein. Das hat aber auch nichts auf sich; das Kind erzählt schon anders, als es im selben Augenblicke von der Mutter gehört [. . .]. Die Hauptsache ist, daß das erfindende Talent immerfort geweckter werde; denn nur darin geht den Kindern eine freudige Selbstbeschäftigung auf" (Steig 1904, S. 223).

21 Zum Beispiel Fredi Hännis helvetisches Märchen: Hans-Franz im Glück. Gemeint war der Volksvertreter Jean-François Bourgknecht aus dem Kanton Fribourg (Hänni 1980).

22 Flugblatt an der Universität Freiburg/Br., verteilt am 15.3.1981: Tanz der Tiere. Ein alternatives Märchen von F.S. Pri 1981 (hektographiertes Blatt).

23 Siehe: Stein 1974, S. 11. Die dazugehörigen Materialien sind im Archiv der Enzyklopädie des Märchens, Göttingen, zu finden.

24 Siehe auch meine Bibliographische Notiz zu: Die schönsten Märchen der Welt zum Sammeln (Hamburg 1976) in der Zeitschrift „Fabula", Jg. 19, 1978, S. 181.

25 Eine gute Zusammenfassung des Pro und Kontra findet sich in dem Kapitel „Märchen – gestern und heute. Was spricht für die Märchen?" von Horst Künnemann (Künnemann 1974, S. 99–109). – Kräftige kritische Gedanken zum Thema finden sich bei Melchior Schedler (Schedler 1973, S. 170–192).

26 Siehe: Westphal 1726, S. 222–225. Der Autor beruft sich dabei auf die Gestriegelte Rockenphilosophie (1718 erstmals erschienen; der anonyme Autor war J.G. Schmidt).

27 „Sind denn diese Kindermärchen für Kinder erdacht und erfunden? ich glaube dies so wenig als ich die allgemeinere Frage nicht bejahen werde: ob man überhaupt für Kinder etwas eigenes einrichten müsse? Was wir an offenbarten und traditionellen Lehren und Vorschriften besitzen, das ertragen Alte wie Junge, und was diese daran nicht begreifen, über das gleitet ihr Gemüth weg, bis daß sie es lernen [. . .]" (Steig 1904, S. 269 u. 271).

28 Hinweise dazu finden sich bei Georg Wilhelm Hopf (Hopf 1850, S. 22–25). Hopf zitiert Jean Paul, Schleiermacher, Gervinus, Rosenkranz, F. Kapp.

29 Siehe das Literarische Centralblatt, 1. Jg., 1850, Sp. 131, 181. Man beachte dabei auch die Buchpreise!

Mißbrauchte Verzauberungen

JORGE ENRIQUE ADOUM (PARIS)

Der Stachel im Märchen*

Über die kulturelle Kolonisierung lateinamerikanischer Jugend

Weit mehr Kinder wurden, so sagt man, durch das Lächeln einer Fee in Schlaf gewiegt, als durch die schreckeinflößenden Augen eines Menschenfressers wachgehalten. Sollten wir uns da nicht einmal vermehrt über diese Drogen, die Lateinamerika seit zweihundert Jahren einschläfern, Gedanken machen und uns auf deren Anwendung, Nebenwirkungen und mögliche Gegenmittel besinnen?

Sie gelangten vermutlich gegen Ende des 17. Jahrhunderts als Begleiterscheinung einiger anderer verbotener, aus Frankreich stammender kultureller Importe – wie die Werke der Enzyklopädisten, die Ideale der Französischen Revolution, der Rechte des Menschen und Bürgers – auf unsern Kontinent. Die Verbreitung der Feenmärchen erwies sich zu jenem Zeitpunkt als höchst geeignete Maßnahme zur Rechtfertigung und Aufrechterhaltung der bestehenden Kolonialherrschaft, die von einer anderen Art von Literatur hart angegriffen wurde. Man könnte sich daher zu Recht fragen, ob es nicht Spanien selbst war, das uns diese Märchen bescherte. In Lateinamerika gab es damals keine bereits eingebürgerte Literatur – Kindermärchen bilden einen wesentlichen Bestandteil der Literatur – wie in Asien oder eine Fülle mündlicher Überlieferungen wie in Afrika. Die urtümlichen Legenden, Mythen und Traditionen – die selbst auf dem Lande nur spärlich überleben, da sich der Indio in Schweigen hüllt, um sich an den Eroberern zu rächen – sind im Grunde nicht für Kinder bestimmt. Sie gleichen eher Fabeln als Märchen. Aus den literarischen Salons der Weißen fanden die Märchen ihren Weg übers Kinderzimmer und die Küche, durch Vermittlung von Ammen und Köchinnen, in die Wohnstuben der eingeborenen Bevölkerung. Auf dem Lande waren es die Schullehrerinnen, die die Geschichten den Dorfkindern erzählten.

Die Märchen des Gänsemütterchens oder *Geschichten und Märchen aus vergangener Zeit* von Charles Perrault, mit denen die Feenliteratur ihren An-

---

* Englischer Originaltitel „The Sting in the Fairy Tale" (UNESCO-Courier 1/1979).

fang nahm, sind auch auf dem Mestizenkontinent weit verbreitet. Das Buch war 1697, zur Glanzzeit der Annektierungen Ludwigs XIV., vom damals 69jährigen Autor, einem von Colbert geförderten hohen Staatsbeamten, verfaßt worden. Signiert von seinem zehnjährigen Sohn Perrault d'Armancour, war das Werk einer Prinzessin gewidmet und zum Gebrauch am Hofe von Versailles bestimmt.

Hier ist schon das ganze Unheil im Keim angelegt: Scheinbar von einem Kind für Kinder geschriebene Erwachsenenliteratur, eine Verherrlichung der Höflingsideologie und für die Zerstreuung und Erziehung von Prinzessinnen vorgesehen. Ihr Zweck: eine Huldigung an die gottgewollte Königsmacht und die diese verkörpernden und unterstützenden Institutionen.

Es sind die Erwachsenen, die solche Märchen andern Geschichten vorziehen und sie ihren Kindern in einem Alter aufdrängen, in welchem diese noch höchst bildsam und verletzlich sind. Sie erheben ihre eigenen Erfahrungen zur pädagogischen Regel, indem sie Erziehung mit Allmacht des Stärkeren verwechseln. Davon überzeugt, daß diese Märchen lehrreich seien – ihrer Ansicht nach sind dies auch die Ohrfeigen –, entpuppen sie sich als eigentliche Kolonisatoren der kindlichen Mentalität.

Jedes menschliche Wesen, insbesondere das Kind, hat ein Recht, zu träumen. Wie grausam, wollte man von einer Märchenhandlung unerbittlichen Realismus verlangen! Wenn die kindliche Wahrnehmung im Vergleich zu derjenigen der Erwachsenen oft recht dürftig erscheint, so nur deshalb, weil das Kind noch weit mehr eine Verstandeswelt durch eine magische ersetzt. Die kindliche Phantasie ist von weit lebhafteren Vorstellungsbildern bevölkert, als wir jemals darin einführen können. Unsere verkümmerte Einbildungskraft hat nur noch wenig gemein mit der „Närrin Vernunft", sie steht

Schneewittchen ist auf jedem der Segmente des in den USA entstandenen und nach dem Zweiten Weltkrieg verbreiteten Comic-Hefts „Schneewittchen und die sieben Zwerge" eine junge weiße Frau, die gut gekleidet ist, ihre weißen Schultern zur Schau stellt, gepflegtes Haar trägt und sich gut benimmt. Die Graphiker haben sich an dem verbreiteten westlichen Schönheitsideal orientiert. Der Prinz, der später Schneewittchen wach küßt, ist blauäugig und blond.

nur noch im Dienste der Nützlichkeit, des Praktischen und der Wirklichkeit. Von solchen Beurteilungskriterien noch völlig unbelastet, macht das Kind hingegen keinen Unterschied zwischen Traum und Wirklichkeit. Staffieren wir nun die Phantasiewelt des Kindes mit ihm völlig fremden Vorstellungen aus, die sowohl die konkrete Wirklichkeit als auch die kindlichen Visionen verdrängen, nehmen wir ihm die Möglichkeit, mit ersten unangenehmen Erfahrungen auf seine Weise fertig zu werden.

„Früher oder später möchte jedes Kind ein Prinz oder eine Prinzessin sein", schreibt Bruno Bettelheim. Woher aber stammen diese Wunschphantasien südamerikanischer Kinder aus den Tropen oder aus weltabgelegenen Gebirgsgegenden? Doch wohl ausschließlich aus einer Bilderwelt, die ihnen die manchmal recht drastisch realistischen Darstellungen eines Gustave Doret oder die verniedlichten Figuren eines Walt Disney vermitteln: Gestalten, die in Theateraufführungen in der Schule gar zu eigenem Leben erwachen. Heißt es etwa Kulturwerte schaffen, wenn man im Kinde von klein auf die Begierde für Reichtum und Macht schürt?

Angesichts der Verfasser und ursprünglichen Adressaten dieser Märchen sind Könige und Königinnen, Prinzen und Prinzessinnen begreiflicherweise stets großzügig und wohlwollend. Sie werden von ihren Untertanen verehrt und von ihren Nachbarn geachtet, verfügen weder über Waffen- noch über Polizeigewalt (höchstens über hochherzige Jagdaufseher), und sie haben nie einem anderen Herrscher den Krieg erklärt. Abgesehen von den gräßlichen Stiefmüttern fiele es keinem von ihnen ein, seine Vasallen ins Gefängnis oder in den Tod zu schicken. Der kleine Lateinamerikaner wird allerdings schon sehr bald herausfinden, daß es in der wirklichen Welt ganz anders zu und her geht, daß man ihm im Märchen Lügen auftischt.

Und Königinnen und Prinzessinnen sind stets schön, ja wunderschön . . .

In den europäischen Märchen, die vom Skandinavischen, Germanischen oder Slawischen herkommen, handelt es sich selbstverständlich immer um weißhäutige, blauäugige und blonde Personen (mit Ausnahme von Schneewittchen, dessen Haar so schwarz war wie Ebenholz). Dazu besitzen sie einen hervorragenden Charakter. Die Verbindung dieses nordischen Schönheitstypus mit Herzensgüte und menschlicher Tugend wirkt auf die jungen Indianerinnen, Mestizinnen und Mulattinnen verletzend und vermitteln ihnen ein Gefühl der Minderwertigkeit. Dies um so mehr, als sie von klein auf im Schatten ihrer mehr oder weniger weißen Geschlechtsgenossinnen stehen und später zu deren Dienstboten werden. In unsern Gesellschaften gehen rassische und wirtschaftliche Benachteiligungen stets Hand in Hand. In der Aschenbrödel-Vision der Gebrüder Grimm läßt sich diese Identifizierung unschwer erkennen: „Die böse Stiefmutter hatte ihre beiden Töchter mit ins

Haus gebracht. Sie waren schön und weiß von Angesicht, doch häßlich und schwarz in ihren Herzen" (die Konjunktion wurde von mir hervorgehoben, da sie in Form einer Ausnahme die Regel bestätigt. Umgekehrt formuliert – die beiden Töchter waren schwarz und häßlich von Angesicht, doch schön und rein im Herzen – tritt die wenn auch unabsichtliche rassische Diskriminierung klar zutage). Daher empfindet man hierzulande Andersens Märchen vom häßlichen jungen Entlein als tröstlich, eine Erzählung, die jedenfalls weniger grausam und zudem wahr ist.

Gehorsam gegenüber der Autorität bedeutet für ein Kind Ergebung in das Schicksal: und Schicksal ist stets der Wille jener, die stärker sind. Da gibt es zum Beispiel den Kleinen Däumeling und den Gestiefelten Kater – beides männliche Figuren –, die zwar untertänig sind, den Mächtigen jedoch ein Schnippchen zu schlagen und deren absurde Machenschaften zu eigenen Gunsten zu nutzen wissen. Sie vermögen der Ungerechtigkeit zu entrinnen. Doch die Mädchen sind in den Märchen – Miniaturen gesellschaftlicher Verhältnisse – stets zum Gehorchen, zur Passivität verurteilt, zur Erwartung einer Belohnung, was ihnen ein Gefühl der Ohnmacht verleiht, der Unfähigkeit, einer elenden Situation zu entfliehen. Aschenbrödel muß die Quälereien seiner Stiefmutter und seiner Stiefschwestern über sich ergehen lassen. Eselshaut ist gezwungen, die Schafe zu hüten. *Schneewittchen* lebt im Versteck. Dies sind Vorbilder der Resignation, einer durch das bestehende System besonders gelobten Tugend, insbesondere auf einem ganz allgemein wenig unterwürfigen Kontinent. In den Märchen gibt es Belohnungen; und wie im Leben gibt es auch in den Märchen Strafen: Blaubart bestraft den Ungehorsam seiner Frauen, indem er sie töten läßt. In der Version von Charles Perrault verschlingt der Wolf Rotkäppchen samt der Großmutter, obschon beide sich nicht gegen das Gesetz vergangen haben. Voller Mitleid mit Rotkäppchen fügten hundert Jahre später deutsche Bäuerinnen und Ammen der Erzählung einen andern Schluß an, indem sie die Ankunft der Jäger erfanden. Sie veranlaßten die Gebrüder Grimm, die beiden unschuldigen Opfer wieder aus dem Magen des Wolfs zu befreien. In dieser Version sollte das schreckliche Abenteuer genügen, um das kleine Mädchen davon abzuhalten, sich vom Weg zu entfernen und seiner Mutter ungehorsam zu sein.

Ein grundlegendes Element dieser Literatur und ihrer Ideologie stellt die Problemlösung mittels Vorsehung und nicht dank menschlicher Bemühungen dar, was zugleich Belohnung für die Unterwürfigkeit bedeutet: ein Königssohn wird Aschenbrödels Schicksal wenden, ein anderer ebenfalls jenes von Eselshaut. Ein Prinz geleitet Aschenbrödel ins Leben zurück und wieder ein anderer Dornröschen. Dank eines Drachens und eines Musketiers vermag die letzte Frau Blaubarts im richtigen Moment dem Tode zu entrinnen.

Zweihundert Jahre später erfolgt eine Modernisierung der alten Fabeln: Es war einmal ein armes Spülmädchen, das in einer Bar Gläser abwusch und ein fröhliches Liedchen trällerte. Ein verspäteter Gast, ein Filmproduzent, der noch an einem der Tische saß, entdeckte das hübsche Persönchen und machte daraus einen berühmten Star. Leider sind aber die Marilyn Monroes recht selten, und die Millionen lateinamerikanischer Zigarettenverkäuferinnen, Schafhirtinnen und Aschenbrödels werden ihr Leben lang Aschenbrödels bleiben. Ihnen steht keine Fee mit magischem Ring zu Gevatter, um sie aus ihrer Drangsal zu erlösen oder ihre zerlumpten Kleider in Seidengewänder, ihre abgetragenen Schuhe in pelzbesetzte Pantöffelchen zu verwandeln. Es gibt auch keine Prinzen, die sie freien, ja nicht einmal deren prosaische moderne Ersatzidole wie der Sohn eines Präsidenten, Bankiers oder Industriemagnaten. Eine Frau kann höchstens vom illusorischen Traum Aschenbrödels in die nüchterne Wirklichkeit Schneewittchens überwechseln. Wenn sie bereit ist, in einem Haushalt zum Rechten zu sehen, den Zwergen die Küche, die Betten, die Wäsche, die Flick- und Strickarbeit, den Hausputz ordentlich und pflichtbewußt zu besorgen, wird es ihr an nichts mangeln.

Die Gebrüder Grimm hatten einst einer deutschen Bäuerin ihren Dank ausgesprochen, weil sie ihnen die Geschichten, die die beiden in den *Kinder- und Hausmärchen* wiedergaben, mehrmals ohne die geringste Änderung erzählt hatte. Mehr als hundert Jahre danach haben die Psychoanalytiker darauf hingewiesen, mit welcher Hartnäckigkeit Kinder darauf bestehen, daß man ihnen stets von neuem das gleiche Märchen auf genau die gleiche Weise schildert, ohne auch nur die kleinste Einzelheit abzuwandeln oder hinzuzufügen. Meiner Ansicht nach vermag diese stereotype Wiederholung dem Kind ein Gefühl der Sicherheit zu geben, die Gewißheit, daß auch diesesmal wieder alles gut wird.

Ich muß in diesem Zusammenhang zum Beispiel an den unglücklichen Sproß einer kinderreichen Familie denken (und in Lateinamerika ist eine kinderreiche Familie fast immer eine arme Familie). Er lauscht der Schilderung der schrecklichen Geschichte des Kleinen Däumelings: „Die Korbmacher waren sehr arm, und ihre sieben Jungen (der älteste war zehn, der jüngste sieben Jahre alt) fielen den Eltern sehr zur Last, weil keiner von ihnen sein

▷

Ein feingeschnittenes, blasses Kindergesicht, eingerahmt von gepflegtem langem Haar, ordentliche Kleidung, Schuhwerk mit Schnallen sind auf Gustave Dorés (1832–1883) Illustration zu sehen. Das Märchen wird durch die Kunst des französischen Graphikers im 19. Jahrhundert (1862) „europäisch" interpretiert.

Brot verdiente ... Sie ratschlagten und beschlossen, die Kinder im Walde auszusetzen." Das Bewußtsein, daß er selbst und seine Brüder und Schwestern schon seit dem siebten Lebensjahr ihren Unterhalt verdienen, mag den Kleinen vielleicht beruhigen. Aber neben der Gewißheit, daß sich die Jungen nicht verirren, der Menschenfresser sie nicht verzehrt und sie zu ihren Eltern zurückfinden, gibt es auch die Tatsache, daß die Vögel die Brotsamen aufpicken, die der Kleine Däumeling streut, um den Weg wiederzufinden.

Die Tendenz nicht nur des Kindes, sondern auch des Erwachsenen, sich mit den Helden einer Geschichte zu identifizieren, sowie das Fehlen jeglicher Impulse für das Vorstellungsvermögen, sich andere Auswege aus der gleichen Situation auszumalen, verleihen diesen Märchen nach Ansicht der Spezialisten eine therapeutische Wirkung. Weil sie rechtwinklig angelegt, ohne Nuancen über Gut und Böse — wie man sich das Unbewußte denkt — sind, helfen sie dem Kind psychologische Probleme wie Unsicherheit und Angst zu bewältigen und Ödipuskomplexe oder Konflikte zwischen Lustprinzip und Wirklichkeitsgefühl zu überwinden. Dies mag zutreffen, doch in diesem Zusammenhang geht es um etwas anderes.

Es sollen auch nicht der literarische Wert bestritten oder die mehr oder weniger universellen Verzweigungen des Märchenstammbaums ignoriert werden. Bekanntlich besitzt der Kleine Däumeling entfernte Vorfahren bei Homer, Rabelais und in etruskischen und skandinavischen Legenden. Andeutungen der Geschichte vom Gestiefelten Kater finden sich schon im *Heptameron* von Sankt Basilius, in den Heiteren Nächten (einer Sammlung von Märchen und Rätseln) von Straparola und auch in *Tausendundeiner Nacht.* Herodot sprach bereits von Dornröschen, und in französischen, deutschen, schwedischen, gälischen, griechischen, finnländischen und katalanischen Volkserzählungen tauchen Versionen von *Blaubart* auf. Im Rahmen ihrer Allgemeinbildung und ihrer näheren Bekanntschaft mit fremden Kulturen werden die lateinamerikanischen Studenten davon Kenntnis erhalten, wie sie auch mit den berühmten Namen einer nicht ausschließlich für Jugendliche bestimmten Literatur vertraut werden: Hans Christian Andersen, Lewis Carroll, Mark Twain, Selma Lagerlöf. Doch die Behauptung, daß diese Feenmärchen niemandem weh tun können, weil sie im traditionellen Erbgut aller Nationen verankert sind, ist irreführend. Sie bilden nicht Bestandteil aller Traditionen, und der Umstand, daß etwas zur Tradition gehört, besagt noch nicht, daß es deshalb auch gut sei. Wir bemühen uns heute, gewisse Weltanschauungen und eine ganze Reihe von falschen Auffassungen zu korrigieren, um sie unsern Kindern nicht als belastendes Erbe zu hinterlassen.

Wer lesen kann — vorausgesetzt daß man es ihm überhaupt beibringt — und sich Bücher beschafft, träumt von Sindbad und Aladin, später von Sandokan, Gulliver oder Robinson Crusoe. Andere bleiben bei Buffalo Bill, dem Rothautmörder, oder bei Tarzan, dem Negerjäger. Durch das Fernsehen erreichen Helden wie Superman und Batman (gibt es überhaupt ein derberes Eigenschaftswort, um die schreckliche Gewalttätigkeit anzuprangern, die sie verherrlichen?) die kindlichen Zuschauer in aller Welt, auch bis ins abgelegenste Dorf. Es gibt auch heute noch Großmütter, Mütter und Köchinnen, die erzählen: „Es war einmal . . .“ Die jungen Mütter hingegen verzichten lieber darauf, denn die Symbolwelt dieser Märchen findet keinerlei Entsprechung mehr im wirklichen Alltag, und der pädagogische Wert der Anekdoten bleibt fraglich. Angesichts der Geschichten, die das Leben erzählt, scheint der Glanz dieser Märchen immer mehr zu verblassen.

Im Bewußtsein der schweren Aufgabe, eine Tradition zu schaffen, haben sich die Lateinamerika-Autoren zum Ziel gesetzt, die Kinderbücher zu entkolonialisieren. An erster Stelle ist hier wohl der Brasilianer Monteiro Lobato zu nennen. Viele versuchen auch einheimische Erzählungen – Märchen, die sich um die indianischen Mythen der Weltentstehung ranken oder afrikanischen Ursprungs sind – zu sammeln. Doch interessieren sich die Kinder kaum für diese Literatur, vielleicht weil man ihr in der Schule und in der Familie keine große Beachtung schenkt oder weil Form und Inhalt der Erzählungen befremdend wirken und die Märchen noch nicht zur Tradition gehören.

Andere lateinamerikanische Schriftsteller veröffentlichen mit den besten Absichten auch Gedichte, Fabeln und Märchen. Doch scheinen gewisse Autoren ihre kindlichen Leser für geistig zurückgeblieben zu halten. Im gleichen herablassenden Stil wie irgendein hochnäsiger Kolonisator produzieren sie Lügengeschichten, billigen Kitsch, in verniedlichte und verkleinerte Formeln gehüllt: kindische und nicht kindliche Literatur. Unschwer zu erraten, was die kleinen Fernsehzuschauer, die auf dem Bildschirm den Kampf eines einzigen Cowboys gegen eine ganze Armee, die Landung auf dem Mond oder die Erforschung der Unterwasserwelt miterlebt haben, von der Verlobung einer winzigen Kröte mit einem winzigen Frosch halten.

Aber es gibt auch rühmliche Ausnahmen – es ist unmöglich, alle aufzuzählen –, darunter zum Beispiel den Kolumbianer Hugo Nino, der *Primitivos relatos contados otra vez* (Neuerzählte einfache Geschichten) veröffentlichte, ferner Anisia Miranda und eine Gruppe kubanischer Forscher sowie vor allem den argentinischen Dichter und Puppenspieler Javier Villafane, der mit seinem Wandertheater von Dorf zu Dorf, von Weiler zu Weiler zieht und die Kinder bittet, ihm Märchen oder Geschichten zu erzählen, die er dann mit seinen Puppen aufführt. Die Kinder fühlen sich dann selbst als Schöpfer der Theaterstücke, und sie sind es ja auch.

Vor kurzem wurde in Ecuador ein Wettbewerb für Märchen, die fünf- bis zehnjährige Kinder verfaßten, durchgeführt. Ich gehörte der Jury an, die die eingereichten Arbeiten bewertete. Fast 80% der Märchen mußten ausgeschieden werden, da es sich nur um abgewandelte Versionen von Feenmärchen oder Wildwestfimen handelte. Ist dies nicht ein Zeichen kultureller Kolonisierung? Doch noch bedauerlicher war, daß Originalgeschichten zum Teil von den Erwachsenen durch „Korrekturen" verdorben worden waren. Heißt dies nicht, die Kinder der Zunge berauben?

Überall auf der Welt gilt die kindliche Malerei als eine der spontansten und reinsten Ausdrucksweisen der Kinder, mit welchen sie ihr kindliches Universum wiederzugeben vermögen — ein Universum, das wir ebenso im Begriff sind zu zerstören wie unser eigenes. Doch nur selten werden Kinder ermuntert, sich in Worten, in ihrer Sprache auszudrücken. Das Recht der Sprache scheint ihnen verwehrt zu sein. Der Uruguayer Jesualdo publizierte vor dreißig Jahren Kindergedichte. Und welcher Poet billigte nicht begeistert die Version: „Der Stein ist ein harter Schlaf" oder „Der Mond ist so blaß, weil er auf der andern Seite blutet"? Die Phantasie wird stärker beschnitten, wenn es sich um die Sprache handelt. Wir sind kaum beunruhigt, wenn das Kind seine Welt in grellen Farben und mit leicht krausen Linien darstellt. Zeichnet es eine vertikale Linie und zuoberst einen Kreis mit zwei horizontalen Strichen und zwei Ovalen, lächeln wir: In den Augen des Kindes ist jeder Mensch so gemacht, woher und welchen Schlags er auch sei. Es handelt sich um eine Zeichnung, um eine Spielerei. Doch unsere Angst vor dem Wort verrät unsere Angst vor der Wahrheit. Wir fürchten, das Kind schreien zu hören, daß der Kaiser nackt sei, und der Kaiser ist, wenn es sich um Kinder handelt, ein jeder von uns.

JACK ZIPES

Klassische Märchen im Zivilisationsprozeß

Die Schattenseite von „La Belle et la Bête"

Befaßt man sich mit den Untersuchungen der klassischen Kindermärchen von Perrault bis Grimm, dann fällt auf, wie oft sie die Betrachtung der historischen Ursprünge und der sozialen Funktion dieser Gattung vernachlässigen. Zwar hat man seit eh und je über die moralische Nützlichkeit und psychische Wirkung der Kindermärchen diskutiert, aber die gesellschaftlichen Verhaltensmuster, die sie präsentieren, sind in Bezug auf Kindererziehung und den westlichen Zivilisationsprozeß kaum beachtet und erforscht worden. Erst im Laufe der siebziger Jahre haben Kritiker, hauptsächlich Frauen (Dworkin 1974; Liebermann 1972; Stone 1975 II; Kolbenschlag 1979; Yolen 1977; zur Capellen 1980; Lyons 1978; Göttner-Abendroth 1980) angefangen, die latenten schädlichen Wirkungen von vielen sogenannten unschädlichen Märchen wie „Aschenputtel", „Dornröschen", „Froschkönig", „Schneewittchen" und „König Drosselbart" auf die allgemeine Sozialisation zu analysieren, um zu zeigen, wie die klassischen Märchen Kinder dazu führen – wenn nicht gar verführen – Sexrollen und soziales Verhalten stereotyp zu übernehmen. Die Ergebnisse dieser Bücher und Essays sind einleuchtend und überzeugend, aber keine von ihnen haben die bedeutungsvollen Ursprünge und die soziale Funktion der Märchen im historischen Kontext behandelt. Mir scheint eine solche Untersuchung jedoch notwendig, um die widerspruchsvollen Zwecke dieser literarisch-diskursiven Märchen zu erklären. Sie zielten nämlich seinerzeit darauf hin, Kinder mit Normen und Gesellschaftsmodellen so zu zivilisieren, daß sie sich vorstellen konnten, durch Verdrängung und Konformismus ihr eigenes Glück zu finden.

Da eine gründliche Untersuchung der klassischen Märchen im Zusammenhang mit dem Prozeß der Zivilisierung innerhalb der westlichen Welt eigentlich eine breitere Behandlung erfordert, möchte ich diesen Essay als Studie verstehen, in der durch eine Analyse der Textgeschichte des „La Belle et la Bête"-Zyklus zugleich eine methodologische Betrachtungsweise erarbeitet wird, die für weitere Betrachtungen der klassischen Märchen ergiebig sein könnte. Ich will mich hauptsächlich mit den französischen Feenschriftstellern des 17. und 18. Jahrhunderts und zum Teil mit den Brüdern Grimm beschäftigen. Meiner Meinung nach sind die Franzosen Schlüsselfiguren, wenn wir die Entfaltung und Etablierung von Kindermärchen als Gattung verstehen wollen. Sie, die damaligen europäischen kulturellen Vorbilder, schufen nämlich eine von 1690–1790 weitverbreitete Modeströmung, die ästhetische Regeln und ideologische Maßstäbe für das Märchen herausbildete, während Kinder spezifisch zu einem Zielpublikum wurden (Storer 1928; Barchilon 1975; Di Scanno 1975).

In Frankreich wurde die Pflege von Märchen für Kinder aus gutem Haus von Charles Perrault (mit der Unterstützung von Fénelon und Madame de Maintenon) initiiert (Di Scanno 1975, S. 21–28; Tilley 1929, S. 201–296), der eine starke und aktive Teilnahme an der Erziehung seiner eigenen Kinder hatte. Diese modische Gattung zog auch andere angesehene Schriftsteller wie Marie-Jeanne Lhéritier, Marie Catherine D'Aulnoy, Gabrielle-Suzanne de Villeneuve, und Jeanne Marie Leprince de Beaumont an, die ihre anmutsvollen und eleganten Konversationskünste dazu benutzten, ihre Langeweile mit Genuß und mit moralischen Bemerkungen über die Gesellschaft zu vertreiben. In seinem Buch über die Theorie und Geschichte des Kunstmärchens bemerkt Friedmar Apel: „Wenn so der Ursprung der Märchensucht im Frankreich des 17. und 18. Jahrhunderts vor allem im Bedürfnis nach Ablenkung von den Problemen der Erfahrungswirklichkeit, in der Sehnsucht nach der einfachen und komplikationslosen Welt liegt, so sind dennoch die erzählerischen Formen des Märchens vom Zeitgeschmack geprägt." (Apel 1978, S. 39).

Man könnte hinzufügen, daß sie auch stark von höfisch-bürgerlichen Wunschvorstellungen und Erwartungen gekennzeichnet sind. Das heißt, es gab zwei Haupttendenzen unter den unzähligen französischen Feenschriftstellern: entweder nahmen sie die Gattung sehr ernst und trachteten danach, die Ideen, Normen und Werte der *Zivilité* im Erzähldiskurs solcher Märchen, die ihnen würdig schienen, von Kindern und Erwachsenen rezipiert und nachgeahmt zu werden, auf ideale Weise zu vereinigen; oder aber sie parodierten die Gattung, weil sie das Märchen als trivial einschätzten. Diesen Schriftstellern waren der Zauber und das Phantastische der Märchen zu eng mit dem Aberglauben der Bauern verbunden, die nach ihrer Meinung sowieso nicht ernst zu nehmen waren. Es ging ihnen um eine vernünftige Weltauffassung und Sozialordnung. Es ging ihnen um die Kunst des Gesprächs, welche durch das Märchen protegiert werden sollte (Schmölders 1979).

Beide Gruppen von Schriftstellern waren erstaunlich begabt und einfallsreich, und sie verwandelten die Volksmärchen, die sie von Ammen, Dienern,

Gouvernanten und Bauern hörten, so daß sie als Kunstmärchen zur Hochliteratur am Hof und in den bürgerlichen Salons wurden. Zur gleichen Zeit wurden die literarischen Märchen für Kinder langsam zur kulturellen Institution. (Übrigens kann man auch von einer dritten Gruppe von Autoren reden, die tatsächlich die Kunstmärchen als Gattung trivialisierte, indem sie bloß gesellschaftliche Anerkennung durch ihre Werke zu erringen suchten, was wir heute kommerziellen Erfolg oder „bestseller" nennen würden. Sie wollten „à la mode" sein und mitreden.) Insgesamt benutzten alle Autoren ihre literarischen Märchen trotz unterschiedlicher Begabung, persönlicher Bedürfnisse und sozialer Perspektive als Beitrag zu einem kulturellen Diskurs über Normen und Werte im Zivilisationsprozeß des 17. und 18. Jahrhunderts.

Wenn wir den Ursprung des „La Belle et la Bête"-Zyklus in Frankreich und seine Herauskristallisierung als klassisches Märchen für Kinder analysieren, müssen wir mit in Betracht ziehen, daß die französischen Feenschriftsteller die strengen gesellschaftlichen und religiösen Werte adaptierten, die nach den Krisen der Reformation die Gesellschaft stark bestimmten (Trevor-Roper 1967). In der Tat spiegelten die Märchen die aufsteigenden Verhaltensmuster des Hofes und der bürgerlichen Salons wider, die von einer neuen Art von *Zivilité* geprägt wurden (Elias 1977). Jeder Autor zeichnete sich dadurch aus, daß er oder sie einen schöngeistigen oder originellen Beitrag zur Erörterung des Zivilisationsprozesses leistete. Deshalb sind die verschiedenen Fassungen von der „La Belle et la Bête"-Thematik höchst wichtig. Ihre Analyse macht den engen Zusammenhang zwischen den sozio-genetischen Momenten des Zivilisationsprozesses und den symbolischen Konfigurationen innerhalb der unterschiedlichen Märchen-Diskurse für Kinder deutlich.

Mein Hauptinteresse gilt der Darstellung von Rollen und Modellen der Kindererziehung innerhalb des Märchen-Diskurses zu „La Belle et la Bête", der Frage, wie diese Rollen und Modelle in artistischen Konfigurationen entwickelt wurden, um ihre prägnanteste Form in der bekanntesten Fassung, der der Madame Leprince de Beaumont, zu finden. Die bedeutendsten Märchen dieses thematischen Zyklus' in Frankreich sind: Mlle. Catherine Bernards „Riquet mit dem Schopfe" in ihrem Roman „Inès de Cordue" (1696), Charles Perraults „Riquet mit dem Schopfe" in „Histoires ou Contes du temps passé" (1697), Madame D'Aulnoys „Der Bock" und „Die grüne Schlange" in „Contes des fées" (1697), Madame Catherine Durands „Das Wunder der Liebe" in „Les Petits Soupers de l'année 1699" (1699), Madame Gabrielle de Villeneuves „La Belle et la Bête" in „La jeune Amériquaine et les contes marins" (1740) und Madame Leprince de Beaumonts „La Belle et la Bête" in „La magasin des Enfants" (1756). Ich werde mich hauptsächlich mit den Märchen von Perrault, Bernard, de Villeneuve und Leprince de

Beaumont befassen und Vergleiche mit ähnlichen Geschichten im Laufe meiner Untersuchung ziehen.

Die meisten Studien über den „La Belle et la Bête"-Zyklus haben seine positiven Aspekte betont, insbesondere den psychischen und tieferen Sinn hervorgehoben. Zum Beispiel hat Bruno Bettelheim behauptet: „Kein anderes Märchen aber zeigt dem Kind so klar wie ‚La Belle et la Bête', daß die ödipale Bindung an einen Elternteil natürlich und wünschenswert ist und für alle Teile die positivsten Folgen hat, wenn sie während des Reifungsprozesses übertragen und verwandelt wird, indem sie sich statt auf diesen Elternteil jetzt auf den Geliebten konzentriert" (Bettelheim 1977, S. 293).

Bettelheim fährt ein paar Absätze später fort: „Das nimmt die Freudsche Auffassung um Jahrhunderte voraus, wonach das Kind die Sexualität solange als abstoßend empfinden muß, wie seine sexuellen Gefühle sich auf Vater oder Mutter richten, weil das Inzesttabu und damit die Stabilität der menschlichen Familie nur durch eine derartige negative Einstellung zur Sexualität sichergestellt ist. Aber nachdem das sexuelle Begehren erst einmal von dem betreffenden Elternteil gelöst wurde und sich nun auf einen Partner von angemessenerem Alter richtet, erscheint es bei einer normalen Entwicklung jetzt nicht mehr als Tierisches, sondern im Gegenteil als schön empfunden" (Bettelheim 1977, S. 294).

Jacques Barchilon unterstützt diese These in seinem umfassenden Essay über dieses Thema, indem er – dem Sinne nach – sagt: Diese Geschichte habe ihr „Happy-End", weil la Belle am Ende begreift, daß das Ungeheuer kein Untier sondern ein Mann ist, der viel verführerischer als ihr Vater ist . . . Dies bedeute, daß eine Frau von ihren infantilen Fantasien loslassen muß, um Frau zu werden und eine Wirklichkeit zu akzeptieren, die viel greifbarer und zufriedener ist als Träume. La Belle wird reif. Sie akzeptiert die sexuelle Wirklichkeit des Tiers mit Klarheit. Damit wird sie ihre Tabus und infantile Ängste los. (Barchilon 1975, S. 10).

Diese Interpretationen klingen sehr überzeugend, wenn man von einer pseudo-freud'schen Perspektive ausgeht, um bestimmte schablonenhafte Thesen zu bestätigen. Doch sind die Analysen von Bettelheim und Barchilon unhistorisch, glatt und oberflächlich. Es gibt viel zu viele provokative und komplizierte Fragen im „La Belle et la Bête"-Komplex, welche diese Kritiker unbewußt – vielleicht auch bewußt – zu verdrängen versuchen. In der Tat habe ich es immer bizarr gefunden, daß solche auf Psychoanalyse erpichten Interpreten wie Bettelheim und Barchilon auf besondere Motive in der Literatur fixiert sind. In Hinsicht auf die klassischen Märchen wie „La Belle et la Bête" argumentieren sie, daß Mädchen Furcht vor Sex hätten, die „natürlich" sei, und die meisten sexuellen Probleme von Frauen hätten ihren

Ursprung darin — wie das Märchen es auch richtig spiegele —, daß sie eine starke, ungelöste Beziehung zum Vater hätten, der hinter jedem phallischen literarischen Symbol lauere. Nach solcher psychoanalytischen Interpretation wird das Märchen als eine Möglichkeit dargestellt, die Furcht vor eigenen sexuellen Trieben zu überwinden, so daß sie privat akzeptiert und sozial integriert werden. Das männliche Kind müsse der Furcht vor Kastrierung begegnen, erst dann könnten die libidinösen Triebe für geregelte sexuelle Befriedigung kanalisiert werden.

Die pseudo-freud'sche Analyse der Literatur unterstellt, daß Kinder praktisch mit elementaren Ängsten, Trieben und Wünschen geboren werden. Wenn wir aber die Entwicklung des Individuums und der Familie in verschiedenen Sozialordnungen historisch in Bezug auf den Zivilisationsprozeß verfolgen, dann sehen wir, daß Triebe und Wunschvorstellungen hauptsächlich durch gesellschaftliche Interaktionen und Arbeits- und Spielformen innerhalb einer Sozialordnung bedingt und bestimmt werden. Die menschliche Sexualität ist nicht gleich geblieben, und wie Philippe Ariès (Ariès 1975), Michel Foucault (Foucault 1977) und Norbert Elias (Elias 1977, Bd. 2, S. 369–408) über die geschichtliche Entwicklung der Sexualität im Frankreich des 17. und 18. Jahrhunderts bemerkt haben, gab es eine wichtige Veränderung der Attitüden und der Instinkte wegen des Aufkommens strenger christlicher und utilitaristischer Regeln im gesellschaftlichen und auch privaten Verhalten und innerhalb der Produktionsverhältnisse. Infolgedessen wurden in dieser Zeit die offene Entfaltung und Darstellung von Sexualität, Sinnlichkeit und körperlichen Bedürfnissen immer mehr beschränkt und kontrolliert. Die Tendenz zielte auf die Beherrschung der inneren und äußeren Natur ab. Die Tabusierung von freiem sexuellen Verhalten trat an die Stelle vorher geübter Offenheit des sexuellen Genusses, des erotischen Spiels und der natürlichen Bedürfnisbefriedigung. Die Rollen von Männern und Frauen wurden rigider definiert, wobei Männer vielmehr mit Vernunft, Nüchternheit, Aktivität und allmächtiger Ordnung identifiziert wurden, und Frauen eher mit Irrationalität, Grillenhaftigkeit, Passivität und Chaos. Der exemplarische Mann war der edelmütige und kluge König, seine Kehrseite das Untier. Die exemplarische Frau war die zahme und opferbereit-bescheidene Königin, ihre Kehrseite die böse Hexe (Honegger 1978).

Von einem historisch-psychologischen Standpunkt aus betrachtet, von einem, der die Zusammenhänge zwischen den psychogenetischen und soziogenetischen Faktoren im Zivilisationsprozeß nachvollziehen und herausarbeiten möchte, nimmt das literarische Märchen für Kinder große Bedeutung an, weil es demonstriert, wie verschiedene gesellschaftliche Werte und Normen zum Teil durch Literatur eingeführt wurden und wie sie sich als Deter-

In dem nach dem Krieg aus den USA übernommenen Comic-Heft „Der verzauberte Prinz" läßt der Zeichner Stan Campbell dem Esel einen Knopf auf dem Brustfell wachsen. Die Prinzessin – Blondy-Typ – steht staunend daneben.

minanten in der Erziehung für jedes Kind, egal aus welchem Stand, langsam herausbildeten. Um es kurz und präzis zu sagen, die „La Belle et la Bête"-Märchen und ihre Nachfolger waren und sind im Zivilisationsprozeß wichtig, nicht weil sie den Kindern halfen, *natürliche* psychische Konflikte zu überwinden und ihre eingeborene Sexualität zu akzeptieren, sondern sie waren wichtig und sind es immer noch, weil sie Maßstäbe und Regeln für sexuelles und soziales Verhalten setzen, die den bezähmenden und beschränkenden Formen der Sozialisation entsprachen, deren Werte die Leser und Zuhörer der Märchen internalisieren sollten. Man kann nicht von „Natur" im Märchen sprechen, sondern von der Schaffung einer „zweiten Natur". Obwohl die Erzählperspektiven unterschiedlich waren, war der Ausgangspunkt für jeden Autor, der etwas zum Diskurs über *Zivilité* durch das Märchen beitragen wollte, im Grunde genommen gleich: beinah jedes veröffentlichte Märchen bestätigte implizit oder explizit den herrschenden vom Christentum geprägten, absolutistischen Standpunkt, gemischt mit den auf die Reglementierung von innerer und äußerer Natur gerichteten neuen bürgerlichen Tugenden, zum Vorteil männlicher Hegemonie und rationalisierter Produktionsverhältnisse.

Vergleichen wir die verschiedenen auf matriarchalen Gesellschaftsvorstellungen basierenden, mündlich überlieferten Tierbräutigam-Märchen mit den „La Belle et la Bête"-Kunstmärchen der patriarchalen Sozialordnungen am Ende des 17. Jahrhunderts, dann wird offenbar, wie bedeutend die Veränderung der Darstellung von sexuellen Konfigurationen und kulturellen Deutungsmustern im Zusammenhang mit Wandlungen innerhalb des Zivilisationsprozesses war. Wie Heide Göttner-Abendroth zeigt, wird der Mann in den meisten Tierverwandlungsmärchen „in ein wild umherstreifendes Tier verwandelt (Wolf, Bär, Fohlen, Raben, Schwäne), was seine Unbehaustheit und Heimatlosigkeit zum Ausdruck bringt. Das heißt, in den Augen der matriarchalen Frau, die sich eine kultivierte Umgebung geschaffen hat, ist er aus dem Zustand eines in den Wäldern herumstreifenden jagenden Tieres über-

Der vom Tier in Menschengestalt zurückverwandelte Held erstrahlt im Lichterglanz. Die schlanke, blonde, lächelnde, ihre weißen Zähne zeigende Prinzessin spielt die Rolle der bewundernden Frau, sie faltet glücklich die Hände.

haupt noch nicht herausgekommen. In Fellen oder Federschmuck kommt er daher, während sie menschliche Kleider trägt, die sie selbst anfertigte. In diesem Zustand ist ein Mann als Mensch noch nicht existent oder ‚tot‘, was die ‚Verzauberung‘ in ein Tier meint. Die Tierverwandlung ist der totenähnliche Zustand des Mannes, und er ist schlimmer als der der Frau, denn er bedeutet nicht Initiation zu einem höheren Leben sondern nur, daß er auf der Kulturstufe des Menschen (= Frau) noch nicht angekommen ist. Es ist daher an der Frau, ihn zu erlösen, indem sie ihm menschliche Kleider macht und ihn als domestizierten Bewohner ihres Hauses aufnimmt" (Wartmann 1980, S. 224). Dieses symbolische Muster erlebte eine ständige Umkehrung in der mündlichen und literarischen Tradition, so daß am Ende die Erlöserin ihre eigene Erlösung nur im Mann und in seinem Schloß oder Haus findet.

Als der berühmteste und vielleicht der begabteste Märchenschriftsteller am Ende des 17. Jahrhunderts setzte Perrault Maßstäbe für den „La Belle et la Bête"-Zyklus. Obwohl er keine Tierverwandlung in seiner Geschichte „Riquet mit dem Schopfe" benutzte, wissen wir, daß er das Märchen zum Teil auf Apuleius' Geschichte von „Amor und Psyche" aus dem zweiten Jahrhundert und auf Straporolas „Reo Porco" aus dem 16. Jahrhundert zurückführte, und daß er es schuf, um die Überlegenheit der männlichen Vernunft über die weibliche Schönheit zu beweisen (Mourey 1978, S. 30–36). Seine Erzählhaltung läßt klar erkennen, daß in seiner Auffassung eine Frau sich nicht zivilisiert benehmen oder glücklich leben kann, ohne daß ein Mann auf ihre irrationale Natur mäßigend einwirkt. Obwohl häßlich, mißgestaltet oder tierisch, wird der Mann zum Erlöser. Die Frau braucht den Mann, der Vernunft symbolisiert. Auch wenn ihr die Macht der Vernunft verliehen wird, oder eher, *besonders* wenn ihr die Macht verliehen wird, ist die Frau gefährlich: sie tendiert zur Hexe. Perraults Prinzessin will ihr Versprechen dem häßlichen Riquet gegenüber nicht halten, weil sie erkannt hat, daß sie nun durch ihre Schönheit und Vernunft einen gut aussehenden Mann haben kann. Nachdem sie Vernunft besitzt, braucht sie den erpresserischen tierähnlichen Riquet nicht mehr. Deshalb muß Riquet seine ganzen überlegenen Räsonnierfähigkeiten einsetzen, um sie zu überzeugen, daß sie jetzt die Macht wegen ihrer „Diskretion und der guten Qualitäten ihrer Seele und ihres Geistes" (Rouger 1967, S. 180) hat, ihn in einem ihr angenehmeren Licht zu betrachten: das Ungeheuer ist eigentlich der wahre Adel. Mit anderen Worten: er besitzt Seelenadel. Perraults Märchen stellt somit eine literarische Fassung der widerspenstigen Zähmung für den Zivilisationsprozeß dar, in der die Frau ihre erotischen Triebe *freiwillig* verleugnet und ihre Wünsche und Bedürfnisse dem vernünftigen Mann unterordnet, um ihr wahres Glück zu finden. Obwohl häßlich und mißgestaltet verleiht Riquet ihrem Leben die geistigen Werte und die notwendige Disziplin, die ihr sonst fehlten – alles durch die Macht der Vernunft.

Untersuchen wir dieses Märchen in seinem historischen Kontext, wird offenbar, warum es soziogenetisch so passend für den Zivilisationsprozeß war (und vielleicht immer noch ist.) Erstens wurden junge Frauen aus adeligen und bürgerlichen Familien stets gezwungen, abgemachte Ehen mit älteren

In Madame Leprince de Beaumonts „Les Magasins des Enfans" findet sich zwischen den Dialogen das Märchen „La Belle et la Bête". Einzige Illustration dazu in der Pariser Ausgabe von 1801 ist diese, auf der das Tier plötzlich aus dem Rosenbusch tritt und mit „einer schauerlichen Stimme" des Kaufmanns Leben oder das einer seiner Töchter fordert.

Männern, die nicht immer gut aussahen oder höflich waren, einzugehen. Zweitens wurden Frauen gegen Ende des 17. Jahrhunderts mit potentiellen Hexen gleichgesetzt, so daß die Kirche und der Staat die Beherrschung weiblicher Verführungsmacht (d.h. ihre Zauberkünste und gesellschaftlichen Abweichungstendenzen) als eine Art Kontrolle von teuflischen Kräften ansahen. Drittens wurde die offene Sexualität, die im Mittelalter üblich war, gegen Ende des 17. Jahrhunderts zu einer Privatsache. Sex sollte geheim gehalten und privat werden, weil die Kirche den Geschlechtsverkehr und sexuelles Spiel als sündhaft erklärte. Ein wohlerzogenes Kind sollte nun lernen, Sex sei ekelhaft und fürchterlich. Viertens dürfen wir nicht vergessen, daß Perrault dieses Märchen *nicht* von einer Volkstradition übernahm. Er integrierte vielmehr seine Privatphantasien mit literarischen Motiven in einem Diskurs über *Zivilité*.

Statt die weibliche Furcht vor eigener Sexualität darzustellen, gibt dieses klassische Märchen von einem Ungeheuer und einer Schönheit wohl eher Perraults eigene Furcht vor Frauen wieder, vielleicht auch vor seinen eigenen erotischen Trieben, die er so verkleidete, daß er sie in einer „zivilisierteren" Form leichter akzeptieren konnte.

Obwohl Perraults Projizierung der „La Belle et la Bête"-Konstellation von seinen eigenartigen und problematischen Ansichten über Sexualität und *Zivilité* abhängig war, war er nicht anormal oder pathologisch. Im Gegenteil teilten viele seiner Zeitgenossen seine Einstellung zum Zivilisationsprozeß, und sie wurde überdies von mancher schriftstellernden Frau seiner Zeit unterstützt. Ein Jahr vor der Veröffentlichung von Perraults Märchen schloß Mlle. Bernard eine andere Fassung von „Riquet mit dem Schopfe" in ihren Roman „Inès de Cordue" ein. Da Mlle. Bernard, eine Verwandte von Corneille und Fontentelle und eine anerkannte Schriftstellerin, in denselben Kreisen wie Perrault verkehrte, haben einige Kritiker vermutet, daß sie ihn beeinflußt hat oder umgekehrt (Roche-Mazon 1968, S. 61–91). Aber die Frage, wer wen wann beeinflußt hat, ist hier nicht so wichtig. Vielmehr ist die allgemeine Tendenz und Fragestellung der Märchenbearbeitung in Betracht zu ziehen. Die Thematik wurde im Laufe des 18. Jahrhunderts zur Sache eines immer institutionalisierteren sozialen und kulturellen Diskurses. La Fontaine veröffentlichte 1669 seine Fassung der klassischen Geschichte von „Amor und Psyche". Im Jahre 1670 benutzten Molière und Corneille dieselbe Geschichte als Handlung für ein tragisches Ballett in fünf Akten, zuerst am Hof Ludwigs XIV. und 1671 auch in der Öffentlichkeit aufgeführt. Das allgemeine Interesse an diesem Thema war erwacht, weil es symbolisch soziale Verhältnisse widerspiegelte, und es wurde durch das Märchen weiter entwickelt (Fehling 1977). Was „Riquet mit dem Schopfe" betrifft, ist wichtig zu wissen, daß nicht nur Mlle. Bernard und Perrault, sondern viele Autoren dieselbe Konfiguration pflegten und variierten, um an einem Diskurs über die *Zivilité* teilzunehmen, der zum Kulturgut für Kinder wurde. Ferner ist es von Bedeutung, daß Autoren wie Mlle. Bernard und Madame D'Aulnoy selber ein ähnliches Schicksal wie ihre Heldinnen erlitten, und ihre Märchen zum Teil eine Reflektion und eine Kritik ihrer Lage enthalten (Roche-Mazon 1968).

Die Handlung von Mlle. Bernards Märchen unterscheidet sich auf eine faszinierende Art und Weise von Perraults Geschichte, indem sie die Verzweiflung von „schönen" Frauen betont. Sie fängt folgendermaßen an: „Ein großer Edelmann, der alle Reichtümer besaß, die einem Mann seiner Geburt zukamen, wurde von einer häuslichen Tragödie geplagt, die alles, worin sein Reichtum bestand, vergiftete. Seine einzige Tochter, ausgestattet mit allen Zügen der Schönheit, war so dumm, daß ihre Schönheit selber sie desto widerwärtiger machte. Ihre Bewegungen waren ohne Anmut. Ihre Figur, obwohl schlank, war schwer, weil es an Geist in ihrem Körper fehlte (Storer 1934, S. 78). Ihre Aufgabe ist hiermit klargestellt. Mama, so heißt die Prinzessin, muß Vernunft suchen. Eines Tages begegnet sie einem häßlichen Wesen, Riquet mit dem Schopfe, dem König der Gnome. Da er ihre Schwierigkeiten kennt, bietet er ihr Vernunft an, mit der Bedingung, daß sie verspricht, ihn in einem Jahr zu heiraten. Natürlich nimmt sie das Angebot an, ohne zu ahnen, daß sie sich bald in einen jungen Mann namens Arada verlieben wird. Nach einem Jahr ist sie nicht mehr bereit, Riquet zu heiraten. Als er dies erfährt, ist Riquet trotz seiner bestialischen Erscheinung zivil und höflich. Er erlaubt Mama die Entscheidung: entweder zu ihrem Vater zurückzukehren, wie sie war, dumm und klotzig, oder ihre Vernunft behalten zu können und mit ihm als Königin der Gnomen in sein prächtiges Untergrundreich zu ziehen. Klug wie sie geworden ist, entscheidet sie, ihn zu heiraten. Da sie aber ihre Klugheit nun einfallsreicher macht, hat sie keine Schwierigkeiten, Riquet zu betrügen und ihr Liebesverhältnis mit Arada insgeheim fortzusetzen. Als Riquet dies entdeckt, bestraft er sie, indem er sie dumm am Tag und klug in der Nacht macht. Das ist abermals kein großes Hindernis für Mama, die nun ihren Liebhaber nur abends sieht. Zum Schluß rächt sich Riquet dadurch, daß er Arada in seinen Doppelgänger verwandelt. Die Königin ist für den Rest ihres Lebens gezwungen, nicht mehr zwischen Ehemann und Liebhaber unterscheiden zu können. Im Grunde muß sie lernen, der Vernunft und Überlegenheit von häßlicher Männlichkeit zu gehorchen.

In vieler Hinsicht ist Mlle. Bernard viel strenger als Perrault in ihrer Behandlung der weiblichen Figur, weil sie begreift, daß Frauen sich nicht freiwillig den korrekten Formen der männlichen Zivilisierung beugen. Die Prinzessin wird listig, betrügerisch und sexuell, so bald sie Klugheit besitzt, die ihrer Schönheit entspricht. Sie kann kaum gezähmt werden. Riquets Überlegenheit besteht in seiner Vernunft und seiner sozialen Position als König, die ihm die Macht geben, Sachen zu verwandeln, wie es ihm gefällt. Er behandelt Mama fair und anständig, bis sie ihn offenbar dazu treibt, seine Rache zu suchen. Es wird klar, daß seine Ehefrau nur zahm und häuslich gemacht und zivilisiert werden kann, wenn sie ihren freien Willen aufgibt, ihr Leben selbst zu bestimmen. Diese Märchen-Version enthält die eindeutige Behauptung, daß Frauen, auch wenn sie durch einen Mann Vernunft erhalten, ständig überwacht werden müssen. Implizit steckt die Vorstellung dahinter, daß Frauen latent sehr zerstörerisch und schädlich für die Sozialordnung sein könnten.

Madame D'Aulnoy arbeitet dieses Thema in einem von ihren „La Belle et la Bête"-Märchen mit dem Titel „Der Bock" weiter aus. Hier muß Merveilleuse, die jüngste Tochter eines Königs, den Hof fliehen, da ihr Vater sie für viel zu unverschämt und arrogant hält, ja sie sogar zum Tode verurteilt. Sie verirrt sich in einem Wald, bis sie einem sprechenden Bock begegnet, einem Prinzen, der von der bösen Fée Ragotte in ein Tier verwandelt wurde. Er verschafft Merveilleuse Asyl und macht ihr auf eine zivile und glanzvolle Art und Weise den Hof. Langsam lernt sie das Tier lieben und ist bereit, fünf Jahre zu warten, bis die Verzauberung zu Ende ist, und der verwandelte Prinz seine menschliche Gestalt wieder annehmen kann. In der Zwischenzeit erfährt sie, daß ihre Schwester heiraten soll. Sie bittet den Bock um die Erlaubnis, die Hochzeit zu besuchen. Der Bock willigt unter der Bedingung ein, daß Merveilleuse ihm verspricht zurückzukehren. Wenn sie es nicht rechtzeitig tut, muß er sterben. Sie geht hin und hält das Versprechen. Aber da ist noch eine Schwester, die auch heiratet, und noch eine Rückkehr nach Hause. Diesmal ist die Versöhnung mit dem königlichen Vater so groß, daß sie den Bock vergißt. Er stirbt aus Kummer, und sein Tod macht sie „schrecklich elend", gerade als sie am glücklichsten war.

D'Aulnoy stellt die negative Potenz der Schönheit dar. Nur wenn sie gefügig und gehorsam ist, kann sie den männlichen Adel beseelen. Dies ist übrigens das Thema des interessanten Märchens „Le Prodige d'Amour" (1799) von Madame Durand, in dem ein dummer Prinz namens Brutalis von einer bescheidenen Schönheit namens Brillante besselt wird, während die eitle Fée Coquette (die Kehrseite von Brillante) keinen Erfolg bei ihm hat. Madame Durand und ihre Zeitgenossen waren fest davon überzeugt, daß unbeherrschte Schönheit den häuslichen Frieden und männliche Erhabenheit zerstören könnte. Die wohlerzogene Dame darf ihre opferbereite und dienende Funktion gegenüber ihrem Herrn nie vergessen, ganz gleich wie häßlich und grob er aussehen mag. Es war ein Zeichen von gesellschaftlicher Würde, wenn sich eine schöne Frau einem Ungeheuer *freiwillig* hingab, um andere Leute, besonders ihre Familie, zu retten — und manchmal selbst die Seele des Untiers!

Das wird in D'Aulnoys Märchen „Der wohltätige Frosch" deutlich, in dem die Prinzessin Moufette ihre Treue unter Beweis stellt, als sie bereit ist, sich von einem Drachen fressen zu lassen. Freilich wird sie von ihrem Verlobten, Prinz Moufy, gerettet, und der Drache selber entpuppt sich am Ende als adeliger Herr, der zivilisierte Manieren zeigt, sobald seine durch eine böse Fee verursachte schlimme Verzauberung gebrochen wird. Dieses stilvolle Märchen aber ist nicht die klassischste Äußerung zu diesem Thema. Eine viel raffiniertere liegt in „Die grüne Schlange" vor. Darin läßt Mme. D'Aulnoy nicht nur ihre Heldin die Geschichte von „Amor und Psyche" lesen, um daraus eine Lehre zu ziehen, sondern sie baut Motive und Topoi von anderen Märchen wie „Dornröschen" in die Erzählung ein, um ein wundervolles Exempel von bescheidener Klugheit für junge Damen und Herren zu statuieren. Wie in Perraults „Riquet mit dem Schopfe" fängt diese Geschichte mit der Geburt von weiblichen Zwillingen an. Als das Ereignis gefeiert werden soll, vergißt das königliche Paar, die böse Fee Magotine einzuladen. Dennoch kommt sie und verdammt eine von den Töchtern, häßlich zu werden. Dieses Mädchen wird passend Laidronette genannt, aber sie ist nicht ohne Edelmut und Empfindsamkeit. Da sie spürt, welche widerwärtigen Gefühle ihre häßliche Erscheinung bei anderen Leuten hervorruft, zieht sie vom Hofe weg. Zufällig begegnet sie im Walde einer grünen Schlange, die abstoßender als sie aussieht. Sie läuft erschrocken von der Schlange weg, die wiederum ein verzauberter Prinz ist. Als sie später bei einem Schiffbruch beinahe ertrinkt, rettet er ihr Leben, und sie befindet sich danach auf seiner Insel, wo sie höflich und charmant von kleinen Wesen, gennant „pagodes", bedient wird. Genauso wie sie sich von deren Anmut und zivilisierten Manieren angezogen fühlt, sind diese von „ihrer Vernunft und ihrem schönen Charakter" entzückt. Sie weiß nicht, daß der mächtige Herrscher dieser Insel die schreckliche grüne Schlange ist, und aus Höflichkeit bleibt er unsichtbar, während er kultivierte Gespräche mit ihr führt. Mit Bescheidenheit und Geschenken macht er ihr den Hof. Endlich entschließt sie sich, ihn zu heiraten, obwohl sie ihn nie gesehen hat. Natürlich gibt es eine Bedingung für die Heirat: Sie darf sich nicht der „unklugen Neugier" hingeben und muß sieben Jahre warten, bis er die Tiergestalt verloren hat. Nachdem sie ihm ihr Wort gegeben hat, wird sie gleich mit dem Buch über Amor und Psyche beschenkt, aber umsonst. Sie hört auf einen bösen Rat, verlangt ihren Ehemann zu sehen und erschrickt, als sie erfährt, daß er die grüne Schlange ist. Infolgedessen wird der Prinz verurteilt, länger Untier zu bleiben. Die böse Fee nimmt Laidronette gefangen und zwingt sie, schwer zu arbeiten. Zum Glück für die ausgebeutete Laidronette kommt die gute Fee Protectrice zur Hilfe, und, da die junge reuevolle Dame sehr fleißig und gehorsam ist, wird sie in eine schöne Frau mit dem neuen Namen „Diskrete" verwandelt. Nachdem sie mehrere Aufgaben erfüllt, ist sie würdig genug, um ihren Mann zu retten, der seine natürliche und edle Gestalt annimmt.

Die gereimte Moral am Ende von D'Aulnoys Märchen zieht einen Vergleich mit dem Märchen von der Büchse der Pandora: Da alle Frauen schwach und neugierig sind, müssen sie streng belehrt werden. Und tatsächlich vermitteln die meisten Märchen von D'Aulnoy strenge gesellschaftliche Regeln für artiges Benehmen. Die Märchen mit der „La Belle et la Bête"-Thematik wiederholen die strikte Feststellung von Perrault: Die Frau muß stets wegen Neugier, Unzuverlässigkeit und Grillenhaftigkeit gemahnt und gezüchtigt werden. Die Qualitäten der Schönen (oder der Schönheit) hängen von Vorsicht, Takt und Besonnenheit ab, die metaphorisch durch eine Konfiguration dargestellt werden, in der sich die Heldin entweder freiwillig einem Ungeheuer opfert oder sich seinen Befehlen und Wünschen unterordnet, weil das Monster eine edle Seele und zivilisierte Manieren hat. Der Mann sorgt demnach für eine vernünftige Sozialordnung, die durch eine böse Fee in Unordnung gebracht und verhext wird. Da die Schöne die Kehrseite der Hexe ist, muß sie zum Teil die Schuld für die Unordnung und Bestialität tragen und hat deshalb die Aufgabe, alles wiederherzustellen. Obwohl diese Konfiguration mit Phantasie und Kalkül in den verschiedenen Märchen meisterhaft variiert wurde, war die geheime Mitteilung von den „La Belle et la Bête"-Geschichten stets wie ein Befehl, dem die meisten Frauen von D'Aulnoys Epoche einschließlich D'Aulnoy selbst bei Strafe der gesellschaftlichen Verbannung gehorchen mußten: „Beherrsche Deine Triebe und Träume und gehe Deinem glücklichen Ziel entgegen, das Dein Herr für Dich bestimmt hat." Für Frauen bedeutete *Zivilité* das Erlernen von Verhaltensweisen, mit denen sie Seelenqual und Selbstverleugnung ertragen konnten, während Männer ihre Furcht vor Frauen, Sexualität und Gleichheit zu rechtfertigen trachteten. Auch sie mußten sich beherrschen, um zu herrschen. Die Rechtfertigung ihres Hegemoniedranges führte zu rationalisierten und moralischen Prinzipien, nach denen Frauen und andere unterdrückte Gruppen an der Selbstdarstellung und Gewinnung der Unabhängigkeit in der Öffentlichkeit gehindert wurden. Es gibt Zeichen in D'Aulnoys Märchen, daß sie zum Teil die willkürliche Herrschaft von Männern kritisieren wollte. Denn immerhin sprechen wir von einer Frau, die versuchte, ihren eigenen Mann zu töten, die am Hofe Unruhe anstiftete und einige Jahre unter Verbannung litt. Aber am Ende paßte sie sich unter gesellschaftlichem Druck an, und dieser Kompromiß zeigt sich in ihren Märchen zum Vorteil der Männer. In der Tat wird die Schattenseite der klassischen französischen Märchen dadurch widergespiegelt, daß die Schriftstellerinnen selber das männliche Bedürfnis nach Macht und Dominanz im Zivilisationsprozeß mehr als ihre eigenen Bedürfnisse zum Ausdruck brachten.

Die zwei besten Beispiele von Selbstverleugnung der Frauen im Märchen sind die „La Belle et la Bête"-Fassungen der Mme. de Villeneuve und Mme. Leprince de Beaumont, die 1740 und 1756 veröffentlicht wurden und als Endprodukte einer bestimmten Phase angesehen werden können. Sie kristallisieren ein exemplarisches Verhaltensmuster für Kinder heraus. Die Grundhandlung beider Versionen ist dieselbe, denn beide stellen einen Diskurs über Werte, Normen und Klassenunterschiede in Hinblick auf *Zivilité* dar. Am Anfang lernen wir einen reichen bürgerlichen Kaufmann kennen, dessen Kinder (sechs Jungen und sechs Mädchen bei de Villeneuve, drei von jeder Gattung bei de Beaumont) wegen des Reichtums der Familie verwöhnt und hochmütig geworden sind. Mit Ausnahme von La Belle wollen alle Kinder sozial aufsteigen. Deshalb muß diese freche „Noveau riche"-Familie bestraft werden und Bescheidenheit lernen. Der Kaufmann verliert seinen Reichtum durch eine Folge von Unglücksfällen und damit seinen sozialen Status. Die Kinder werden gezwungen, sich an schwere Arbeit auf dem Land zu gewöhnen, wo die Familie Zuflucht sucht. Die jungen Männer sind fleißig, aber die Töchter nehmen es dem Vater übel, daß sie gemeine Arbeit machen müssen, schöne Kleider nicht mehr tragen dürfen und prachtvolle Bälle nicht mehr erleben können. Sie bleiben hochmütig, eitel und bissig. Nur Belle, die Jüngste, zeigt sich bescheiden und opferbereit. Außerdem ist sie fleißig und gut gelaunt, obwohl die Familie es schwer hat. Als der Vater eine Reise macht, um für die Familie Geld aufzutreiben und damit ihren Status wiederherzustellen, gerät er auf dem Rückweg in Gefahr, weil er in einem wunderbaren Garten, in dem er eine Blume für Belle pflücken will, gegen die Gastfreundschaft des Besitzers verstößt. Der Besitzer ist ein Untier, den Adel darstellend, der dem bürgerlichen Kaufmann mit dem Tod droht, wenn sich nicht jemand aus seiner Familie bereit erklärt, sich zu opfern. Natürlich ist dieser Jemand La Belle (Exempel des Gehorsams und der Demut), die einwilligt, mit dem Ungeheuer zu leben. Im Laufe der Zeit wird sie von der Sittsamkeit und dem Edelmut des Tiers beeindruckt. (Der Schein trügt, d.h. adelige Männer mögen wie Tiere aussehen, aber sie haben Seele und Herz). Infolgedessen hegt La Belle zärtliche Gefühle für das Tier. Dennoch kann sie nicht ganz erkennen, wie sehr sie ihn liebt, bis sie seinen Tod beinahe verursacht. Eines Tages geht sie auf Urlaub, um ihre Familie zu besuchen. Sie bleibt länger, als sie dem Untier versprochen hatte. Ihre Vergeßlichkeit bedeutet seinen Tod, doch rettet sie ihn im richtigen Moment und läßt ihn wissen, daß sie ihn heiraten will. Plötzlich wird das Tier zu einem schönen Prinzen, der ihr erklärt, er sei verurteilt worden, Tier zu sein, bis eine tugendhafte Jungfrau ihn *freiwillig* heiraten würde. Wie gewöhnlich ist die höchste Belohnung für das artige Benehmen einer jungen Dame die Ehe. Im Gegensatz dazu erlangt der junge Mann nicht nur eine Frau als Besitz, sondern auch seine Rechte als Herr eines Reiches. Mit anderen Worten: Seine Männlichkeit und Macht werden bestätigt und nun nicht mehr von einer bösen Fee oder Hexe bedroht.

Im allgemeinen wird Mme. de Villeneuve's längere Fassung von „La Belle et la Bête" entweder übersehen oder nur zum Vergleich mit der kurzen Fassung von Mme. de Beaumont herangezogen, die bekannter ist und oft als künstlerisch überlegen beurteilt wird. Doch dies ist ein Fehler, denn beide Versionen sind an und für sich wichtig und wirksam. Ein Vergleich zwischen den beiden zeigt, wie bewußt die Schriftstellerinnen ihre Märchen dazu benutzt haben, an einem Diskurs über den Zivilisationsprozeß teilzunehmen. Es muß hier betont werden, daß Mme. de Beaumont's Märchen sechzehn Jahre nach Erscheinen von Mme. de Villeneuve's Version geschrieben wurde, und daß es absichtlich und moralistisch verkürzt wurde, so daß es besser dazu dienen konnte, das Benehmen von wohlerzogenen Mädchen und Knaben zu beeinflußen, als dies der Fall war, als es zuerst in ihrem „Magasin des entfants, ou dialogues entre une sage gouvernante et plusieurs des élèves de la première distinction" veröffentlicht wurde. Im Jahre 1758 erschien eine deutsche Übersetzung mit dem Titel „Der Frau Maria le Prince de Beaumont Lehren der Tugend und Weisheit für die Jugend", und drei Jahre danach wurde eine englische Fassung in dem „Young Misses Magazine" gedruckt. Seitdem ist es das Grundmodell für die meisten modernen „La Belle et la Bête"-Bearbeitungen im Westen geworden.

Während Mme. de Beaumont eine soziale Perspektive einnahm – sie plädierte für eine Vereinigung des Bürgertums mit dem Adel, im Grunde genommen, um die Vorherrschaft des Adels zu verstärken –, war Mme. de Villeneuve strenger in ihrer Darstellung von Klassenunterschieden und Anstand. Ihr Märchen, das ursprünglich über 300 Seiten in „La jeune Amériquaine et les contes marins" zählte, zielte hauptsächlich auf erwachsene Leser, enthielt detaillierte Beschreibungen vom Hof des Untiers und schloß bemerkenswerte psychologische Exkurse in Form von Träumen ein. Es gibt auch andere wichtige Unterschiede zu Mme. de Beaumonts Märchen. La Belle's Schwestern werden negativ, als faul, kleinlich und eifersüchtig dargestellt, aber sie werden am Ende nicht bestraft, sind auch keine genauen Ge-

genbilder, da man schließlich erfährt, daß sie nicht derselben Sozialklasse angehören wie La Belle, die sich als adelige Waise entpuppt. Außerdem erbittet das Tier mehr als nur die Hand von La Belle. Es will mit ihr schlafen. Sie lehnt ab, und seine Anständigkeit, die Art und Weise, wie es die Zurückweisung akzeptiert und sie dennoch achtet, macht einen großen Eindruck auf sie. Das Tier taucht sogar in ihren Träumen auf und gewinnt ihre geistige Liebe. Als sie endlich bereit ist, mit ihm zu schlafen, haben sie keinen Geschlechtsverkehr, denn das wäre ein Verstoß gegen den vorehelichen Anstand gewesen. Überdies hätte es die Antiklimax der Geschichte verdorben. Die königliche Mutter des Untiers taucht nach der Verwandlung ihres Sohnes mit der guten Fee auf und protestiert gegen die „mésalliance", auch wenn die bürgerliche La Belle höchst tugendhaft sein sollte. Es gibt eine lange Auseinandersetzung zwischen der Fee, der Mutter und dem Prinzen, ob die Tochter eines Kaufmannes, egal wie rein, klug, würdig und gehorsam sie sein mag, würdig genug sei, die Ehefrau eines Prinzen mit Edelblut zu werden. Das Problem wird schließlich dadurch gelöst, daß die Fee offenbart, La Belle sei eigentlich adelig und als Kind dem Kaufmann übergeben worden, um vor Feinden geschützt zu sein. In ihrer wahren Identität kann sie nun alle Mitglieder ihrer bürgerlichen Adoptiv-Familie (auch die gemeinen Stiefschwestern) beglücken. Sie belohnt sie mit Geld, Status und einem geeigneten Partner.

Das Märchen feiert die Überlegenheit adligen Blutes und „edler" Erziehung und zeigt, wie zivilisierte Damen und Herren sich während schwieriger Zeiten verhalten sollen. Mme. de Villeneuve war, wie ersichtlich, nicht ganz gegen eine bürgerlich-adelige Alliance, denn La Belle wird in einem bürgerlichen Haushalt erzogen und ihre Qualitäten dienen als Beispiel für die Tugenden einer unterwürfigen und ehrenhaften Dame, die vom Bürgertum geprägt wurden. Die Bescheidenheit von La Belle ist so groß, daß sie bereit ist, dem Prinzen zu erlauben, sein Versprechen nicht zu halten. Sie weiß, welche Funktion sie entweder als bürgerliche oder adelige Frau auszuüben hat. Die Konfiguration des Märchens konkretisiert sich am Ende in einer Konstellation, welche die wichtigen Normen des Zivilisationsprozesses verkörpert.

Diese Konstellation wird in Mme. de Beaumonts Märchen teilweise verändert. Denn die schriftstellernde Gouvernante, die lange Jahre in England verbrachte und hauptsächlich für Kinder schrieb, verlangt eine noch strengere Moral. Obwohl sie die Alliance zwischen dem Bürgertum und dem Adel fördern will, läßt sie ihre Charaktere dem herrschenden Sozialkodex deutlich mehr Achtung schenken. Ihre Ansichten werden durch starke Gegensätze und eindrucksvolle Beschreibungen ihrer Anstandsvorstellungen sichtbar. La Belle wird eindeutig als Verkörperung der bürgerlichen Tugend schlechthin dargestellt, während das Tier die edelsten Eigenschaften des Adels symbolisiert. Das Tier will La Belle heiraten, und sie will stets beweisen, wie fleißig, gehorsam und opferbereit sie ist, im Gegensatz zu ihren Schwestern, die schwer bestraft werden. Am Ende werden sie in Denkmäler verwandelt und vor dem Schloß des königlichen Paares aufgestellt, damit sie sich des Glückes der Tugend immer bewußt sind.

Die Änderungen, die Mme. de Beaumont in „La Belle et la Bête" vornahm, sind höchst bedeutungsvoll, weil ihr Märchen das klassischste Beispiel für Kinder geworden ist. Obwohl sie die Botschaft von Mme. de Villeneuve wiederholt, daß die Menschen sich am besten bescheiden ihrem Stand gemäß verhalten sollen, geht sie einen Schritt weiter, indem sie den sozialen Aufstieg des Bürgertums verteidigt, soweit er auf eine geregelte Art und Weise geschieht. Es sind starke Züge von Asketismus und Puritanismus in diesem Märchen vorhanden. Von beiden Helden, La Belle und La Bête, wird verlangt, daß sie ihre erotischen Triebe beherrschen und sich einer christlich bürgerlichen Moral unterordnen.

Soziale Abweichler, wie die Schwestern, werden brutal bestraft. Das Märchen zeigt das Beispiel einer bürgerlichen Familie, die sich einer Anstandslehre unterziehen muß. Die rationalen Erwartungen der Erzählhaltung fordern eine Internalisierung der rigiden vom Christentum geprägten Verhaltensnormen und asketischen Maßstäbe, die wohlerzogene Kinder akzeptieren mußten, besonders Mädchen. Mme. Leprince de Beaumont lebte zwanzig Jahre in London, wo sie jungen Damen gesellschaftliche Umgangsformen (Etikette) beibrachte und viel über dieses Thema schrieb. Außer „La Belle et le Bête" publizierte sie ein Märchen „Le Prince Spirituel", das Ähnlichkeiten mit „Riquet mit dem Schopfe" hat, auch andere Geschichten, die an Beispielen weibliche Untertänigkeit predigten. Wie Barchilon bemerkt, „verlangt diese weibliche Untertänigkeit zweifellos eine Erklärung. Das Zielpublikum von Mme. Leprince de Beaumont bestand aus Mädchen im vorpubertären Alter. Die Schriftstellerin pflegte dieses Moment der Untertänigkeit zu betonen, da sie ihre Leserinnen und Zuhörerinnen auf das ‚Leben' vorbereiten, das heißt, auf die Ehe, die von den gebilligten bürgerlichen Normen und Regeln bedingt war, vorbereiten wollte" (Barchilon 1975, S. 92).

Es läßt sich ein Kulturmuster deutlich erkennen, wenn wir die Behandlung des „La Belle et la Bête"-Themas von Charles Perrault und Mlle. Catherine Bernard bis zu Mme. Leprince de Beaumont über den Zeitraum von 1696 bis 1756 betrachten. Die Geschichte, die als diskursives Märchen über den Zivilisationsprozeß mit Beispielen für Kinder und Erwachsene anfing, entwickelte sich zum Märchen „mit erhobenem Zeigefinger", adressiert hauptsächlich an Kinder. Nach Mme. de Villeneuves Fassung von „La Belle et la Bête" gibt es keinen Raum mehr für einen kritischen Diskurs. Und mit Mme. de Beaumonts Märchen wird eine eindeutige Konstellation von klassischen Umgangsregeln und anständigem Benehmen für wohlerzogene Mädchen und Knaben festgesetzt. Enthaltsamkeit und Rationalität herrschen am Ende. Die Kennzeichen weiblicher Qualität sollen in Untertänigkeit, Gehorsam, Demut, Fleiß und Geduld offenbar werden; die Kennzeichen der Männlichkeit sollen in Selbstbeherrschung, Höflichkeit, Vernunft und Beharrlichkeit offenbar werden. In dem Maße, wie sich die Konfiguration in Bezug auf den Zivilisationsprozeß in jedem Märchen individuell entwickelte, wurde auch immer klarer, daß die Heldin sich ihre zivilisierte Form nur aneignen konnte, wenn sie bereit war, sich für einen Mann aufzuopfern. Indem sie sich selbst verleugnete, konnte sie das erhalten, was die meisten Frauen angeblich wollten und wollen – die Ehe mit männlicher Vorherrschaft oder Erhabenheit. Der Held konnte seine zivilisierte Form und Macht nur erreichen, wenn soziale Abweichler wie böse Feen und Hexen überwunden wurden und wenn die Frau keine Bedrohung mehr war, vielmehr durch Vernunft gezähmt oder beherrscht wurde. Es ist auffallend, daß die Frau die unterschwellige Macht besitzt, den Mann entweder zu retten oder zu zerstören, denn es ist der Mann, der Zivilisation und Rationalität symbolisiert. Auf diese Weise ist der Held nie dafür verantwortlich, daß die Welt aus den Fugen gerät. Jedes Märchen stellt ihn als Opfer dar (im allgemeinen von einer bösen Fee verhext) und als exemplarische Figur des Anstands und der Vernunft.

Wir haben jedoch gesehen, daß es eine Schattenseite dieses Anstandskodex' und dieser Vernünftigkeit gibt, die sich im Zivilisationsprozeß und in der Entwicklung des literarischen Märchens für Kinder zeigt. Im Falle von „La Belle et la Bête" gab es viele Bearbeitungen in den darauf folgenden Jahrhunderten in Europa und Amerika. Der berühmte englische Dichter Charles Lamb schrieb 1811 eine mittelmäßige, auf Sentimentalität zielende poetische Version, die Mme. de Beaumonts Geschichte hauptsächlich nachahmte. La Belle wird „das Kind der Pflicht" genannt. Wegen ihrer Tugendhaftigkeit kann sie zur Königin von Persien aufsteigen. Bei den Brüdern Grimm spielte das Orientalische keine Rolle. Sie veröffentlichten fünf Märchen in ihren Sammlungen – „Froschkönig", „Das singende springende Löweneckerchen", „Der König vom goldenen Berg", „Der Bärenhäuter" und „Schneeweißchen und Rosenrot" –, die mit dem „La Belle et la Bête"-Zyklus verbunden sind. Am ähnlichsten ist „Der Bärenhäuter", denn nur in diesem Märchen erklärt sich die tugendhafte jüngste Tochter eines bankrotten Mannes freiwillig bereit, sich einem Untier hinzugeben: „Lieber Vater, das muß ein guter Mann sein, der Euch aus der Not geholfen hat; habt Ihr ihm dafür eine Braut versprochen, so muß Euer Wort gehalten werden" (Grimm 1974, S. 197). Hier ist das Tier ein ehemaliger mutiger Soldat, der noch drei Jahre wandern muß, um eine Wette mit dem Teufel zu gewinnen und seine menschliche Form zurückzuerlangen. Während dieser Zeit wird die schöne treue Braut von ihren Schwestern verspottet und verhöhnt. Aber am Ende sind sie die schwer Bestraften, da der Kriegsmann bei seiner Rückkehr sauber aussieht und reich ist. Nun kann er seine Braut heiraten, während die zwei Schwestern voll Zorn und Wut aus dem Haus laufen. Die eine ertränkt sich im Brunnen, die andere erhängt sich an einem Baum. Am Abend klopft jemand an die Tür. Als der Bräutigam öffnet, sieht er den Teufel im grünen

Das Erschrecken über den Heiratsantrag des Tieres und die dramatischen Folgen der Ablehnung kosten die drei Ausschnitte aus dem 1954 in New York erschienenen Comic-Heft „Beauty and the Beast" aus.

Rock, der sagt: „Siehst du, nun habe ich zwei Seelen für deine eine" (Grimm 1974, S. 198). Ein lustiges, aber bitteres und bissiges Ende.

Offenbar ist diese Grimmsche Fassung von „La Belle et la Bête" eine Mischung aus der Volkstradition und dem literarischen Märchen-Diskurs über die bürgerliche *Zivilité*. Hier werden Zustände im Deutschland des späten 18. und frühen 19. Jahrhunderts widergespiegelt. Wie im „König vom goldenen Berg" ist der Held kein Adeliger, sondern ein emporstrebender junger Mann, der unbedingt Geld und Gut haben will. Er setzt in der Wette mit dem Teufel sein Leben aufs Spiel und kämpft sich, weil er gottgläubig und großzügig ist, durch. Ungleich dem Adel in den erwähnten französischen Versionen erpreßt er den bürgerlichen Vater nicht, sondern beeindruckt ihn durch Güte und Geld. Seine zukünftige Braut, die schön und rein ist, besitzt Geduld und Bescheidenheit. Beide bilden ein strebsames, beharrliches Paar, das durch Gottes Gnade den heiligen Stand der Ehe eingehen wird. Wie wir in dieser biedermeierlichen Fassung sehen, wird ein den deutschen Verhältnissen entsprechend leicht verändertes Bild von männlichen und weiblichen Rollen im westlichen Zivilisationsprozeß dargestellt. Im wesentlichen sorgten die Grimms aber dafür, daß die Schattenseite des „La Belle et la Bête"-Zyklus beibehalten wurde.

Zahllos sind nach den Grimms und anderen Autoren des 19. Jahrhunderts die Stücke, Operetten, Musicals, Filme, Gedichte und Romane, die auf „La Belle et la Bête", hauptsächlich auf Mme. Leprince de Beaumonts Fassung basieren. Von Sir Arthur Quiller-Couchs schöngeistiger Version am Anfang des 20. Jahrhunderts bis hin zu Jean Cocteau's genialer Filmbearbeitung von 1946 und Robin McKinleys schlichtem Roman „Beauty" von 1978 pflegen wir den Charme und die Schönheit dieses und ähnlicher Märchen zu feiern. Und wir setzen das literarische Märchen-Erbe fort. Wir genießen den scheinbar unschädlichen Zeitvertreib mit Kindern beim Erzählen von klassischen Märchen, ohne die Schädlichkeit von solcher Unschädlichkeit zu erkennen.

KAY F. STONE

Mißbrauchte Verzauberung

Aschenputtel als Weiblichkeitsideal in Nordamerika[1].

Bei der unschuldigen Lektüre unserer Kindheitsmärchen haben wir wohl kaum wahrgenommen, wie kontrovers diese so einfach und unterhaltend anmutenden Geschichten sind. Erwachsene haben sich schon immer leidenschaftlich damit beschäftigt herauszufinden, ob solche Geschichten aufgrund der darin enthaltenen Grausamkeiten oder Unwahrscheinlichkeiten schädlich sein können oder ob sie im Gegenteil dazu machtvolle Anregungen der Phantasie liefern, die für die seelische Entwicklung gut sind. Wir konnten auch kaum erkennen, wie sehr uns diese Geschichten auf unserem Weg von der Kindheit zum Erwachsenwerden sowohl negativ wie positiv beeinflußt haben. Für viele erwachsene Leser schienen diese Geschichten belanglos zu werden, aber sicher verloren sie nie völlig ihre Bedeutung.

Der Kampf um die Bedeutung, den Einfluß und die Deutung von Märchen ist auf einer neuen Ebene entbrannt, auf der sich die Gegner über den Einfluß und die bleibenden Wirkungen der Geschlechtsstereotypen auf die Leser streiten. Da gibt es die einen, die der Meinung sind, daß Märchen aufgrund ihrer darin enthaltenen Geschlechtsstereotypen ungeeignet seien, da sie geschlechtstypische Rollenfixierungen verstärkten, andere, die behaupten, daß Märchen solche Rollenfixierungen in Frage stellten und wieder andere, die darauf bestehen, daß solche Geschichten weder eine negative noch eine positive Wirkung auf das geschlechtsspezifische Rollenverhalten ausübten. In seinem bekannten Buch „The uses of enchantment" („Kinder brauchen Märchen") streicht Bruno Bettelheim sehr deutlich die positiven Funktionen von Märchen für Jungen und Mädchen heraus und behauptet, daß Märchen das geschlechtsspezifische Verhalten nicht beeinflußten[2].

Seine Gegner behaupten, daß wichtige Unterschiede in der Darstellung der Helden bzw. der Heldinnen im Märchen vorhanden seien und daß diese Unterschiede deshalb so wichtig seien, weil sie mithelfen würden, Jungen und Mädchen in unserer heutigen westlichen Gesellschaft einem unterschiedlichen Sozialisierungsprozeß auszuliefern.

Leider lassen nur wenige Autoren die Leser selbst zu Worte kommen. Auch Bettelheim, der gelegentlich auf einige seiner Patienten zurückkommt, benutzt nur Aussagen, die seine Theorien unterstützen. Andere sprechen nur sehr allgemein gehalten von den Wirkungen und der Bedeutung von Märchen für eine hypothetische, schweigende Leserschaft.

Nachstehend möchte ich auf die Reaktionen heutiger Leser mit unterschiedlichem Alter und unterschiedlichem Sozialstatus eingehen und sowohl Frauen wie Männer zu Worte kommen lassen. Ihre Antworten lassen erkennen, daß es keine letzte Wahrheit über den Einfluß und die Bedeutung von Märchen für jeden Leser geben kann. Es scheinen sich aber einige feststehende Muster abzuzeichnen.

In den letzten Jahren habe ich auf mehr oder weniger zwanglose Weise Personen über ihre Erinnerung an und ihre Reaktionen auf Märchen befragt[3]. Ausführliche Interviews führte ich mit 44 Personen, zum Teil in Einzelbefragung, zum Teil in Gruppeninterviews. Von diesen 44 waren 23 Mädchen im Alter zwischen sieben und siebzehn Jahren. Nur sechs der Befragten waren männliche Personen im Alter von 9 bis 68 Jahren. Die kleine Anzahl der männlichen Interviewpartner ist von der Tatsache bestimmt, daß keine männliche Person, gleich welchen Alters, sich an Märchen erinnern konnte. Viele, gelegentlich dazu befragt, konnten sich nicht einmal daran erinnern, jemals Märchen gelesen zu haben. Andererseits fand ich bei weiblichen Personen, daß sich alle daran erinnerten, Märchen gelesen und in der einen oder anderen Weise darauf reagiert zu haben. Mehrere verschieden alte weibliche Personen waren in der Lage, bestimmte Märchen genau nachzuerzählen, unabhängig davon, ob sie Märchen gerne gelesen hatten oder ablehnten.

Ich möchte gerne ein besonders beliebtes Märchen eingehender untersuchen, um herauszufinden, inwieweit Aufnahme und Ablehnung von Märchen bei den beiden Geschlechtern den Aussagen der erwähnten Autoren entsprechen. Die hier vorgetragenen Ergebnisse stehen alle zu der Frage in Beziehung, ob Märchen als problemlösende Geschichten anzusehen sind, wie es Bettelheim und Girardot behaupten oder als problemschaffende Geschichten, wie es von den feministischen Autorinnen behauptet wird.

Sowohl in den Interviews, die ich führte, wie in den rund 50 englischsprachigen Märchenausgaben, die ich überprüfte, tritt *eine* Heldin als eindeutige Favoritin hervor: Aschenputtel[4]. Anscheinend wird in diesem Märchen die ganze Breite von Hoffnungen, Ängsten und Möglichkeiten für Erzähler wie Zuhörer sichtbar. Offensichtlich wird die passivste Variante (eher AT 510 A als AT 510 B) sowohl in den Buchausgaben wie bei den von mir Interviewten bevorzugt.

Wie die meisten im Volksmund überlieferten Erzählungen läuft „Aschenputtel" auf verschiedenen Bedeutungsebenen ab und kann, sogar bei einer an der Oberfläche bleibenden Deutung, verschieden interpretiert werden. In der Grimm'schen Version sind Aschenputtels Stiefschwestern ebenso schön wie diese, allerdings sind sie bösartig und opportunistisch. Sie wollen es zu etwas bringen und hoffen, dieses Ziel durch die Heirat mit dem Prinzen zu erreichen. Sie betrachten ihre Stiefschwester nicht als eine ernsthafte Konkurrenz, obwohl ihre Mutter in diesem Punkt empfindlicher ist. Aschenputtel selbst ist vorrangig gar nicht daran interessiert, den Prinzen zu treffen oder materielle Vorteile zu erlangen – ihre schönen Kleider können um keinen Preis erworben werden –, sie möchte aber den erzwungenen kärglichen Verhältnissen, unter denen sie leben muß, entfliehen. Sie wird mit Zaubergaben belohnt, weil sie aufs Genaueste die Anweisungen ihrer sterbenden Mutter befolgt. Sie gewinnt den Prinzen gerade deshalb, weil sie, im Gegensatz zu ihren Stiefschwestern, nicht auf Männerjagd geht. Kavablum (1973) legt das Märchen dahingehend aus, daß der Prinz lediglich ein Symbol für Aschenputtels wohl verdiente Freiheit sei und daß die Heirat ganz und gar nicht den Mittelpunkt der Geschichte darstelle. In jedem Fall bedeutet ihre Heirat, daß sie ihre unterwürfige Position abgeschüttelt hat und nun aktiv am öffentlichen Leben teilnimmt. Durch den Eintritt in die Ehe hat sie das Erreichen individueller Reife demonstriert.

Von den Interviewten gingen nur drei auf die mögliche psychoanalytische Bedeutung des „Aschenputtel"-Märchens ein. Ein 68 Jahre alter Mann sagt:

„Ich habe alle diese Märchen geliebt, weil man auf dieser Altersstufe (Kindheit!) fühlt, daß man nichts durch sich selbst erreichen kann. Und wenn du der Jüngste bist, auf dem die andern herumtrampeln, wie beim Aschenputtel, brauchst du Träume, die über die Wirklichkeit hinausgehen und mußt du solche zauberhaften Märchen lesen".

Ein 17 Jahre altes Mädchen fügt hinzu:

„Du kannst Märchen wie ‚Aschenputtel' von zwei Seiten her sehen, von der tieferen Bedeutung aus wie von dem an der Oberfläche ablaufenden Geschehen her. Es kommt darauf an, was du zu dem Zeitpunkt gerade nötig hast. Du kannst dir nehmen, was du brauchst".

Ähnlich äußerte ein 15 Jahre altes Mädchen, daß sie keineswegs erwarte, Feen, Hexen, Drachen oder Riesen auf den Straßen anzutreffen, daß sie aber Leute kenne, die ähnliche Rollen im täglichen Leben spielen. Für diese Leser spielt die Geschlechterbezogenheit in der Tat keine große Rolle, weil sie die Märchen auf einer abstrakten Ebene beurteilen. Der Achtundsechzigjährige zum Beispiel betrachtete Aschenbrödel als eine Lieblingsfigur, weil er sich als Kind mit ihrem Gefühl der Machtlosigkeit identifizierte, obwohl er später eher für Märchen mit heldischen Abenteuern und für Sagen schwärmte. Die beiden Mädchen hielten in ähnlicher Weise die Geschlechtszugehörigkeit der Heldin für nicht besonders wichtig, obwohl sie in den Interviews betonten, daß es einen grundlegenden Unterschied zwischen der Darstellung der Helden und der Heldinnen im Märchen gibt. Für andere Leser jedoch wurde das „Aschenputtel" mehr im wörtlichen Sinne interpretiert, als ein Modell für frauenhaftes Benehmen und als eine Beschreibung der Belohnungen, die man dadurch gewinnen kann. Ein zehn Jahre altes Mädchen zum Beispiel stellte fest:

„,,Aschenputtel' ist meine Lieblingsfigur. Sie ist ein glückliches Mädchen, sobald sie aus ihrer Familie wegkommt. Man kann so leben, wie es das Aschenputtel tut. Ich glaube, ich würde gerne so leben, wie sie, als sie dann glücklich war. Natürlich nicht in einem Schloß. Und ich würde auch nicht einen Prinzen heiraten wollen, aber jemanden, der so ähnlich ist wie ein Prinz".

Die Betonung liegt hier nicht auf den weniger angenehmen Seiten des Aschenputtel-Daseins, sondern auf den Belohnungen, die Aschenputtel bekommt, und auf der Tatsache, daß sie „aus ihrer Familie wegkommt". Hier begegnen wir dem modernen Aschenputtel, einem Beispiel für das heranwachsende Mädchen, das davon träumt, mit ihrem Freund aus der familiären Beengtheit zu entfliehen, eine prächtige Garderobe zu besitzen, ein ständiges Einkommen zu haben (durch ihren „Prinzen", nicht durch eigene Anstrengung) und in einem Vorortschloß zu wohnen, alles Dinge, die ihm erlauben, bis an sein Lebensende glücklich mit schöner Ausstattung und inmitten eines angenehmen Komforts zu leben.

So ist auch gerade der Aspekt der Aschenputtel-Geschichte für das moderne Mädchen und die moderne Frau am wichtigsten, der von den Belohnungen spricht, die man dafür bekommt, daß man hübsch, höflich und passiv ist. Die Hauptbelohnung ist natürlich die Heirat, allerdings nicht die Heirat schlechthin, sondern die Ehe mit einem „Prinzen", der den sozialen Status und die materielle Sicherheit eines schönen Lebens garantiert[5].

So verlagert sich die Botschaft des Märchens „Aschenputtel" für diese Gruppe von dem Erwachsen- und Reifwerden zu der Frage nach den Belohnungen, die es erhält, und wie es diese erhält. Bei dieser sehr engen Art der Interpretation kommt der Erfolg für die Frau vom Schönaussehen und vom „Herumsitzen und Abwarten" her. Es muß als eine Ironie angesehen werden, daß gerade Aschenputtel, dieses Vorbild an Bescheidenheit und Selbstlosigkeit für solche Leser zu einer Frau wird, die ihre Schönheit und ihre

Persönlichkeit dazu benutzt, materiellen Gewinn herauszuschlagen –, und dies auf Kosten anderer Frauen. Bei dieser Interpretation gibt es eigentlich keinen großen Unterschied zwischen Aschenputtel und ihren Stiefschwestern, mit der Ausnahme, daß es sich „fraulicher" verhält: Anders als ihre offen ehrgeizigen Stiefschwestern, verbirgt es seine wirklichen Hoffnungen auf die Zukunft hinter einem „Herumsitzen und Warten" darauf, daß sich alles für immer zum Guten wendet. Die Schriftstellerin Anne Sexton hat diesen erschreckenden Aspekt des Märchens in ihrem Gedicht „Cinderella" eingefangen, das mit den Sätzen schließt:

Cinderella and the prince
lived, they say, happily ever after,
like two dolls in a museum case
never bothered by diapers and dust,
never arguing over the timing of an egg,
never telling the same story twice,
never getting a middle-aged spread,
their darling smiles pasted on for eternity.
Regular Bobbsey Twins.
That story[6].

Ein anderer Aspekt des Märchens, auf den sich die Leser bezogen, ist der Wettbewerb zwischen den Frauen, ein Wettbewerb, den unsere Gesellschaft als natürlich hinzunehmen scheint. Vor allem gingen ältere Schwestern auf diesen Konflikt ein, den sie widerstrebend als unvermeidlich akzeptierten.

Sicherlich wäre es eine Vereinfachung, wollte man die Märchen dafür schuldig sprechen, daß Frauen ihr Leben vorwiegend unter dem Aspekt der konkurrierenden Gewinnung männlicher Aufmerksamkeit sehen lernen, gibt es doch in der nordamerikanischen Zivilisation viele andere Faktoren, die das gleiche Ideal herausstellen. Die weit verbreitete Interpretation des Aschenputtel-Märchens kann in versteckter Form in Massenzeitschriften und Büchern, in Filmen und Fernsehsendungen wiederentdeckt werden. Der Psychologe Eric Berne ist der Meinung (Berne 1973, S. 95), daß ein Lieblings-Märchen, durch andere Aspekte unserer Zivilisation verstärkt, zur Richtschnur für ein das ganze Leben andauerndes Verhalten werden kann. „Das Märchen wird dann zu seinem Drehbuch, und ‚Er' wird den Rest seines Lebens dazu benutzen, es nachzugestalten" (Berne 1973, S. 238). Trotz des männlichen Fürwortes, das hier die gesamte Menschheit umschließt, benutzt Berne im Hinblick auf Märchen nur weibliche Beispiele. So beschreibt er zwei „Drehbücher" im Detail. Eines davon ist „Aschenputtel", dem er ein ganzes Kapitel widmet. Seine Geschichte, meint er, wird von Frauen übernommen, die sich ungerecht behandelt fühlen und die der Meinung sind, ihre

Fähigkeiten seien unerkannt geblieben. Sie lernen, sich nach außen hin liebenswürdig zu geben, um so ihre Chancen für mehr Anerkennung zu vermehren. Mag sein, daß sie dann, wenn sie Erfolg haben, andere Frauen, die sie ausgestochen haben, verspotten. Solche Frauen, meint Berne, könnten unfähig werden, das aufregende Spiel vom „Versuch es und fang mich!" aufzugeben, das sie zuerst mit dem Prinzen spielten und später mit verschiedenen außerehelichen Liebhabern fortsetzten.

Mag sein, daß Berne mit seiner Behauptung von einer engen Verbindung zwischen Märchen wie „Aschenputtel" und dem späteren Verhalten übertreibt, es wäre jedoch sicher falsch, würde man Märchen als „Kinderkram" abtun. Wenn man zustimmt, daß das Kindesalter einen Lebensabschnitt darstellt, in dem der Mensch besonders empfänglich für Eindrücke ist, vor allem im Hinblick auf die Entwicklung seines Sexualverhaltens, und wenn weit verbreitete Märchen übereinstimmend das Bild von Heldinnen vorführen, deren Schönheit, Geduld und passive Haltung im Vordergrund stehen, kann der mögliche Einfluß solcher Märchen kaum geleugnet werden. Sicherlich werden einige, die früher Aschenbrödel zu ihrer Lieblingsfigur erkoren, diese später für belanglos halten, aber zahlreiche andere werden bewußt oder unbewußt darin fortfahren, das Ideal der Fraulichkeit zu erreichen –, oder werden frustriert sein, wenn es ihnen nicht gelingt, den Aschenputtel-Aufstieg nachzuvollziehen.

Die Bemerkungen einer 29 Jahre alten Frau zeigen an, daß das Märchen-Modell ihren Wunsch nach Unabhängigkeit unterminierte:

„Ich kann nicht sagen, ob der Einfluß von Märchen stärker ist, wenn man erwachsen oder wenn man jung ist; aber ich glaube, in beiden Fällen war der Einfluß schädlich für mich. Anstatt mir Vertrauen in meine eigene Kraft zu geben, erweckten sie in mir das Gefühl, daß es etwas in mir gäbe, was ich auszumerzen hätte".

Eine 36 Jahre alte Mutter von vier Kindern meinte, Märchen könnten Ansporn für die eigene Phantasie sein, könnten aber auch unwirkliche Erwartungen wecken, vor allem bei Mädchen:

„Ich hatte niemals das Gefühl, ich würde dazu gehören, aber ich wollte es. Es war eine schöne, romantische Sache mit den Märchen, aber letzten Endes waren sie irreführend, wie auch die Sonntagsschule irreführend war. Ich identifizierte mich sehr stark mit ihnen. Heute weiß ich, daß sie nicht viel mit Menschen zu tun hatten, die ich kannte, – nun, andererseits waren es immer die Männer, die fähig waren, selbst zurechtzukommen, aber niemals die Frauen. Viele Dinge kamen zusammen, die Frauen daran hinderten. Äußere Umstände kontrollierten ihr Leben, daher war der einzige Weg, um

*Die Darstellung von Aschenputtels pfauenhaft aufgetakelten Stiefschwestern
und Stiefmutter stammt von dem englischen Maler und Illustrator Arthur
Rackham (1867–1939). Sie illustriert die Fassung des Märchens von Charles
Perrault und paßt zu dem Satz ,,Sie hatte zwei Töchter, die ihr in allen Din-
gen genau glichen".*

ihre Probleme zu lösen, die Hilfe von Zauberei. Soweit ich mich erinnere,
steht in keinem Märchen geschrieben, daß sie selbst etwas tun könnten,
wenn sie sich dazu aufrafften und einmal über sich nachdächten, – mit Ausnahme solcher, die sowieso schon streitlustig und bösartig waren".

Einige andere Frauen verschiedenen Alters erwähnten das Herausstellen der
Schönheit und drückten ihre Enttäuschung darüber aus, daß sie nie in der
Lage waren, sich damit zu vergleichen. Eine stellte verschmitzt fest:

,,Es verdroß mich, daß diese Frauen vor allem außerordentlich schön waren,
und, zweitens, tugendhaft genug, um sich darüber keine Gedanken machen
zu müssen. So war es eine Art von doppelter Beleidigung für die von uns, die
sich über ihr Aussehen Kummer machten".

Ist das alles überhaupt wichtig? Es wäre sicher unsinnig, wenn man, wie
schon erwähnt, den Märchen die Schuld an unserem Sozialisierungssystem
gäbe, wenn doch von den Kinderreimen über die Schulbuchtexte und die

Die Darstellung des Aschenputtels, barfüßig und mit Reiserbesen, kontrastiert dazu. Sie paßt zu dem Satz: „Sie saß am Herd in der Asche".

Freizeitliteratur, im Fernsehen und in Spielfilmen, aber auch im persönlichen Umgang in unserer Gesellschaft, an all diesen Stellen zu dem unterschiedlichen Sozialisierungssystem für Jugend und Mädchen in unserer Gesellschaft beigetragen wird. Trotzdem, viele der befragten erwachsenen Frauen waren der Meinung, daß vor allem Märchen ihr Leben bis zu einem gewissen Grad beeinflußt haben. Dabei war das „Aschenputtel" bei weitem das am besten in der Erinnerung gebliebene Märchen. Warum gerade „Aschenputtel"? Und warum besteht eine so materialistische Interpretation eines Märchens, in dem das Aschenputtel gerade nicht materialistisch oder auf Männerjagd dargestellt wird? Nach den Aussagen der Befragten zu urteilen, scheint „Aschenputtel" besonders deutlich das Abbild der von uns idealisierten perfekten Frau darzustellen: wunderschön, lieblich, geduldig, unterwürfig und eine ausgezeichnete Hausfrau und Ehefrau. Sie verkörpert auch die weibliche Version der bekannten Geschichten, in denen der Arme und Unterdrückte zu Reichtum und Einfluß aufsteigt. Sie sind auf allen Ebenen der nordamerikanischen Kultur anzutreffen und wollen uns die Versicherung dafür geben, daß der kleine Mann berühmt und einflußreich werden kann und daß wir alle diese Chance besitzen. Ein Beispiel dafür sei hier angeführt, es handelt sich um einen Artikel der Zeitschrift „Newsweek" (1971, S. 72) in dem das Aschenputtel-Schicksal des englischen Photomodells Twiggy geschildert wird:

„Vor langer, langer Zeit, in den sechziger Jahren, gebrauchte ein Wisch von einem kleinen Cockney-Mädchen mit dem Namen Lesley Hornby ihre bohnenstangenähnliche Figur und ihre großen Augen, um damit, als Twiggy, eines der berühmtesten Photomodelle der Welt, Ruhm und Wohlstand zu erringen. Sie wurde eine internationale Berühmtheit und ein Filmstar. Es hat nicht viele Aschenputtel-Schicksale in unserer Wirklichkeit gegeben, die dem gleichkamen. Warum soll man den Pantoffel nicht anziehen, wenn er so gut paßt? Das Twig-Mädchen verwandelt sich in ihrem Bühnendebüt in Aschenputtel, wenn sie nun die Märchenheldin in einem Ausstattungsstück spielen wird [7]."

Gewiß, wenn der Pantoffel paßt, wird er meistens auch angezogen. Aber bei vielen paßt er eben nicht, wenn sie sich mühen, ihn anzuziehen. Und deshalb ist es eben wichtig, wie und warum Männer und Frauen Märchen, von denen sie annehmen, daß sie in ihrer Kindheit von Bedeutung für sie waren, interpretieren und immer wieder aufs neue interpretieren. Die wenigen Männer, die „Aschenputtel" erwähnten, konzentrieren sich auf die Feststellung, daß dieses Mädchen schlecht behandelt wurde und keinerlei Einfluß besaß, daß es aber später eine gehobene soziale Stellung und großen Einfluß gewann. Frauen dagegen sehen in Aschenputtel vor allem seine angeborene Güte, seine schlechte Behandlung durch die Familienangehörigen (eine häufige Klage von Heranwachsenden beiden Geschlechts), sein ursprünglich ärmliches Aussehen in armseligen Kleidern und sein späteres Aufblühen, und auch seine Belohnung, die es schließlich erhält, als es im Gegensatz zu seinen ehrgeizigen Stiefschwestern als die ideale Frau anerkannt wird. Zahlreiche Frauen, die sich an die Aschenputtel-Geschichte erinnerten, mußten früher oder später erfahren, daß ihnen der Schuh nicht paßt. So stellt eine 28 Jahre alte Mutter von drei Kindern, die jetzt geschieden ist, beklagend fest:

„Ich kann mich an ‚Aschenputtel' und ‚Schneewittchen' erinnern. Heute glaube ich, daß sie keineswegs die ideale Frau darstellen, – vor allem nicht für mich oder meine Tochter, aber in ihrem Alter (neun) liebte ich die Märchen. Sie sind zu sehr im Zauberhaften befangen. So soll angeblich ein Mann alle Deine Probleme lösen. Ich war der Meinung, dies sei die Antwort auf meine Erwartungen als Heranwachsende. Welch ein grenzenloser Unsinn! Phantasie mag gut sein, aber nicht, wenn sie Kindern Verhaltensmuster zu dem, was sie angeblich im Leben zu erwarten haben, in den Kopf setzt."

„Das Mädchen ging jeden Tag hinaus zu dem Grab der Mutter und weinte und blieb fromm und gut", ja es pflanzt auch – wie auf der Illustration Otto Ubbelohdes (1867–1922) – das Reis ein, aus dem sich der Wunderbaum entwickeln wird. Die Atmosphäre eines deutschen (oberhessischen) Dorffriedhofes ist im Bilde festgehalten.

Die Aussage dieser Frau, die sie als Antwort auf die Frage, was sie von Märchen halte, machte, führt uns zu den Überlegungen zurück, die im ersten Teil dieses Aufsatzes vorgetragen wurden. Früher als Kind und später als Frau ist sie mehr an den Heldinnen als den Helden der Märchen interessiert. Außerdem schätzt sie Märchen, zu denen sie ursprünglich ein positives Verhältnis hatte, heute eher als problemschaffend denn als problemlösend ein.

Mag sein, daß ihre Stellungnahme lediglich eine an der Oberfläche bleibende Deutung von Märchen widerspiegelt und den psychoanalytischen Aspekt, den Bettelheim herausstreicht, vernachlässigt; Bettelheim besteht ja darauf, daß die „wirkliche" Bedeutung eines Märchens nicht von der isolierten Betrachtung der Handlung her gewonnen werden kann. Vielleicht hat diese Frau als kleines Kind, wie andere Kinder, unbewußt auf die tiefere Bedeutung reagiert, war aber später durch andere Aspekte der Sozialisation und entsprechende Reaktionen davon abgekommen. Es steht jedoch fest, daß diese äußeren Eindrücke, die diese oder andere Leserinnen gewonnen haben, ins spätere Leben übernommen wurden, auch wenn Märchen dann gar nicht mehr gelesen wurden oder die Frauen sich nicht mehr genau daran erinnern konnten. Es sieht so aus, als würde die Frage der Geschlechtszugehörigkeit doch von Bedeutung sein, und zwar sowohl bei den Hauptfiguren der Märchen wie bei den Lesern. Die Frage nach dem Stellenwert der Geschlechtszugehörigkeit ist sicher nicht einfach.

Die Auffassung Bettelheims, daß Märchen bestimmten Kindern in einer bestimmten Entwicklungsphase bei der Lösung ihrer Probleme helfen können, ist sicher richtig, wenn es auch schwierig sein dürfte, dies präzise zu beweisen, da der entsprechende seelische Vorgang unbewußt abläuft. Für Männer scheint die Wirkung von Märchen in einem frühen Alter verlorenzugehen, während bei vielen Frauen diese Märchen noch lange nach Abschluß der Kindheit nachzuwirken scheinen. Welche positiven Funktionen die Märchen für Mädchen in ihrer Kindheit wohl haben mögen? Sicher sind die Auswirkungen von Märchen für sie im späteren Leben nur wenig positiv. Die Tatsache, daß alle von mir befragten erwachsenen Frauen sich leicht an Märchen überhaupt und an ganz bestimmte dazu erinnern konnten, scheint dies zu bestätigen. Daß ein Mädchen im Alter von sieben Jahren unter Umständen auf Märchen im psychoanalytischen Sinne, wie es Bettelheim behauptet, reagiert, schließt nicht aus, daß das Mädchen nach dem Erwachsenwerden die gleichen Märchen als literarische Vorbilder für das richtige frauliche Verhalten nimmt.

Die große Bedeutung, die vollkommener Schönheit, Passivität und totaler Abhängigkeit als Eigenschaften der idealen Frau in den Märchen zugemessen werden, wird in der westlichen Zivilisation allgemein noch weithin anerkannt. Frauen und Mädchen, die sich bei solchen Vorbildern unbehaglich fühlen, oder die sie gar in Frage stellen, waren sich nie klar darüber, ob sie das Recht zu ihrer Anschauung besaßen. Selbst wenn sie erkannten, daß sie in solche Geschichten nicht hineinpaßten, konnten sie sich nicht ganz von den Geschichten trennen, die ihnen ja suggerierten, daß sie eigentlich in die Geschichten hineinpassen sollten. Sogar diejenigen, die angeben, irgendwann während ihres Lebens das ideale frauliche Vorbild anerkannt zu haben, fühlten sich in die Verteidigung gedrängt. Mädchen geben oft an, daß sie in jungen Jahren Aschenbrödel bewundert und beneidet hätten, wonach man annehmen kann, daß sie dies im fortgeschrittenen Alter nicht mehr tun. Aber viele dieser Leserinnen gestehen auch jetzt noch nicht offen ein, daß sie ihr früheres Verhalten heute ablehnen. Oft drückten Frauen, die angaben, daß sie nach wie vor der Meinung seien, Märchen stellten nachahmenswerte Vorbilder für frauliches Verhalten vor, Zweifel über die wirkliche Bedeutung solcher Vorbilder aus, vor allem im Hinblick auf eigene oder hypothetische Töchter. Eine 31 Jahre alte Mutter von zwei Söhnen und einer Tochter sagte zum Beispiel:

„Ich glaube schon, daß Märchen wie ,Aschenputtel' oder ,Schneewittchen' mit der Darstellung ihrer Figuren eine günstige Wirkung auf ein kleines Mädchen haben können. Wenn ich mich recht erinnere, habe ich meiner Tochter einmal zu Weihnachten ein Märchenbuch geschenkt. Wenn man sich aber eingehender damit befaßt, scheinen Aschenputtel und Schneewittchen viel zu schön und brav gezeichnet zu sein. Jeder tut ihnen was, und trotzdem sagen sie keinen Ton. So geht es im wirklichen Leben nicht zu."

Ich will nicht behaupten, daß sich Männer nicht mehr mit der Frage der idealen männlichen Rolle befassen, aber ich bin der Meinung, daß sie aufgehört haben, Märchen als Vorbilder zu nehmen, während Frauen, auch wenn sie seit ihrer Kindheit keine Märchen mehr gelesen haben, diese nie ganz hinter sich gelassen haben. Sogar dann, wenn sie der Meinung sind, die Märchen überwunden zu haben, wie die vorher erwähnte Frau, haben sie immer noch mit der Problematik der Frauenrolle, wie sie im Märchen angeboten wird, zu kämpfen, wenn nicht im Hinblick auf die eigene Person, dann hinsichtlich der eigenen Töchter (oder anderer Frauen). Die einfach herauszulesende Botschaft bekannter Märchen wie „Aschenputtel" oder „Schneewittchen" zeigt doch an, daß brave und hübsche Mädchen ihre Probleme für das ganze Leben gelöst haben, sobald es ihnen gelungen ist, den Märchenprinzen für sich zu interessieren und festzuhalten. Auch wenn Mädchen und Frauen der Meinung sind, daß sie nicht in das Schema der Märchen hineinpassen und sie sich nicht an die idealisierte Rolle anpassen wollen, weil diese ihren persönlichen Vorstellungen und ihren eigenen Bedürfnissen entgegensteht, können sie sich nicht vollends von der Märchenprinzessin befreien. Deren Macht ist in der Tat ungeheuer groß.

Märchen, wie sie in den weit verbreiteten Ausgaben anzutreffen sind und in denen die passiven Heldinnen die mehr aktiven Helden und Heldinnen bei weitem an Zahl übertreffen, funktionieren eben nicht mehr in der von Bettelheim verkündeten problemlösenden Weise. Für viele Frauen schaffen sie erst Probleme, vor allem durch die Herausstellung des romantischen Mythos „und dann heirateten sie und lebten glücklich und zufrieden bis an ihr Lebensende". Nach diesem Mythos steht die Liebe über allem, und wer nicht wiedergeliebt wird, ist unvollkommen. Sicher gibt es auch männliche Versionen dieses Mythos, aber in ihnen spielen Märchen meistens keine Rolle. So scheit doch die Geschlechtszugehörigkeit im Hinblick auf die jeweilige Reaktion des Lesers auf Märchen von großer Bedeutung zu sein. Männer und Frauen sehen die Märchenheldinnen und -helden in den verschiedenen Lebensabschnitten (und nicht nur, wie das Bettelheim behauptet, die an Literatur interessierten Erwachsenen) sehr unterschiedlich im Hinblick auf das Verhalten, das von diesen Figuren angeboten wird, und Männer wie Frauen reagieren auf diese unterschiedliche Einstufung sehr verschieden. Was besonders wichtig ist, die Frauen lassen sich auch dann noch von Märchen beeinflussen, wenn sie ernsthaft meinen, daß aus den Märchen resultierende Probleme längst in der Kindheit verarbeitet wurden. Für Frauen liegt der problemschaffende Aspekt in der Identifikation mit der idealen Frau oder in dem Schuldgefühl, das auftritt, wenn sie sich nicht mit dieser Idealfigur identifizieren können, sowie in der Erwartung, daß nur der richtige Mann gefunden werden muß, um dem Leben eine grundlegende Wendung zu geben, und daß dann alle Probleme gelöst seien. Frauen, die früher stark auf den problemschaffenden Aspekt reagierten, können auf verschiedenen Altersstufen ihre Reaktionen durchaus immer aufs neue verändern, ohne jedoch dabei häufig zu einer Lösung ihrer Probleme zu kommen.

Das Leben ist eben nicht „glücklich bis an das Lebensende", weder für Männer, noch für Frauen, noch kann irgendwer das Leben diesen unwirklichen Vorstellungen gemäß gestalten, wie prinzenhaft er auch sein möge. Sicher vermögen dies Frauen ebensogut einzusehen wie Männer, aber sie werden von dieser Einsicht eher abgehalten als auf sie hingewiesen. Das retardierende Moment ist der „museum case", wie er in dem zitierten Gedicht von Anne Sexton vorgestellt wird.

Immerhin, wenn sich Frauen an Märchen erinnern, sei es bewußt oder unbewußt, so können sie diese auch immer aufs neue interpretieren. Die Möglichkeiten einer solchen Neuinterpretation lassen hoffen, daß sich Frauen eines Tages von den Fesseln des Märchenzaubers befreien können, einem Zauber, der auf der einen Altersstufe positiv, auf der anderen negativ wirken kann. Eine solche Neuinterpretation, ob bewußt oder unbewußt, kann natürlich auf jeder Altersstufe stattfinden. Ich zitiere nachstehend die recht spontane und bewußte Umdeutung des Märchens „Aschenputtel" durch ein neun Jahre altes Mädchen, das anfangs aussagte, daß es eigentlich „Jack" aus „Jack and the Beanstalk" besser fände als „Aschenputtel". Trotz seiner Abneigung kam es später im Interview auf „Aschenputtel" zurück und interpretierte das Märchen auf eine nette, ihm eher zusagende Art:

„Ich habe ‚Aschenputtel' schon gerne, aber es dürfte etwas aufregender sein. Na gut, Aschenputtel geht schließlich zum Ball, und dann verliert es den Pantoffel, und der Prinz findet ihn. Dann kommt der Prinz mit dem

27

Die Zier- und Schmucksucht Aschenputtels sind das Motiv von Klaus Ensikats (*1937) Illustration aus einer Sammlung von Perrault-Märchen von 1977. Ensikat eröffnet den Blick in die Kosmetik-Werkstatt und zeigt vor allem die riesigen Haartürme der Stiefschwestern.

Pantoffel an, aber Aschenputtels Mutter will es den Pantoffel nicht anprobieren lassen. Aschenputtel kommt dazu und sieht sofort, daß es ihr Pantoffel ist, aber sie sagt keinen Ton. Nachts schleicht sie in den Palast des Prinzen, in dem dieser schläft, und holt sich ihren Pantoffel zurück. Mag sein, daß sie den Prinzen gar nicht heiratet, aber sie bekommt eine Menge Geld und eine Anstellung. Sicher würde es ihr mehr Spaß machen, wenn sie dafür gearbeitet hätte, meinen Sie nicht auch?"

Aschenputtel steht für dieses Mädchen als Verkörperung des amerikanischen Traums vom Erfolg, den jeder, wie arm und unterdrückt er auch sein mag, erreichen kann. Hier stellt Aschenputtel nicht das Vorbild weiblicher Passivität dar, sondern steht als Vorbild für eine positive Selbstverwirklichung. Wie dem auch sei, die Geschlechtszugehörigkeit ist offensichtlich ein wichtiger Faktor für moderne Leser. Es gibt viele und sehr unterschiedliche Möglichkeiten der Nutzung und des Mißbrauchs der Verzauberung durch Märchen.

Anmerkungen

1 Dies ist die überarbeitete Fassung eines längeren Aufsatzes mit dem Titel „The Misuses of Enchantment: Controversies of the Significance of Fairy Tales" in einem Sammelband, der von der University of Pennsylvania Press als eine Veröffentlichung der American Folklore Society vorbereitet wird. Der Sammelband hat den Titel „Women's Folklore. Women's Culture" und soll 1982 von Rosan Jordan und Susan Kalcik herausgegeben werden.

2 Siehe: Bettelheim 1976. Eine reichhaltigere und ausgeglichenere Abhandlung brachte Julius E. Heuscher heraus (Heuscher 1974). Diese Veröffentlichung ist nicht so weit bekannt geworden wie Bettelheims Buch.

3 Ich führte in den Jahren 1972 und 1973 Interviews (in Winnipeg, Minneapolis und Miami) mit Erwachsenen und Kindern beiderlei Geschlechts und mit verschiedener sozialer Herkunft durch. 25 Personen wurden einzeln interviewt, 19 in gleichaltrigen Gruppen. Zusätzlich zu diesen 44 offiziell durchgeführten Interviews kommen die Antworten zahlreicher Kinder und Erwachsenen, die mehr spontan auf die Frage „Kannst du dich an Märchen erinnern und meinst du, daß sie dich in irgendeiner Weise beeinflußt haben?" antworteten. Außerdem erhielt ich Material von Studierenden und Kollegen. Besonders ist auf die Antworten zu einer ähnlichen Frageaktion hinzuweisen, die Linda Dégh mit Studenten in ihrem Seminar „European Folklore" im Frühjahr 1978 an der Universität von Kalifornien in Berkeley durchgeführt hat. Karen Rowe von U.C.L.A., übersandte mir kürzlich einen detaillierten Fragebogen, den sie inzwischen an Studenten verschiedener Seminare ausgegeben hat. Auch der Folklorist Michael Taft sammelte Auskünfte von Studenten seiner Seminare an der Universität von Saskatchewan.

4 Michael Taft sandte mir kürzlich auch 27 Versionen des Märchens „Aschenputtel", die von Studenten seines früheren Folklore-Seminars in Neufundland erstellt wurden. Er sagt dazu: „Sie wurden vorher nicht auf die Aufgabe hingewiesen und jeder hatte eine halbe Stunde Zeit, um sie im Seminarverband zu erfüllen". Keiner der Studenten hatte Schwierigkeiten bei der detaillierten Nacherzählung des Märchens –, allerdings gibt Taft leider nicht an, welche Geschlechtszugehörigkeit die Studenten hatten. Der Erfolg von Tafts Experiment ist für mich keineswegs über-

raschend, da fast alle der von mir Befragten, einschließlich einiger Männer, dieses Märchen nannten oder detailliert nacherzählen konnten.

5 Wie Anne Bawden während eines Gesprächs in Winnipeg feststellte – sie bereitet zur Zeit eine Veröffentlichung über die Geschichte der Ehe in Manitoba vor –, konnte sie beobachten, daß die Hochzeit als Höhepunkt im Leben von Mädchen ein besonders nach dem Zweiten Weltkrieg auftretendes Phänomen zu sein scheint. Sie gibt zu, daß sich Mädchen schnell mit dem „sie heirateten und waren glücklich bis an ihr Lebensende" identifizieren, einem Happy-end, wie es in zahlreichen mit der Hochzeit abschließenden Märchen vorgestellt wird, und war der Meinung, daß viele Mädchen sich nie über die Hochzeitsfeier hinaus Gedanken gemacht hätten.

6 Siehe: Sexton 1971, S. 56–57. Die Gedichte von Anne Sexton sind alle bissig-moderne Versionen Grimm'scher Märchen.

7 In meinem früheren Seminar an der Universität von Winnipeg bat ich alle Studenten aufzuschreiben, was ihrer Meinung nach das Hauptthema in „Aschenputtel" sei. Die männlichen Teilnehmer stellten mehrheitlich fest, daß es sich um eine „rags-to-riches"-Geschichte handele und konzentrierten sich auf die Handlungen der Heldin. Die weiblichen Teilnehmer charakterisierten das Märchen als eine Geschichte, in der das Gute über das Böse siege, und wiesen vor allem auf die unwandelbare Bravheit Aschenputtels und deren spätere Belohnung und Anerkennung hin.

Metamorphosen und Vermarktungen

LUTZ RÖHRICH

Metamorphosen des Märchens heute

Wenn man sich heutzutage mit dem Märchen beschäftigt, so wird einem immer wieder die Frage gestellt: Gibt es denn überhaupt noch Märchen? Haben nicht schon die Brüder Grimm gesagt, es sei fünf Minuten vor Zwölf, wenn man noch Märchen aus der mündlichen Überlieferung aufzeichnen wolle, und das war immerhin schon vor mehr als 150 Jahren! Die mündliche, vorliterarische Überlieferung ist weitgehend ausgestorben oder im Buchmärchen erstarrt. Nichtsdestoweniger erfreuen sich Märchen größter Beliebtheit. Es ist gewiß nichts Neues, wenn man sagt, das Märchen lebe heute weiter in den Massenmedien: im Film, auf der Schallplatte, im Fernsehen, im Kinderbuch, in Comic-strips und Cartoons und in der witzig pointierten Veränderung, im Märchenwitz, in Parodie und Satire. Kein Zweifel, daß ökonomisch-kommerzielle Interessen heute orale Tradition verdrängen. Wenn Märchen sich in der industriellen Gesellschaft noch immer größter Beliebtheit erfreuen, so deshalb, weil es auch ein großes Geschäft mit den Märchen gibt, und viele Leute verdienen an ihm: von der Film- und Schallplattenindustrie bis zu Pressekonzernen und Werbeagenturen.

Unser Bild vom Märchen ist geprägt durch die Kinder- und Hausmärchen der Brüder Grimm, deren Konsument jeder von uns in seiner Kindheit einmal gewesen ist. Es ist sicher kein Zufall, daß gerade die bekanntesten Grimmschen Märchen auch die meisten Parodien erfahren haben. Meist handelt es sich um Verkürzungen eines längeren Zaubermärchens zu einer pointiert kurzen, schwankhaften witzigen Geschichte. Ein Beispiel:

Ein Mädchen geht am Ufer eines Sees spazieren, und da trifft es auf einen Fisch, den die Wellen ans Land gespült haben. Mitleidig, wie es ist, wirft es den Fisch ins Wasser zurück. Da sagt der Fisch mit einer menschlichen Stimme zu ihm: Zum Dank dafür, daß Du mir das Leben gerettet hast, will ich Dir drei Wünsche in Erfüllung gehen lassen. Nicht schlecht, sagt es: ich möchte gern das schönste Mädchen von der Welt sein! Sagt der Fisch: Du bist es bereits. Nun der zweite Wunsch. Ja, sagt es, ich bin auch ein ziemlich armes Mädchen, und so wünsche ich mir, daß sich mein Haus in Gold verwandelt. Auch dieser Wunsch ist bereits in Erfüllung gegangen, sagt der Fisch. Nun hat es also Schönheit und Reichtum, und es fehlt noch die Liebe, und so sagt es: Zum dritten wünsche ich mir, daß sich mein kleiner schwarzer Kater zu Hause in einen sympathischen jungen Mann verwandelt, der sich in mich verliebt. Da sagt der Fisch: Geh nach Hause, Du wirst alles so finden, wie Du es Dir gewünscht hast. Das Mädchen läuft nach Hause, und schon von weitem sieht es sein goldenes Haus, und wie es an den Fensterscheiben vorübergeht, spiegelt es sich darin und bemerkt, wie schön es geworden ist, und als es ins Haus hineingeht, kommt tatsächlich ein sympathischer junger Mann auf es zu, der mit trauriger Stimme sagt: Tut's Dir nicht doch ein bißchen leid, daß Du mich vor zwei Jahren hast kastrieren lassen? (Röhrich 1980, S. 72).

Märchenwitz und Märchenparodie sind in der Gegenwart wirkliche mündliche Volkserzählung. Zwar werden sie unterstützt durch Zeitungen, die ihren täglichen oder wöchentlichen Märchenwitz bringen. Aber man kann den Märchenwitz auch in der alltäglichen Unterhaltung, in den Büros, in der Eisenbahn oder in den Wartezimmern hören. Studenten tragen ihn weiter, oder die Kinder bringen eine neue Variante aus der Schule mit. Und es ist gewiß kein Zufall, daß gerade die bekanntesten Märchen in witziger Weise verfremdet und umfunktioniert werden, denn alles oft Gehörte neigt zur Parodie (Röhrich 1967; Mieder 1979; Verweyen 1979; Sembdner 1979; Ritz 1981).

Es gibt natürlich auch sehr viel subtilere und individuellere Metamorphosen des Märchens in der Gegenwart. Es gibt sogar eine Gattung moderner Lyrik, die man als „Märchengedichte" bezeichnen könnte. Es geht dabei weniger um die inhaltliche Nachzeichnung eines einzelnen Märchens, eher um Assoziationen, die ein Märchen auslöst. Auch diese Lyrik rechnet mit der Tatsache, daß Märchen allgemein bekannt sind, daß mit ihnen bestimmte Kindheitserinnerungen verbunden sind, die aus dem Unterbewußten wieder hervortreten können. Ein Name wird genannt, eine Benennung, ein Märchenrequisit, vielleicht sogar ein Motiv. Das wirkt wie eine Taste zum Unbewußten, die man drückt, und damit ist auch das gesamte Märchen wieder vor dem inneren Auge. Auch hierfür ein Beispiel. Es handelt sich um ein Gedicht von Marie-Luise Kaschnitz und trägt die Überschrift „Bräutigam Froschkönig" (Kaschnitz 1969, S. 150).

Wie häßlich ist
Dein Bräutigam
Froschkönig
Jungfrau Leben.
Eine Rüsselmaske sein Antlitz
Eine Patronentasche sein Gürtel
Ein Flammenwerfer seine Hand.

Dein Bräutigam Froschkönig
Fährt mit dir
Ein Rad fliegt hierhin eins dorthin
Über die Häuser der Toten.

Zwischen zwei
Weltuntergängen
Preßt er sich
In deinen Schoß.

Im Morgengrauen
Nur im
Morgengrauen
Erblickst du seine
Traurigen
Schönen
Augen.

Das Motiv des häßlichen, ungeliebten und erlösungsbedürftigen Tierbräutigams wird hier zum Bild des Mannes schlechthin, des Mannes in einer kriegerischen und männlichen Welt, die der Erlösung zum Menschlichen bedarf. Die Frau repräsentiert dieses Menschliche; sie verkörpert das Leben. Doch eine Erlösung, d.h. eine Annäherung auf der gleichen menschlichen Ebene findet nicht statt. Ein zweites Beispiel ist nicht weniger instruktiv. Es handelt sich um das „Schneelied" von Sarah Kirsch:

Um den Berg um den Berg
fliegen sieben Raben
das werden meine Brüder sein
die sich verwandelt haben

Sie waren so aufs Essen versessen
sie haben ihre Schwester vergessen
sie flogen weg die Goldkuh schlachten
ach wie sie lachten

Eh sie zur Sonne gekommen sind
waren sie blind

Mein Haus ich blas die Lichter aus
bevor ich schlafen geh
kann ich die schwarzen Federn sehn
im weißen gefrorenen Schnee.

Das Zaubermärchen verlangt seinem Wesen nach die Erlösung, aber Lyrik unserer Zeit, die sich des Märchens als Sujet bedient, übernimmt nur die Erlösungssehnsucht des Märchens, ohne sie in der Realität unseres Lebens wiederfinden zu können. Poetische Verfremdungen des Märchens führen häufig und fast zwangsläufig zum Verlust des Märchens, zu seiner rationalistischen Auflösung. ‚Verlust des Märchens' ist nicht zufällig auch der Titel eines Gedichtes von D.P. Meier-Lenz (Meier-Lenz 1973). Dort heißt es:

Schneewittchen
und die sieben Raben
werden nichts mehr haben.
Wir haben schon früh
unsere Hexen verbrannt
die sieben Geißlein verzehrt
und Jorinde und Joringel
in den Rapunzelsalat gebannt.

In einem anderen Gedicht desselben Autors wird eine Märchenapokalypse ausgemalt. Dabei verbrennen alle Märchenrequisiten und besonders die Bärte der sieben Zwerge wie Zunder

Es bleiben
sieben Häufchen Zwerge
und Laternen,
die strahlen
noch lange.

Wenn die ganzen Märchenrequisiten verbrennen, bleiben nur die Laternen der sieben Zwerge übrig. Sie sind Symbole aufklärerischen, märchenfeindlichen Verhaltens.

Von den Kennern des Märchens werden diese Veränderungen z.T. mit Recht beklagt. Es gibt aber auch nicht wenige Stimmen, die diese Veränderungen geradezu fordern. Es hat ja genug Kritik am Märchen gegeben und von den verschiedensten Seiten. Nicht nur, daß man Anstoß genommen hat an sadistischen Szenen, an Grausamkeiten, an im Märchen relikthaft stehengebliebenen und phantastisch übertriebenen mittelalterlichen Strafen und Foltern (Röhrich 1979; Psaar 1976; Ellwanger 1977; Jacoby 1978; Schaller 1976). Auch andere, z.T. sehr schwerwiegende Einwände sind gegen das Märchen vorgetragen worden: z.B. das Märchen sei kitschig, das Märchen sei

▷

Janoschs Froschkönig sitzt machtvoll unten im Wasser auf seinem Schatz. Die „kümmerliche" Königstochter trauert nicht – wie bei Grimm – ihrem verlorenen Spielzeug, der goldenen Kugel, nach, vielmehr strebt sie dem „schönen grünen Froschkönig" entgegen. Janosch (*1937) kehrt im Text seiner Version des Froschkönig-Märchens in dem Buch „Janosch erzählt Grimms Märchen" das Motiv um: Die Königstochter ist ein verwandelter Frosch, sie hat Sehnsucht nach ihrer ursprünglichen Existenz.

unwahr, weltfern und anachronistisch. Im Märchen zeigten sich antiquierte gesellschaftliche Verhältnisse; es stamme aus der Feudalzeit. Das Märchen zeige auch eine Rollenerwartung und einen Rollenzwang aus der patriarchalischen Welt, wenn der Mann Heldentaten zu vollbringen und die Frau häufig eine dienende Rolle hat. Als Gänsemagd wird sie erniedrigt, oder sie führt ein Aschenputteldasein am häuslichen Herd. Als Dienstmädchen der Frau Holle wird sie für fleißige und hingebungsvolle Hausarbeit wie Bettenausschütteln und Wohnung-sauber-fegen belohnt. Märchen disziplinierten die Kinder; sie seien ein Ausdruck veralteter, repressiver und autoritärer Erziehung.

Nun, in der Tat: Jahrhundertelang hat das Märchen als Predigtmärlein und Exempel im Dienst der Kirche gestanden, oder es hat auch als profane Erziehungsmaßnahme gedient. Noch die Grimmschen Märchen lehren überwiegend die Tugenden der bürgerlichen Leistungsgesellschaft des 19. Jahrhunderts: Fleiß, Bescheidenheit, Sauberkeit, Gehorsam gegen Eltern und Obrigkeit, Dankbarkeit und Zufriedenheit mit dem Bestehenden. Forscher, insbesondere der sozialistischen Länder, haben früher vernachlässigte oder unterdrückte sozialkritische Tendenzen in den Volkserzählungen herausgearbeitet. Andere Forscher haben sich auf die in der Prüderie des 19. Jahrhunderts weggelassenen erotischen Motivationen gestürzt. Märchen werden offenbar in der Regel nicht absichtslos oder gar naiv erzählt. Warum sollte es ihnen heute besser ergehen? So gibt es nicht wenige Erzähler, die die alten Märchen modernisieren, humanisieren, demokratisieren, purifizieren, politisieren und emanzipieren (Eckert 1972; Jung 1974; Gelberg 1976).

Ob man für die Emanzipation der Frau und für die Women's Liberation-Bewegung schon viel gewinnt, wenn man aus dem tapferen Schneiderlein eine tapfere Schneiderin macht, ob man die Menschen, insbesondere die kindlichen Märchenhörer, in falsch verstandenem Tierschutz damit mehr beglückt, daß man den bösen Wolf, statt ihm Steine in den Bauch zu füllen, in die Flucht schlägt oder in den zoologischen Garten sperrt — das ist eine andere Frage. Aber es gibt Zeitungen, die Woche für Woche ein modernisiertes Märchen bringen, um den Grimmschen Märchengreueln und den alten vorgestrigen patriarchalischen Märchen überhaupt den Garaus zu machen (nicht selten gibt es dann allerdings Leserzuschriften, die doch nicht auf das Grimmbuch verzichten wollen). Doch haben sich auch Schriftsteller mit dem Problem der Märchenerneuerung befaßt und Märchen in die Sprache der Gegenwart übertragen. Ein Beispiel gibt das „Lob des Ungehorsams" des DDR-Autors Franz Fühmann (Fühmann 1962, S. 142f.).

Sie waren sieben Geißlein
Und durften überall reinschaun,
Nur nicht in den Uhrenkasten,
Das könnte die Uhr verderben,
Hatte die Mutter gesagt.

Es waren sechs artige Geißlein,
Die wollten überall reinschaun,
Nur nicht in den Uhrenkasten,
Das könnte die Uhr verderben,
Hatte die Mutter gesagt.

Es war ein unfolgsames Geißlein,
Das wollte überall reinschaun,
Auch in den Uhrenkasten,
Da hat es die Uhr verdorben,
Wie es die Mutter gesagt.

Dann kam der böse Wolf.

Es waren sechs artige Geißlein,
Die versteckten sich, als der Wolf kam,
Unterm Tisch, unterm Bett, unterm Sessel,
Und keines im Uhrenkasten,
Sie alle fraß der Wolf,

Es war ein unartiges Geißlein,
Das sprang in den Uhrenkasten,
Es wußte, daß er hohl war,
Dort hat's der Wolf nicht gefunden,
So ist es am Leben geblieben.

Da war Mutter Geiß aber froh.

„Der Wolf und die sieben Geißlein" ist immer ein Kinder-Warnmärchen gewesen. Nicht so dieser Text. Auch dieses Märchen wendet sich an Kinder. Auch diese Fassung hat eine pädagogische Absicht, aber es ist eine aufklärerische, nicht repressive: Wage, dich deines eigenen Verstandes zu bedienen!

Das Märchen ist in die Kinderfolklore übergegangen. Dafür sorgen Kinderbuch, Märchenschallplatte, Fernsehen und Film. Nicht zuletzt auch das Theater. Das in Deutschland traditionelle Weihnachtsmärchen für die Kinder bringt den subventionierten Theatern für ein paar Adventswochen volle Häuser (Rohr 1980). Mit der Wirkung des Märchens auf Kinder haben sich zahlreiche Pädagogen und Kinderpsychologen befaßt. Das Märchen ist diejenige Form von Dichtung, mit der der Mensch am frühesten in seinem Leben in Berührung kommt. Für die meisten von uns gehört es zu den tiefsten und nachhaltigsten Kindheitseindrücken. Allerdings ist das Märchen immer mehr auch in die Schußlinie der Kritik geraten. Können diese Märchen in der modernen technisierten Welt noch einen Platz beanspruchen? Verderben sie nicht den Wirklichkeitssinn des Kindes, und erzieht man mit ihnen die Kinder nicht zu unrealistischen Träumern? Müssen Kinder nicht aufgrund solcher Lektüre in jeder alten Frau schließlich eine Hexe sehen? Nun ist das Zauber- und Abenteuermärchen weder grausam um der Grausamkeit willen, noch ist es pädagogisch autoritär oder repressiv. Es schildert vielmehr Reifungsvorgänge und Wege der Emanzipation. Fast jedes Märchen beginnt mit einem Familienkonflikt, und jeder Mensch hat zunächst Familienkonflikte zu bestehen. Doch die Märchenhelden machen sich selbständig. Sie verlassen das Elternhaus. Die Gründe hierfür wechseln, aber der Aufbruch, das Hinausgehen in die Welt des Abenteuers ist immer das gleiche. Es geht dem Märchen darum, die Bewährung des Menschen in einer anderen als der heimischen Umwelt zu schildern (Lüthi 1970). Auch im sozialen Bereich ist das Märchen weniger herrschaftsstabilisierend als vielmehr strukturbrechend. Es verändert die gesellschaftlichen Verhältnisse, denn zuletzt wird oft genug der Arme zum König. Der glänzende Märchenschluß in Reichtum und Glanz, mit einem Leben in Hülle und Fülle bringt im Märchen noch mehr als nur eine Befriedigung materieller Wünsche. Über dieses äußerliche hinaus bringt der Märchenschluß auch eine innere Befriedigung. Daß es im Grunde noch auf einen ganz anderen Reichtum als auf den bloß materiellen ankommt, das weiß gerade das Märchen sehr genau und läßt es oft genug durchblicken, und es ist eine weise Erkenntnis, die das Märchen ausspricht, daß der wahre Reichtum erst über die Stufe der Armut zu erreichen ist (Röhrich 1979, S. 222–242).

Märchen erzeugen schließlich nicht Angst – das haben die modernen Psychologen immer klarer erkannt, sondern sie bieten Modelle der Angstüberwindung. Hänsel und Gretel sind am Ende des Märchens bereit, sich auf eigenen Verstand und Entschlußkraft zu verlassen, fähig, auch in Zukunft das Leben zu meistern. Kinder, die in Konflikten stehen, wie sie dieses oder jenes Märchen beschreibt, können durch die befreiende Lösung im Märchen zu einer Bewältigung ihrer eigenen Ängste kommen. Es gibt kaum ein Märchen, das nicht einen Reifungsprozeß offenbarte, denn das Märchen erzählt in seiner Bildersprache vom inneren Schicksal des Menschen. Im Jüngsten und für dumm Gehaltenen oder in den Auseinandersetzungen Aschenputtels mit seinen bösen und eifersüchtigen Schwestern oder der Stiefmutter erkennt das Kind Probleme des Verkanntwerdens, des sich nicht Geliebtfühlens, wie es jedes Kind als eine elementare Negativerfahrung erleben kann, wieder. So hilft das Märchen dem Kind, ein reiferes Bewußtsein zu erlangen. Es zeigt ihm, daß auch der Riese durch den Kleinen, aber Listigen überwindbar ist. Es sensibilisiert gegen Unrecht und Gewalt. Vor allem dort identifiziert sich das Kind mit den Figuren des Märchens, wo diese selbst Kinder – oder auch Tierkinder – sind. Darum ist es kein Zufall, daß Märchen wie „Hänsel und Gretel", „Brüderchen und Schwesterchen", „Sterntaler", „Rotkäppchen" oder „Der Wolf und die sieben jungen Geißlein" die beliebtesten Kindermärchen sind. Charakteristisch erscheint eine Anekdote, die – wenn nicht wahr –, so doch mindestens gut erfunden ist: Ein junges Ehepaar war ängstlich

Maurice Sendak (*1928) entrückt bewußt die Begegnung des Frosches und des Königskindes modernem Milieu. Die Historisierung ist zugleich mit einer Verinnerlichung verbunden. Die Blicke von Prinzessin und Frosch treffen sich nicht. Angst, Nachdenken und Einsamkeit sind herauszulesen.

bemüht, von seinem kleinen Sohn alles fernzuhalten, was Angstkomplexe erwecken könnte. Darum war es allen, die mit dem Kind zusammen kamen, untersagt, ihm etwa Märchen zu erzählen, und die Eltern waren sehr stolz darauf, wie aufgeklärt und frei von allem Aberglauben sie ihren Sprößling erzogen. Alles schien nach Wunsch zu gehen, doch eines Abends weigerte sich der Kleine, allein im Dunkeln zu bleiben, fing an bitterlich zu weinen und behauptete: Unter dem Bett sitzt ein Komplex!

Was lehrt diese Geschichte? Das Kind braucht für seine Ängste eine Personalisierung. Drachen, Riesen, Hexen usw. stehen im Märchen für Probleme, die anzupacken und letztlich zu bewältigen sind. So kommt auch die Bildhaftigkeit des Märchens dem Kind entgegen und zeigt ihm Erfahrungsmöglichkeiten auf. Eine Erziehung, die ängstlich darauf bedacht ist, alles Furchterregende und Schlechte vom Kind fernzuhalten, führt nur zur Verdrängung, nicht aber zur Überwindung der Furcht und des Bösen. Das Hören und Nachvollziehen von bestandenen Abenteuern gibt ein Gefühl von Selbstvertrauen. Was immer im Märchen passiert — das Vertrauen in das gute Ende bleibt unerschütterlich. Der gute Märchenausgang ist deshalb eine Notwendigkeit im wörtlichen Sinne einer Wendung der Not. Märchenglück bedeutet oft eine Befreiung im weitesten Sinne: Eine Befreiung von dem Drachen, Riesen, von der Hexe, Befreiung von jedem überlegenen Gegner. Das Thema der Glücksverwirklichung aber ist es, was das Märchen als Erzählung selbst so beglückend macht. Reichtum und langes Leben bilden nur den äußerlichen Abschluß des Märchens, dessen innere Befriedigung in der Beilegung von Konfliktsituationen liegt. Wenn man die Märchen aus der Kinderstube weglassen würde, müßten die Kinder sie neu erfinden.

Es gehört zu den reizvollsten psychologischen und pädagogischen Aufgaben, sich zu vergegenwärtigen, wie Kinder selbst eigentlich Märchen erfahren und nacherleben, z.B. anhand des Grimmschen Märchens „Der Froschkönig" (KHM 1). Vor ein paar Jahren brachte das Freiburger Theater als Weihnachtsmärchen den Froschkönig heraus, und damit verbunden war ein Malwettbewerb (Röhrich 1976 II). Als Mitglied der Jury konnte ich bei den eingegangenen Bildern eine Reihe von Beobachtungen machen. Zunächst ließ sich feststellen, daß je nach Altersstufe ganz verschiedene Gestaltungen vorgelegt wurden. Vor allem die Fünfjährigen waren noch einer sehr expressiven Darstellung fähig, wobei man von einer realistischen Darstellung des Frosches freilich noch weit entfernt ist. Doch können auch unbeholfene Darstellungen ausgesprochen expressiv sein. Die Anatomie eines Frosches zu erfassen, ist für ein Kleinkind natürlich noch kaum möglich. Aber dafür erfaßt ein Kind immer etwas Wesentliches, was eben das Wesen eines Frosches ausmacht. Es gab in allen Altersstufen noch ein sehr ausgeprägtes Gefühl für das

In diesem Witz besteht die Pointe in der Umkehrung der vom Froschkönig-Märchen erzählten Situation. Enttäuschte Schönheitsvorstellungen des Frosches führen zu seiner fluchtartigen Rückkehr ins Wasser.

Außerordentliche, Wunderbare, Übernatürliche, das mit dem sprechenden Frosch der Prinzessin unseres Märchens begegnet. Vom winzig dargestellten Frosch bis zum Ungeheuer mit gierig geöffnetem Maul waren alle Arten von Fröschen vertreten. Der Frosch konnte geradezu krokodilartige Formen annehmen, sollte doch zum Ausdruck gebracht werden, wieviel Überwindung es die Prinzessin kosten muß, ihn zu küssen und ihn in ihr Bett zu nehmen. Die Brunnenszene am Anfang des Märchens machte zweifellos den größten Eindruck auf das kindliche Gemüt. Sie wurde die am häufigsten dargestellte Episode des Märchens, obwohl gerade hier gewisse darstellerische Schwierigkeiten liegen. Eine weitere wichtige Szene war das Auftauchen des Frosches an der königlichen Tafel. Die Szene kann die Nachzeichnung einer kindlichen Geburtstagsvisite sein, wie überhaupt das Kind offensichtlich im Märchen immer wieder seine eigene Welt wiedererkennt. Der Frosch kann aber auch schon als durchaus ausgewachsener Freier der Königstochter aufgefaßt werden, der manierlich bei Tisch sitzt. Hier spielte mit, daß die Kinder das

"Kissing that frog was the biggest mistake of my life!"

Die Enttäuschung über die unvollständige Verwandlung des Frosches, der nach wie vor Fliegen fängt, wird Thema dieses amerikanischen Witzes, der nur von demjenigen verstanden werden kann, der das Froschkönig-Märchen kennt.

Märchen im Theater gesehen hatten und der Frosch von einem erwachsenen Schauspieler dargestellt worden war. Wo ein Kind selbständig malt, wird es sich immer mit der Heldin identifizieren, die Prinzessin in seine eigene Altersgruppe versetzen und sie eben wie ein Kind darstellen. Gerade diejenigen Märchen, in denen Kinder die Helden sind, sind auch die beliebtesten Kindermärchen geworden. Das gilt nicht nur für den Froschkönig, sondern auch für Hänsel und Gretel, den Wolf und die sieben jungen Geißlein, Rotkäppchen usw. Gelegentlich gab es auch ganz unkindliche Darstellungen, bei denen Modejournale oder Comics oder kitschige Reklame die Vorlage geliefert haben mochten. Aber auch dann sind solche Bilder nicht uncharakteristisch für die Maler oder Malerinnen. Selbst wenn ein Kind die Illustration eines gedruckten Märchenbuches als Vorlage verwendet, setzt es diese immer in einer charakteristischen Weise in seine eigene Welt um. In der Erzählung vom Tierbräutigam, der in der Hochzeitsnacht zum strahlenden Prinzen wird, und in den entsprechenden von der Tierbraut, die sich in eine Prinzessin verwandelt, spiegelt sich ohne allen Zweifel auch das ambivalente Verhältnis der Geschlechter zueinander, der Umschlag der Abneigung in Zuneigung

(Lüthi 1961, S. 11). Das ist zwar vorwiegend ein Erwachsenen-Thema, etwas davon wird aber auch schon auf den Kinderzeichnungen spürbar. Dem Kind fehlt einiges an Erkenntnisvermögen, das der Erwachsene besitzt, umgekehrt ist dem modernen Erwachsenen auch weitgehend ein Erkenntnisvermögen verlorengegangen, welches das Kind noch hat. Denn das Kind hat noch einen unmittelbaren Zugang zu den inneren Wahrheiten des Märchens; es vermag sie in sich nachzuvollziehen.

Natürlich hat sich die Begegnung des modernen Kindes mit dem Märchen geändert. Die nächstliegenden Erzähler, vor allem Mutter und Großmutter, sind weitgehend durch die Sprechmaschine ersetzt. Märchenschallplatte, Fernsehen, Radio, Märchenfilme bieten vielfachen Ersatz. Das Angebot an Märchenschallplatten ist höchst unterschiedlich. Es gibt recht ordentliche und sogar gute. Fast immer aber verliert das Märchen auf der Schallplatte seinen epischen Charakter, und es wird zum Märchenhörspiel.

Man hat darüber Tests angestellt, ob Kinder die mündliche Erzählung oder die Schallplatte bevorzugen, und die Antworten sind unterschiedlich ausgefallen, je nach Gewohnheit. Die Antwort eines Kindes scheint ganz besonders interessant. Es sagte: „... aber die Schallplatte hat keinen Schoß" — ein sehr bezeichnendes Wort und eine treffende Charakterisierung der engen und vitalen Beziehung zwischen Erzähler und kindlichem Zuhörer.

Neben das mündliche Erzählen, neben das Vorlesen aus dem Märchenbuch, neben die Märchenschallplatte tritt in unserer auf das Optische angewiesenen Welt, in der das Märchen mit Fernsehen, Film und illustrierter Zeitung konkurrieren muß, als zeitgemäße Form das Bildmärchen nach der Struktur der Comics. Es ist sicher kein Zufall, daß auch hier die Erzählungen vom Tierbräutigam relativ häufig wiederkehren: La belle et la bête, Amor und Psyche, die Schöne und das Tier, Beauty and the Beast, oder auch nach Grimm: Das singende springende Löweneckerchen. Die Grundidee all dieser Tierbräutigam-Märchen ist immer die gleiche: daß Liebe das Häßliche und Abstoßende des tierischen Partners überwindet. Es ist im Grunde die unsterbliche Idee der erlösenden Liebe, nur eben auf einer sehr unreligiösen, durchaus irdisch-säkularisierten, profanen Ebene.

Nicht immer freilich gelten die alten Märchenfiguren noch als aktuell genug. Und so werden die alten wohlbekannten Märchen auf die Heroen des 20. Jahrhunderts übertragen, z.B. auf die Micky Maus. In einer Comic-Serie erlebt Micky Maus die Abenteuer des tapferen Schneiderleins: Nachdem sie sieben Fliegen auf einen Streich getötet hat, wird sie durch ihre überlegene List auch mit dem Riesen fertig. Immerhin weist auch Walt Disneys Micky Maus nun schon wieder eine Kontinuität von vierzig Jahren auf, und sie erobert sich noch immer weitere Erzählbereiche. Es ist bemerkenswert, daß hier das Gegenteil von einem modernen Rationalisierungsprozeß vorliegt, wenn die menschliche Figur des tapferen und listigen Schneiders aus dem Grimmschen Märchen in eine tierisch-phantastische Figur umgewandelt wird. Wie das Märchen imaginieren Comics kollektive Wunschvorstellungen, sie verschaffen Befriedigung oder Ersatzbefriedigung und Entspannung. Comics lassen uns das altbekannte Märchen neu sehen, sie lassen uns überhaupt andere Betrachtungsweisen entdecken. Sie schärfen den Sinn für Veränderung, für Innovation. Sie vermögen die Imagination ins Alltagsleben zu tragen.

Bringen die Comic-Hefte eine längere Bildgeschichte mit verhältnismäßig wenig Text, so zeigt eine Weiterentwicklung des Märchens in der Gegenwart, auch der Cartoon, die Kurzillustration eines Märchens. Es kommt darauf an, den Gesamtinhalt eines Märchens in nur ganz wenigen Bildfolgen zu erfassen und dabei eine witzige Wirkung zu erzielen. Fast immer besteht der Witz solcher Märchen-Cartoons darin, daß das traditionelle Element des Märchens in einen unerwarteten Kontrast rationaler Überlegungen tritt. Beim Froschkönig-Märchen wird z.B. in knappen Umrissen das wohlbekannte Märchen wiedergegeben: Eine Prinzessin fand einmal einen Frosch und küßte ihn. Da verwandelte er sich in einen schönen Prinzen, und sie lebten glücklich und zufrieden, bis sich herausstellte, daß der Prinz im Grunde doch ein Frosch geblieben war, der mit seiner langen Zunge noch immer den Fliegen nachstellte. – In einem anderen Comic bleibt der Frosch ein Frosch. Auch nachdem die Prinzessin ihn mit sich ins Bett genommen hat, verwandelt er sich zu ihrem Leidwesen noch immer nicht in einen schönen Prinzen. Die moderne Karikatur denkt sich also einen völlig anderen als den gewohnten Märchenausgang aus. Mit diesem Nichteintreffen des Erwarteten wird eine komische Wirkung erzielt. Die frustrierte Prinzessin, die sich in ihren Erwartungen getäuscht sieht, ist Gegenstand unseres schadenfrohen Lachens. In einem anderen Cartoon besteht die Pointe ebenfalls in der Abwandlung des gewohnten Märchenausgangs: Eine Prinzessin findet einen Frosch, sie küßt ihn. Es gibt einen großen Knall, aber statt der Verwandlung des Frosches in einen Menschen ist jetzt auch das Mädchen in einen Frosch verwandelt. In

▷

Frosch und Prinzessin auf dem Bild des achtjährigen Martin (oben) sind zwar jeweils mit dreizackiger Krone ausgestattet, sonst jedoch statuarisch nebeneinander gesetzt. Viel bewegter sind (unten) Gabrieles Königstochter mit gerafftem Röckchen, ebenso ihr Frosch. Der geschminkte Mund, die blonden Zöpfe, die fünfzackige Krone, ein reiches Kleid zeigen nicht nur dem Frosch, wie hier im Bewußtsein des malenden Kindes der Märchengehalt schwächer, dafür die heutige Umgebung und das menschliche Verhalten stärker zum Thema erhoben sind.

anderen Cartoons findet der Erlöste nicht das von ihm erhoffte Glück. Er ist mit seiner Partnerin – meist ist es eine alte Vettel – nicht einverstanden und wünscht sich wohl wieder in die Gestalt des Frosches zurück (Röhrich 1979).

Es gibt schließlich noch einen ganz anderen Bereich, in den das Märchen in der Gegenwart eingedrungen ist: der Bereich der industriellen Werbung (Röhrich 1980; Dégh 1979). Märchen und Reklame haben mehr miteinander zu tun, als man auf den ersten Blick hin glaubt. Aber beide Genres, Märchen und Werbetexte verlaufen oftmals nach ähnlichen Strukturen. Ausgangspunkt der Werbung sind oft Mängel: schmutzige Wäsche, Schmerzen, Unglück in der Liebe etc., die dann durch eine bestimmte Ware, die wie ein Märchenrequisit den Umschwung herbeiführt, bewältigt werden. Oft unterstellt die Werbung den Waren ähnliche magische Kräfte, wie sie die Zaubergegenstände des Märchens besitzen. In der Werbung lebt das Märchen in seinen Merkmalen und Funktionen weiter. Sowohl im Sprachlichen wie in den Bildern erweist sich die Werbung als traditionsverhaftet. Wie die Märchenhandlungen auf einfache Schemata und Strukturen reduzierbar sind, so folgen auch viele Bilder, Texte und Spiele der Werbung diesem Strukturschema. Das allgemeinste Schema, das dem Volksmärchen zugrunde liegt, ist: Schwierigkeiten und ihre Bewältigung, Kampf und Sieg, Aufgabe und Lösung, Erwartung und Erfüllung. Sie sind Kernvorgänge des Märchengeschehens. In diesem Schema ist der gute Ausgang, den man als Charakteristikum des Märchens zu nennen pflegt, mit eingeschlossen. Die Ausgangslage ist gekennzeichnet durch einen Mangel oder eine Notlage, durch ein Bedürfnis oder andere Schwierigkeiten, deren Bewältigung alsdann dargestellt wird. Dieses Schema läßt sich ohne Mühe auf die Werbung übertragen, etwa in der Werbung für die HB-Zigarette: Vielerlei Schwierigkeiten steigern sich bis zu dem Augenblick, da sich der Betroffene in Raserei aufzulösen droht und buchstäblich in die Luft geht. Ein kleiner Märchenkönig führt den glücklichen Umschwung herbei, indem er eine HB-Zigarette anbietet, die – ‚rauche, staune, gute Laune‘ – alle Schwierigkeiten aufhebt und den Rasenden selbst in einen zufriedenen Märchenkönig verwandelt. Dominant im Märchen wie in der Werbung ist gerade die Figur des Königs. Wer z.B. die richtige Fernsehzeitung liest, hat mehr vom Fernsehen, er ist ‚Fernsehkönig‘. Werbung realisiert die märchenhafte Vorstellung vom ‚Kunden als König‘. Der König ist eine der beliebtesten Personen des Märchens und der Werbung. Schon auf den ersten Blick erkennt man, daß mit dieser Gestalt nicht etwa noch vorhandene unterschwellige monarchische Gefühle angesprochen werden sollen. In der Werbung leben die geschichtlich nicht näher bestimmbaren Könige und Königinnen der Märchen weiter. Dabei wird klar, was die Werbung mit dem Königsmotiv erreichen will: Sie möchte in der konsumierenden Gesellschaft die harte und poesielose Wirklichkeit verklären. Sie will aus Kunden und Konsumenten Könige machen. Sie will irrationale Momente des Lebens, die in der technischen Welt zu kurz kommen, ersetzen. Wie im ‚happy ending' des Märchens, so versucht auch Reklame, den Menschen ein wunschlos glückliches Leben ohne materielle Sorgen in Aussicht zu stellen. Märchenthemen sind dabei so bekannt und allgegenwärtig, daß sie beständig in moderne Situationen der Werbung hinüberwechseln können.

Märchen finden sich heutzutage nicht nur in Märchensammlungen, sondern auch in illustrierten Zeitungen. In den Prinzenheiraten, in den Berichten von Prinzessin Anne und Mark Philips, von Kaiserin Soraya, von Beatrix

Die politische Karikatur – der Bundeskanzler Helmut Schmidt als vermuteter Wunderfinanzier – bedient sich – wie die Anspielung auf den Goldesel aus dem „Tischlein-deck-dich" zeigt – des Märchenhintergrundes. Die Pointe – „Nun mach schon Helmut" – dürfte durch die Diskrepanz zwischen Wunschdenken und realer Möglichkeit hervorgerufen werden.

und Claus von Amsberg, von der Heirat des Ölscheichs, in Berichten von Schönheits- und Weinköniginnen, von Totogewinnen und fliegenden Untertassen, von Filmschauspielern, von Millionären und ihren Adoptivkindern stecken mehr märchenhafte Grundstrukturen, als wir uns im allgemeinen zugestehen. Das Aschenputtel, das seinen Prinzen schließlich bekommt, wird zur Sekretärin oder zur Krankenschwester, die letztlich dann doch den Generaldirektor, den Millionärssohn oder den berühmten Arzt heiratet. Das heißt, es gibt Funktionsäquivalente des Märchens in Film- und Trivialliteratur. Etwa der Reim ‚Märchen auf Pärchen' findet sich in unendlich vielen Schlagern zusammen mit der Illusion märchenhafter Liebe und märchenhaften Reichtums.

Zum Schluß ist zu fragen, ob diese verschiedenen Möglichkeiten des Märchens in der Gegenwart überhaupt etwas miteinander zu tun haben. In relativ wenigen Jahren haben Fernsehen und illustrierte Zeitung bewirkt, was die mündliche Tradition nicht in Jahrhunderten fertiggebracht hat: Die Massenmedien haben eine allgemeine Kenntnis von Märchenvorgängen etabliert. Sie haben Märchen revitalisiert und neu verbreitet. Insofern sind auch Massenmedien letztlich ein Teil der Folklore, vielleicht sogar ihr größter. Nicht alle Märchen haben diese Persistenz, sich in Cartoons, Comics und Trivialliteratur zu transformieren, sondern nur vielleicht ein Dutzend der bekanntesten. Diese leben aber in den verschiedensten Formen noch bis zur Gegenwart nach. Das muß seinen Grund ja wohl darin haben, daß das Märchen erstens formal elementare Strukturen aufweist, die immer wieder neu und anders aufgefüllt werden können. Wichtiger aber ist zweitens, daß Märchen archetypische Inhalte besitzen, d.h. auch inhaltlich elementaren menschlichen Grundlagen entsprechen. Sogar Märchen, die bereits in die Kinderstube abgesunken waren, können darum plötzlich für die Erwachsenenwelt wieder neu entdeckt werden. Märchengerechte Elementargedanken können unbewußt empfunden, weitertradiert werden, wie in der älteren mündlichen Volksüberlieferung, sie können aber auch bewußt gemacht werden, wie sich dies in einer Zeit immer größerer Bewußtwerdung in der Gegenwart vollzieht. Im Film, in Reklame etc. wird das Märchen auch für die Erwachsenenwelt wieder aktuell gemacht. Das Märchen betrifft hier jeden, weil es Jedermanns-Wirklichkeit und Jedermanns-Wunschbild gibt.

Der Untergang des Märchens ist vielstimmig beklagt worden. Es gibt auch heute noch Folkloristen, denen die Kontinuität und die Perpetuierung der mündlichen Überlieferung etwas geradezu Heiliges ist und die den Wandel folkloristischer Stoffe in den Massenmedien unserer Tage als einen beklagenswerten Niedergang empfinden. Doch Märchen haben sich immer gewandelt; sie sind niemals die gleichen geblieben. Man denke an den Unterschied zwischen den literarischen Märchen der Brüder Grimm und an die Märchen einer Unterschicht von Taglöhnern zu Beginn des 20. Jahrhunderts. Selbst bei gleichen Stoffen sind das doch nur einleuchtende und selbstverständliche Beispiele dafür, daß die Kontinuität hier nur im Stofflich-Strukturellen liegt. Die Veränderungen des Märchens in der Gegenwart, insbesondere ihre Verwendung in den Massenmedien, sind stofflich, funktionell und soziologisch gesehen nicht größer und nicht kleiner als die Wandlungen, die das Märchen im Laufe seiner wechselnden Geschichte schon hinter sich hat. Nicht nur ihre Geschichte nach rückwärts zu den ersten Belegen und frühesten Zeugnissen, sondern auch ihre Wandlungen in der Gegenwart zu studieren, gehört zu unseren Aufgaben.

LINDA DÉGH

Zur Rezeption der Grimmschen Märchen in den USA

Eine allgemeine Volksbefragung unter jung und alt in den USA würde rasch ergeben, daß in Amerika unter Märchen vorwiegend die Gattung Grimm verstanden würde. Nicht nur die bekannten Märchen als Ganzes, auch einzelne Züge des magischen Weltbildes wie die Verwandlung, die Wunscherfüllung, die Beschwörung, die in Märchen geschilderten Landschaften und Behausungen, die strikte Trennung zwischen Gut und Böse, Realität und Magie. Die stereotypen Rollenmodelle des Märchens sind tief in das Allgemeinbewußtsein des Menschen eingeprägt, und zwar so, wie sie den Amerikanern zuerst durch die Ausgaben der Brüder Grimm bekannt wurden. Die unzähligen Ausgaben der Grimmschen Märchen haben dazu geführt, daß heute im Bewußtsein der Amerikaner das Wort „Fairy Tale" automatisch und untrennbar „Grimm" ins Gedächtnis bringt. So wurde „Grimm's Fairy Tales" zur Bezeichnung für einen Markenartikel. Unter diesem Titel erscheint eine „best-selling" Comics-Reihe, die drastisch umgestaltete Märchen und verschiedene moderne Gruselgeschichten enthält. Mag sein, daß dabei auch mit der Doppeldeutigkeit des Namens Grimm (gleich grimmig) gerechnet wird.

In Denver versuchte die Richterin Karen Metzger, Schulkindern die Funktion der Strafgesetze am Beispiel des Märchens „Hänsel und Gretel" zu erklären. Sie führte einen Prozeß gegen Hänsel und Gretel, wobei die beiden Angeklagten von Kindern dargestellt wurden. Anstatt auf die Bibel wurden die Zeugen auf „Grimm's Fairy Tales" vereidigt. In seinem Urteil stellte das Schwurgericht fest, daß die beiden Angeklagten, als sie die Hexe verbrannten, lediglich in Notwehr gehandelt hätten. Allerdings wurden Hänsel und Gretel des Diebstahls und des Vandalismus schuldig gesprochen.

Im allgemeinen sind Amerikaner der Meinung, daß die Kinder- und Hausmärchen eine freie Phantasie-Erfindung der Brüder Grimm seien. Diese Auffassung kommt in einem Bilderwitz, der am 8. November 1980 in dem Magazin „The New Yorker" erschien, zum Ausdruck: Die Brüder Grimm sitzen sich in ihrem Arbeitszimmer gegenüber, und Jakob sagt: „Hier, Wilhelm, haben wir das Kind, das durch den Wald geht." – „Aber Jakob, meinst Du nicht, daß wir das Wort Wald zu häufig verwenden?" – „Wald macht sich

Deutliche Anlehnungen an das Froschkönig-Märchen sind in dieser amerikanischen Karikatur erkennbar. Die Diskrepanz zwischen dem Paar aus der Märchenwelt und der realistischen städtischen Kulisse ist ebenso deutlich wie die zwischen dem Märchen-Inhalt und dem der Abbildung: Die Verwandlung des Prinzen hat nicht stattgefunden.

immer gut, Wilhelm." – „Und wen trifft das Kind?" – „Vielleicht einen oder zwei Zwerge?" – „Das haben wir schon so oft gehabt." – „Und wie wäre es mit einem Wolf, Jakob?" –

So etwa stellt man sich in den USA die Entstehung der Grimmschen Märchen vor.

Die Kinder- und Hausmärchen der Brüder Grimm wurden in den USA durch den Nachdruck der ersten englischen Übersetzung, die unter dem Titel „German Popular Stories" (Bd. 1–2) bereits in den Jahren 1823–1826 in England erschienen war, bekannt. Der Nachdruck kam in den Jahren 1835–1839 in den USA heraus. Die zweibändige Ausgabe enthielt 55 Märchen mit Zeichnungen von George Cruikshank (1792–1878). Der Text erfuhr eine „zweckmäßige" Bearbeitung durch den Übersetzer. So wurde der Teufel zum Riesen, die Hölle zur Höhle; aus dem Abflöhen wurde ein „die-Haare-Streicheln", der Esel spuckte jetzt das Gold aus, anstatt es „von hinten und vorn" zu speien. Diese oft nachgedruckte Ausgabe wurde später „für junge Leser" bearbeitet, zum Teil völlig umgeschrieben und häufig „verbessert".

Es gibt in den USA nur wenige, vielleicht vier oder fünf authentische und vollständige Übersetzungen, die mit einer wissenschaftlichen Einführung und entsprechenden Anmerkungen versehen sind. Solche Ausgaben bleiben allerdings dem wissenschaftlich orientierten Leser vorbehalten. Die letzte neu übersetzte Ausgabe wurde 1980 von Ralph Manheim (Grimm 1977) vorgelegt. Daneben gibt es unzählige Teilausgaben und Bilderbücher, die nur wenige oder nur ein Märchen enthalten. Alle die vielen Kinderbücher aufzuzählen, die etwa neben Kunstmärchen von Hans Christian Andersen oder den Auswahlbänden von Andrew Lang – diese beiden Märchenautoren bzw. Herausgeber sind neben den Brüdern Grimm in den USA am bekanntesten – auch ein oder mehrere Grimmsche Märchen enthalten, scheint fast unmöglich.

Im Laufe des 19. Jahrhunderts erschienen in den USA etwa 30–35 Ausgaben der Grimm'schen Märchen, die in den amerikanischen Familien mit Wohlgefallen aufgenommen wurden. Im Jahre 1902 waren bereits 45 Ausgaben im Buchhandel, bis 1927 erhöhte sich die Anzahl der Ausgaben auf 275. Allein im Jahr 1928, als Disneys Zeichentrickfilm „Snow White" herauskam, folgten 90 Ausgaben der Grimm'schen Märchen aufeinander. Während des Zweiten Weltkrieges (1939–1945) ging die Anzahl der Ausgaben stark zurück, so sind zwischen 1938 und 1942 lediglich 23 nachweisbar. Von 1953 bis 1956 ging die Anzahl der Ausgaben dann sogar auf 17 zurück. Grund hierfür war die traditionelle Kontroverse über Nützlichkeit oder Schädlichkeit der Grimm'schen Märchen für das Kind, die in der Nachkriegsperiode einen erheblichen Aufschwung erlebte und vorwiegend im Kreise der Pädagogen stattfand. Die hauptsächlichsten Einwände galten der Grausamkeit der Märchen: manche Kritiker waren sogar der Meinung, daß der Backofen, in dem die Hexe von Gretel verbrannt wurde, derselben Mentalität entstamme wie die Krematorien von Auschwitz[1]. Andere Kritiker wiederum betonten im Gegenteil, eine wichtige Funktion des Märchens sei gerade sein kathartischer Effekt, der dem Kind helfe, Grausamkeiten, die es in seiner Alltagswirklichkeit erlebe, zu bewältigen[2].

Die Verbreitung der Grimmschen Märchen fand nicht nur durch die in Buchhandlungen angebotenen Märchenbücher statt, sie erreichten das Publikum auch über andere Kanäle, so auch durch Erzähler. Bei einem breiten Publikum mußte sich das Grimm'sche Märchen dabei seine Popularität mit anderen bekannten Erzählstoffen der amerikanischen Folklore teilen. Pädagogen bemühten sich um die Zusammenstellung von Materialien und Katalogen mit traditionellen Märchen, aber auch um die Bereitstellung der verschiedenen Medien, mit deren Hilfe Märchen in Schulen, Kindergärten, Pfadfinderlagern oder auf öffentlichen Spielplätzen verbreitet werden konnten. Von 1915 bis 1952 erschienen in immer neuen Fortsetzungen der

Jacob und Wilhelm Grimm als geschäftstüchtige Märchen-Produzenten, eine
Karikatur aus dem „New Yorker" (November 1980). Der kurze Dialog unter
der Abbildung lautet in deutscher Übersetzung: „Einverstanden, Wilhelm,
wir lassen das Kind durch die Wälder laufen" – „Meinst Du nicht, Jacob,
wir hätten schon zuviel Wälder benützt?" – „Wälder sind immer gut, Wil-
helm. Aber wen trifft das Kind?" – „Vielleicht einen Zwerg, oder auch
zwei?" – „Aber das hatten wir doch schon, Wilhelm". – „Wie wär's mit
einem Wolf, Jakob?".

Katalog von Mary Huse Eastman und später der von Norma Ireland (Eastman 1926; Ireland 1973), die ein reiches Angebot an alten Zaubermärchen
enthalten, bei denen die Texte der Brüder Grimm den Hauptanteil ausmachen.

Nach dem Zweiten Weltkrieg wurde das Erzählen von Märchen als ein
besonders gut geeignetes Erziehungsmittel eingeführt. Kinder- und Jugendliteratur wurde jetzt auch ein eigenständiges Unterrichtsfach an den Univer-
sitäten. Bei der Ausbildung von Kinderbibliothekaren wurden Märchener-
zählkurse eingeführt. Seitdem können Schulkinder derartige Veranstaltungen, wo Märchen erzählt werden, regelmäßig besuchen.

Kay Stone untersuchte neun Kinderbibliotheken in fünf Städten im Hinblick auf deren Aktivitäten zum Märchen. Neben Märchenlesungen wurden dort auch Märchen-Puppenspiele abgehalten. Dabei fand sie, daß das Vorlesen ein für die Verbreitung von Märchen besonders wichtiges Mittel ist. Zahlreiche Eltern lesen ihren Kindern Märchen vor. Die Kinder selbst entleihen sich Märchenbilderbücher. Insgesamt entdeckte Kay Stone (Stone 1975) 137 Ausgaben der Grimm'schen Märchen und 204 Bilderbücher mit Märchen der Brüder Grimm in den Katalogen der neun Bibliotheken. Gut geschulte Märchenerzähler erzählen ihre Märchen auch in Kirchen, Schulen, Erholungsheimen, Tagesheimstätten und Altenheimen.

In den letzten 10 bis 15 Jahren haben sich sogenannte „Storytelling Guilds" herausgebildet, die inzwischen weit verbreitet sind. Die Mitglieder solcher „Zünfte", im Alter zwischen 20 und 60 Jahren, sind zum größten Teil Frauen. Diese modernen städtischen Märchenerzähler stellen in den USA einen neuen Typ des oralen Unterhaltungskünstlers dar, eine Erscheinung, welche in der Festival-Bewegung verankert ist, die aus Anlaß der zweihundertsten Wiederkehr der amerikanischen Revolution im Jahr 1976 durch die „Smithsonian Institution" ins Leben gerufen wurde. Nach dem ersten großen Festival in Washington finden nun jährlich auf lokaler wie auf überregionaler Ebene ähnliche Veranstaltungen statt. Auf diesen „Storytelling-Festivals" wetteifern die Erzähler miteinander auf den Podien. Andererseits gibt es Fernseh- und Lehrfilmprogramme, welche die Kunst des Erzählens zeigen.

In der weiteren Entwicklung dieser neuen Story-telling-Bewegung dehnte sich zwar das Repertoire an Erzählstoffen aus, aber das Zaubermärchen, ja die Grimm'schen Märchen insgesamt, büßten ihre frühere Exklusivität ein. Amerikanische „grassroot"-Erzähler nehmen nun den Platz der liebenswerten Märchenfrauen nach der Art der Frau Viehmann aus Zwehren bei Kassel ein, und junge Bibliothekarinnen im Hexengewand ängstigen ihre jungen Zuhörer mit Schauergeschichten. Märchenerzähler, wie sie die europäische Tradition kennt, bilden jetzt nur noch eine Minderheit, daneben steht die Masse der Erzähler, die Anekdoten, Witze, Lügen- und Gespenstergeschichten, Alltagsberichte (Ich-Erzählungen), Räuber- und Kriminalstories und Erzählungen von Einwanderern über ihre eigenen Erlebnisse und Erfahrungen und die Herkunft ihrer ethnischen Gruppe vortragen, afrikanische, afro-amerikanische und Indianermythen wiedergeben und sogar mythologische Stoffe aus der Antike aufgreifen. Manche der übernommenen Stoffe haben die Erzähler der eigenen Familientradition entnommen, andere wurden von ihnen gesammelt, wieder andere schlichtweg aus Büchern nacherzählt. Märchen verlieren auch in den Massenmedien mehr und mehr ihre

Nur wer das Froschkönig-Märchen kennt, begreift diesen „Wizard of Id"-Comicstreifen. Die schöne Blonde verwandelt zwar durch ihren mitleidigen Kuß den häßlichen Frosch in einen gekrönten, langhaarigen Prinzen. Der jedoch zieht es vor, eine Fliege zu fangen, statt der schmachtenden Dame einen Kuß zu geben. Ein Anti-Märchen?

ursprüngliche Anziehungskraft und werden durch neue phantastische Geschichten aus den Bereichen der Science Fiction, der Gruselwelt und der Soap Operas ersetzt.

In einer Befragung von graduierten Studenten im Alter von 24 bis 30 Jahren nach ihrer Kenntnis von Märchen und Sagen konnte ich feststellen, daß etwa 95 Prozent zahlreiche Spuk- und Gespenstergeschichten, aber lediglich 5 Prozent ein paar Märchen nennen konnten. Die Schriftstellerin Carolyn See ließ 1979 zwei aus College-Studenten des ersten Studienjahres bestehende Klassen aufschreiben, welche Märchen ihnen bekannt waren. Die Mädchen unter den Befragten waren in der Lage, schnell eine größere Anzahl von Märchentiteln aufzuschreiben, von den 61 männlichen Studenten dagegen gab es nur einen einzigen, der gerade ein einziges Märchen kannte.

Wie schon angeführt, identifizieren die Amerikaner die Zaubermärchen weithin mit den Grimm'schen Märchen. Durch das ununterbrochene und reichliche literarische Angebot blieb ihre Popularität über einen Zeitraum von mehr als 140 Jahren erhalten. Man muß sich deshalb nun nach den Gründen fragen, warum die Grimm'schen Märchen im Angebot der modernen Erzähler gegenüber anderen Erzählstoffen so sehr ins Hintertreffen geraten sind. Wäre es vielleicht möglich, daß die Grimm'schen Märchen vorwiegend nur als Buchmärchen wirkten und kaum in die mündliche Überlieferung aufgenommen wurden?

Es ist bekannt, daß im Vergleich zu dem großen Märchenbestand in Irland, in Rußland oder in anderen europäischen Ländern der anglo-amerikanische Sprachbereich relativ arm an Zaubermärchen ist. Der Baughman-Katalog (Baughman 1966) beweist, wie bescheiden das Märchen-Repertoire der englischen Einwanderer nach Amerika war. Feldforscher, die zu Besuch bei den ältesten Ansiedlergruppen in den Gebieten der Appalachen und der Ozark waren, konnten dort die meisten Märchen aufzeichnen. Diese scheinen jedoch eher auf den Einfluß entsprechender Märchenlektüre hinzudeuten, als auf eine ununterbrochene Erzählkontinuität des ins Einwandererland mitgebrachten europäischen Erbes. Man nimmt an, daß sozialökonomische Gründe, wie die zur Emigration zwingenden Verhältnisse, die Schwierigkeiten der ersten Ansiedlung, die berufliche Umstellung und die Auflösung einheitlicher Volksgruppen zur Vernichtung des ursprünglich noch vorhandenen Märchenschatzes beigetragen haben, und dies auch bei solchen Einwanderergruppen, in deren europäischer Heimat das Märchenrepertoire groß war. „Whatever folk-tales the first early immigrants knew", behauptet Reidar Th. Christiansen (Christiansen 1962), „were more readily forgotten", und er betont den großen Einfluß, den die Märchensammlung der Brüder Grimm auf das Repertoire hatte. Kurt Ranke erwähnt die „direkte Nacherzählung von 10 aus 15 Märchen einer Sammlung" und stellt dabei „eine rigorose Komprimierung der Form auf etwa die Hälfte oder ein Drittel des literarischen Vorbildes" fest (Ranke 1959). Es ist wahrscheinlich, daß die aus England kommenden Ansiedler im Bergland der USA vor sechzig bis achtzig Jahren von den Grimm'schen Märchenausgaben erreicht wurden und daß sie diese dann in ihr Erzählrepertoire übernahmen, unter Umständen auch bearbeiteten und umformten, wie es die jeweiligen Umstände erforderten.

Die Auswahl, die in den meisten der in den USA erschienenen Märchenausgaben der Brüder Grimm getroffen wurde, beschränkt sich auf wenige Titel, die allerdings ausreichen, die amerikanischen Wertvorstellungen, Normen und Lebensanschauungen, wie sie sich in den allgemeinen sozialen Erziehungsprinzipien manifestieren, zu bestätigen und zu festigen. Unter den ausgewählten Märchen finden sich fast ausschließlich Zaubermärchen, und zumindest solche, bei denen die still leidende, aber stets tugendhafte und passive Frau im Mittelpunkt der Handlung steht. In diesen Märchen geben die Männer sowohl in der Familie wie im gesellschaftlichen Leben den Ton an. So, wie die Frau in ihrer weitgehend biedermeierlichen Ausprägung in den Grimm'schen Märchen dargestellt wurde, bildet sie auch noch im 20. Jahrhundert in den USA ein weithin gültiges Frauenideal. Von den mehr als 200 Märchen der ursprünglichen Sammlung der Brüder Grimm wurden zur Lektüre für die städtische oder ländliche Bevölkerung in den USA lediglich

10 bis 12 ausgewählt. Diese wenigen Märchen sind es auch, die im Bewußtsein der amerikanischen Jugend und der Erwachsenen populär geblieben sind, sei es durch Kenntnis der Märchenbücher oder durch Erzählen. Die Märchen der Brüder Grimm, die sich am häufigsten in amerikanischen Ausgaben finden lassen, sind die nachfolgenden zwölf, in der Reihenfolge ihrer Häufigkeit aufgelistet: 1. Dornröschen, 2. Schneewittchen, 3. Aschenputtel, 4. Rumpelstilzchen, 5. Hänsel und Gretel, 6. Der Froschkönig, 7. Die Gänsemagd, 8. König Drosselbart, 9. Rapunzel, 10. Rotkäppchen, 11. Frau Holle, 12. Die sechs Schwäne.

Bei der Befragung von 40 Gewährsleuten ergab sich folgende Reihenfolge der Beliebtheit: 1. Schneewittchen, 2. Aschenputtel, 3. Dornröschen, 4. Hänsel und Gretel, 5. Rumpelstilzchen, 6. Schneeweißchen und Rosenrot, 7. Rapunzel, 8. Frau Holle, 9. Der Froschkönig, 10. Rotkäppchen, 11. Die sechs Schwäne, 12. Die Gänsemagd.

Durch die jahrzehntelange Konzentration der Märchenauswahl auf solche Texte, die als Hauptfiguren Frauen und Mädchen der erwähnten Art aufweisen, sind die Grimm'schen Märchenheldinnen zu Stereotypen für alle Märchenprinzessinnen geworden. Diese Stereotypie wird noch dadurch verstärkt, daß derartige Frauenfiguren wie das Aschenputtel, das Schneewittchen, das Dornröschen, die Gretel aus „Hänsel und Gretel" oder die Prinzessin aus dem „Froschkönig" in den verschiedenen Formen der Massenkultur immer aufs Neue auftreten. Besonders Walt Disney hat durch sechs kurze und drei abendfüllende Filme zu einer solchen Stereotypie beigetragen. Es ist verständlich, daß die einseitige Hervorhebung der wenigen Märchen durch dauerndes Wiedererzählen, durch Umsetzung in Theateraufführungen, literarische Bearbeitung durch neuere Schriftsteller, durch Filme und Schallplatten ihre Wirkung verstärkt hat. Um den Konsumenten heutiger Massenprodukte in der Industriegesellschaft durch die Medien zu erreichen, bedarf es allerdings geeigneterer Mittel als der einer einfachen Umsetzung der traditionellen Märchen. Es ist vielleicht richtig, daß das Repertoire an Märchen-Stoffen innerhalb der Industriegesellschaft der Vereinigten Staaten von Amerika klein ist und romantische und naive Inhalte transportiert werden. Aber unterhalb der Oberfläche und jenseits des nackten Inhalts stecken in diesen Märchen tiefere Gehalte, essentiellere Empfindungen und Gedanken.

Die Wirkungsgeschichte der Grimm'schen Märchen in den USA zeigt eine Disintegrationstendenz. Die ursprünglich vollständige Sammlung wurde nach und nach zu einer Auswahl weniger Märchen reduziert. Ob in Buchform oder als Film der Bevölkerung bekannt geworden, gekürzt oder bearbeitet, es blieben jedoch immer Märchen. Durch die unzählige Male stattgefundene Reproduktion in den verschiedenen Medien erlangten diese wenigen Märchen eine viel größere Popularität innerhalb der Gesellschaft, als sie jemals echte, lediglich mündlich überlieferte Volksmärchen erwerben könnten. Aber auch diese begrenzte Auswahl von Märchen ist einem weiteren Konzentrationsprozeß ausgesetzt gewesen. Schließlich ist nur noch eine stark begrenzte Anzahl von Hinweisen, Formeln, Konzepten, Bildern in rudimentärer Verkürzung übrig geblieben. Es bleibt zu fragen, ob dieser Vorgang ein wirkliches Absterben des Märchens, seinen endgültigen Untergang in einer technisierten Welt bedeutet?

In einer dritten zu beobachtenden Phase der Veränderung des Märchens in den USA lösen sich schließlich die Figuren und die einzelnen Märchenelemente aus dem geschlossenen Text und beginnen ein neues, eigenständiges Leben in der Gesellschaft, die sich ihrer zu den verschiedensten Zwecken bedient. Sie tauchen in Karikaturen, Witzblättern und Comics auf, werden für die Industriereklame genutzt und dienen innerhalb der Alltagssprache als neue Metaphern und Symbole. Es genügt schon, ein Märchen zu erwähnen, es braucht gar nicht mehr erzählt zu werden. Schon die Andeutung führt zu einem Konsens im Verstehen. Man kann sich nicht des Eindrucks erwehren, daß heute der Bedarf an Märchenmetaphern wichtiger ist als der an Märchen selbst. Die „Cinderella story" ist zum Beispiel oft metaporisch angewandt worden. „Ich fühle mich wie Aschenputtel" sagte eine Frau zu einem Journalisten, als sie zum ersten Mal in ihrem Leben zu einem Football-Match nach New Orleans fuhr. In der Zeitung konnte man lesen, daß der Polizei mit Hilfe der „Aschenputtel-Methode" die Festnahme eines Diebes gelungen sei. Der Dieb hatte nämlich auf der Flucht einen Schuh verloren. In der Fernsehreklame bohnert Aschenputtel das Parkett mit dem richtigen Bohnerwachs. Dadurch hat sie genug Zeit, um mit ihren Geschwistern zum Ball zu gehen; allerdings geht sie dann lieber zum Kegeln. Nur gute Hausfrauen und geschickte Köchinnen dürfen Mitglieder im „Cinderella-Club" werden. Befragt man Leute, die das Märchen vom Aschenputtel kennen, so identifizieren sie sich folgendermaßen mit der Märchenfigur: „Ich meine, das Aschenputtel hat Glück gehabt. Zuerst habe ich sie wirklich bedauert, aber dann kam die Sache mit der Fee und den Tauben, und sie ging zum Tanz. Da dachte ich: So könnte es auch im wirklichen Leben zugehen, auch in meinem Leben" (vierundzwanzigjährige Frau). „Aschenputtel ist meine Lieblingsfigur", sagt ein zehnjähriges Mädchen. „Ich möchte so leben wie sie. Natürlich nur so, wie sie am Schluß gelebt hat, mit schönen Kleidern und so." — „Ich erinnere mich an Aschenputtels Mutter. Die tat alles für die älteren Töchter und übersah Aschenputtel total. Die hatte einen Pik auf sie, gerade wie die Leute auf mich" (achtundsechzigjähriger Mann). — „Man sollte annehmen, daß Fleiß und Güte belohnt werden", stellt eine Zwölfjährige fest.

Mit Hilfe von Elementen und Figuren aus den Grimmschen und anderen Märchen werden amerikanische Gesellschaftsereignisse – Schönheitswettbewerbe, Empfänge – parodiert. Hier verliest am Mikrophon der Ansager die Bewerber um die Hand des Prinzen. Im bereitgehaltenen Briefumschlag dürfte nur ein Namenszettel stecken. Wer wird es sein: „Cinderella in ‚Cinderella‘, Rosamond in ‚Sleeping Beauty‘, Goldilocks in ‚The Three Bears‘, Beauty in ‚Beauty and the Beast‘ and Rapunzel in ‚Rapunzel‘?" Die Pointe des Witzes lautet: „The envelope, please" – Den Briefumschlag, bitte.

Und ein neunjähriges Mädchen sagt: „Ich bin auch eine Art Aschenputtel. Ich muß viel mit dem Staubsauger arbeiten. Allerdings habe ich keine Stiefschwestern, die mich dazu zwingen können."

Aschenputtel ist das amerikanische Frauenideal: schön, anmutig, unterwürfig und vor allem eine gute Hausfrau. Sie ist keine abenteuerliche Heldin, sie ist lediglich ein einfaches Mädchen, das gezwungen ist, in einer ihm feindlichen Familie zu leben, und das geduldig wartet, bis ein Prinz kommt und es erlöst. Sie ist die prototypische Heldin der amerikanischen Erfolgsstory „rags-to-riches", wie sie täglich in den Massenmedien vorgeführt wird. So berichtet eine „Newsweek"-Version dieser „Cinderella-Story" von Twiggy, dem Cockney-Modemannequin, das später ein Filmstar wurde. „Es gibt nur wenige solche zur Realität gewordenen ‚Cinderella-Stories' wie die ihre", schreibt „Newsweek". „Wenn ihr der Pantoffel paßt, warum sollte sie ihn nicht tragen? Die Rute (Twig) wird zum Aschenputtel, sie debütiert auf der Bühne, dort soll sie die Rolle einer Zaubermärchenheldin spielen" (11.11. 1974). Dieser Ausschnitt aus „Newsweek" kann als Beispiel dafür dienen, daß Anspielungen auf Zaubermärchen verstanden werden, ohne daß das ganze Märchen vorgetragen werden muß. Jeder, der die Passagen in der Zeitschrift liest, weiß sofort, was damit gemeint ist. Die Figur hat sich vom ursprünglichen Kontext gelöst und führt nun, unabhängig von ihm, ihr eigenes Leben weiter.

Verallgemeinernd kann man sagen: Beliebte Märchenfiguren und Märchenmotive sind zu brauchbaren Vermittlern für industrielle Werbung geworden, geben Anlaß zu humorvollen Wendungen und dienen so, vom ursprünglichen Märchentext losgelöst, der verschiedenartigsten Information. So mahnt der von Schneewittchens Stiefmutter vergiftete Apfel an das Prüfverfahren der „Food and Drug Administration". Die Hexe in einem Lebkuchenhaus, das wie ein moderner Campingwagen aussieht, lockt Hänsel und Gretel mit der Inschrift an „Enthält kein Saccharin". In einer anderen Reklamezeichnung lassen Hänsel und Gretel die Steinchen fallen, um den Kunden den Weg zum Grundstücksmakler zu zeigen. Rotkäppchens Großmutter lebt jetzt im Altenheim „Goldenes Alter", und auch der Wolf möchte, nach dem Reklamebild zu schließen, dort gerne leben. Besonders das Märchen vom Froschkönig hat immer wieder Zeichner zu neuen Witz-Zeichnungen inspiriert. Hoffnungslose alte Jungfern versuchen Frösche mit magischen Ruten zu schlagen. Der Frosch behält auch nach seiner Verwandlung zum Prinzen die Gewohnheit bei, Fliegen mit der Zunge zu fangen. Der Frosch im Bett der Prinzessin gesteht ihr, daß er gelogen hat und gar kein verwunschener Prinz ist. Der Frosch fühlte sich vor seiner Verwandlung zum Prinzen glücklicher und will wieder in seinen Brunnen zurück. Anstatt den Frosch zu erlösen, verwandelt sich auch die Prinzessin in einen Frosch, und beide leben glücklich im Brunnen. Der Frosch macht der Prinzessin Vorwürfe darüber, daß sie ihn erlöst hat. Frosch und Prinzessin finden sich gemeinsam beim Heiratsvermittler ein. Usw. Obwohl alle Zeichnungen traditionelle Märchenfiguren und Märchenkulissen benützen, besteht der Witz für den Zeitgenossen darin, daß der Zeichner die Märchenfigur in unser modernes Leben transportiert.

„Die Grimm'schen Märchen haben sich bisher gegenüber allen Angriffen, Parodien und Travestien erstaunlich resistent gezeigt" schreibt Max Lüthi (Lüthi 1977 II). Ich meine, daß die hier geschilderten Tatsachen keineswegs im Gegensatz zu der These von Lüthi stehen. Im Gegenteil scheinen mir solche Travestien und Umsetzungen ein Beweis für die große Anziehungskraft des Märchens zu sein, denn die Parodien wären ohne Wert, wenn der verstehende Leser oder Hörer nicht zugleich die Anspielung auf das Originalmärchen zurückführen würde. Das Bilden von Parodien, Travestien und anderen Verwendungen von Märchenelementen beruht ja gerade auf der Zähigkeit der Märchensubstanz, in der Grundaussagen über menschliche Beziehungen, Situationen und Gedanken enthalten sind. Deshalb können sie auch in einer Umgebung weiterleben, die weitgehend auf den Originaltext verzichtet. Ist es nicht so, daß jede Anspielung auf ein Märchenelement – auch in einer sehr nüchternen Umgebung – letzten Endes ein Originalmärchen zum Ausgangspunkt hat, ja, daß ein solches existierendes Märchen erst die Voraussetzung für die Verwendung der betreffenden Metapher abgibt? Man könnte fast sagen, daß die in reduzierter Form fortlebenden Märchenelemente, seien es Episoden, Sprachformeln, Dialoge, Vergleiche, Metaphern oder Symbole, letzten Endes den Grundgehalt der Märchen weitertragen. Stimmt man dieser Auffassung zu, muß man zu der Erkenntnis gelangen, daß in unserer Gesellschaft eigentlich viel mehr Märchen weiterleben, als wir normalerweise bemerken. Stith Thomson sagte einmal scherzhaft zu mir, die Feen der Märchen hätten niemals den Ozean überquert. Dies mag dann der Eindruck sein, wenn wir die vollständigen, ganz gebliebenen Märchentexte im Blick haben. Solche sind wahrhaftig in Amerika schwer zu finden. Das Bild ändert sich aber, wenn wir die in verschiedenen Formen und Gewändern und unterschiedlichen Zusammenhängen auftauchenden Märchenelemente nicht als Trümmer, vielmehr als komprimierte Essenzen der Märchen betrachten. Dann bemerken wir, daß die Feen sehr wohl über den Ozean gesegelt sind und unter neuen Bedingungen in veränderter Form weiterleben, ewig jung und kraftvoll, wie es sich für ein richtiges Märchen gehört.

Anmerkungen

1 Vergleiche hierzu: (Opie 1974).
2 Vergleiche hierzu: (Bettelheim 1976).
3 Carolyn See berichtete darüber auf der Tagung der Modern Language Association in San Francisco 1979.

JAN-UWE ROGGE

Märchen in den Medien

Über Möglichkeiten medialer Märchenadaptionen

*In Gedenken an meinen Großvater,
der Geschichten erzählen konnte*

Kinder lernen und entwickeln bereits sehr früh Konzepte für den Medienumgang, erwerben ein Alltagswissen über die Funktionen medialer Produkte. Unter lebensgeschichtlicher Perspektive betrachtet machen Kinder heute andere Medienerfahrungen als diejenigen, die nur mit dem Buch oder dem Kino groß geworden sind. Der veränderte Umgang mit dem Medienensemble zieht so ein erweitertes Wissen über verschiedene Medienspezifika, Aneignungsweisen oder über einen produktiven Umgang mit technischen Medien nach sich (Rogge, 1981). Diese Selbstverständlichkeit des kindlichen Medienumgangs stellt sich für denjenigen, der andere medienbiographische Erfahrungen sedimentiert hat, häufig als etwas Befremdliches, Bedrohliches dar, die dann zu einem Verhalten führen, veränderte kindliche Aneignungsweisen schlechthin als negativ zu diskreditieren. Allerdings stellt sich die Alltäglichkeit des kindlichen Medienumgangs durchaus ambivalent dar: denn neben verschiedenen künstlerisch-emotionalen Erfahrungsmöglichkeiten bilden sich durch medienübergreifende Storystrukturen (action!) schon früh Starrheiten und Borniertheiten in den Genrevorlieben (Abenteuer!) der Kinder heraus. Und auch die Folgeprobleme einer extensiven Nutzung der Medien durch Kinder infolge eines übergroßen Medienangebots dürfen nicht verharmlost werden. Aber hier muß darauf hingewiesen werden, daß ein extensiver Medienkonsum eher die Symptome eines Problembündels als dessen Ursache darstellen. Hoher Medienkonsum bedeutet für die betreffenden Kinder nämlich sehr häufig eine Bewältigung frustrierender Umwelterfahrungen, die es auf andere Art und Weise (z.B. im Gespräch mit den Eltern oder Freunden) ansonsten nicht austragen und damit bewältigen könnte.

Märchen und Medien –
Anmerkungen zur geschichtlichen Entwicklung[1]

Mediale Märchenadaptionen reichen bis weit in das 19. Jahrhundert zurück. Ihr Beginn ist in den *Illustrationen der Märchenbücher* zu suchen, die von Künstlern wie Ludwig Richter (1803–1884), Moritz von Schwind (1804–1871) oder später Heinrich Vogeler (1872–1942) stammen. Mit der Entstehung einer literarischen Massenproduktion kommen dann die Märchenbilderbücher auf den Markt, die ihre Fortsetzung in den fest kartonierten Bilderbüchern zu Ausgang des 19. Jahrhunderts bzw. in den Märchencomics fanden. Insgesamt waren vereinfachende naturalistische Bilder kennzeichnend für die erste Phase visueller Umsetzung, die den Text partiell in den Hintergrund drängten. Man sollte die Auswirkungen dieser Illustrationen auf die Bühnenbilder des Kindermärchentheaters, die Landschafts- und Personengestaltung in Kinderfilmen als auch die Gestaltung von Schallplattenhüllen im 20. Jahrhundert nicht unterschätzen.

Gerade das *Kindertheater* hat eine lange Tradition in der Bearbeitung von Märchen für die Bühne aufzuweisen. Schließlich war über Jahrzehnte hinweg das deutsche Kindertheater gleichzusetzen mit dem (Weihnachts-)Märchen. Das Märchentheater ist ein anschauliches Beispiel dafür, wie sich die Vorstellungen Erwachsener vom Theater und über entsprechende Märchenbearbeitungen mit kommerziellen Erwägungen vereinbaren lassen, bei denen von kindlichen Bedürfnissen und Interessen nur vordergründig die Rede ist. Mediengeschichtlich betrachtet, hat sich der *Film* als nächster des Märchens angenommen – mit allen zur Verfügung stehenden Genres: von der Theaterverfilmung über das Puppenspiel, den Zeichentrick- bis hin zum Realfilm. Die Anfänge des Märchenfilms reichen bis in das letzte Jahrzehnt des vorigen Jahrhunderts. Die ersten filmischen Versuche greifen dabei angesichts fehlender Originalstoffe wohl nicht zufällig auf vorhandene und populäre literarische Stoffe zurück. Und Paul Wegeners äußerst kinowirksamen, reißerisch-spannenden Filme wie „Rübezahls Hochzeit", „Der Rattenfänger von Hameln" oder „Das kalte Herz" – alle zwischen 1916 und 1918 gedreht, stellen noch keine filmadäquaten Märchenverfilmungen dar, sondern sind eher als Rückgriff auf kulturelle Traditionen zu betrachten. Diese Märchenfilme sind ein Zeichen dafür, wie die Herausbildung und die Durchsetzung neuer elektronischer Medien eine Mischung aus kulturaler Kontinuität, veränderten künstlerischen Ausdrucksmitteln und technischem Wandel darstellen. Die ersten filmadäquaten Märchenbearbeitungen liegen in den zwanziger Jahren mit den Scherenschnittfilmen von Lotte Reiniger vor. Ein

Jahrzehnt später sind es die Produktionen der Gebrüder Diehl sowie jene Märchenfilme, die im Auftrag der Reichseigenen Anstalten für Film und Bild erstellt worden waren. So wie das Kindertheater lange Zeit mit dem Weihnachtsmärchen gleichzusetzen war, so war der deutsche Kinderfilm identisch mit dem Märchenfilm. Das galt gleichermaßen für die Zeit nach dem Kriege. Die Märchenproduktionen von Schonger, Genschow, Diehl oder anderen führten die Traditionen des Vorkriegsmärchenfilms fort. Der kommerzielle Höhepunkt ist im Zeitraum zwischen 1953 und 1956 zu suchen, in dem nicht weniger als 33 Märchenfilme entstanden. In diesen Jahren hatte auch der westdeutsche Heimat- und Schnulzenfilm seine „Blütezeit", so daß es wohl nicht von ungefähr kommt, wenn sich beispielsweise bei der Gestaltung von Personen oder Landschaften ästhetische Parallelitäten zwischen Heimat- und Märchenfilm wiederfinden lassen. Aber auch in ideologischer Hinsicht spiegelt der Märchenfilm die Atmosphäre der restaurativen fünfziger Jahre wieder. In vielen Produktionen ging es eben nicht mehr ausschließlich um Märchen, sondern darum, Gebrauchsanweisungen für gutes, d.h. hier angepaßtes Verhalten zu vermitteln, neue Rahmenhandlungen zu erfinden, um die pädagogische Lehre des Märchens noch stärker herauszustreichen, langatmige Landschaftsdarstellungen einzufügen, um zu verniedlichen oder zu verharmlosen. Weniger die Novellierung des Jugendschutzgesetzes hat dann den Niedergang des Märchenfilms herbeigeführt. Es waren die grundsätzlichen wirtschaftlichen Probleme der westdeutschen Märchenfilmproduktion, wobei entscheidend gewesen sein dürfte, daß der Märchenfilm einerseits keine finanzielle Unterstützung seitens des Staates gefunden hat, daß die langen Amortisationszeiten andererseits Investitionen immer schwieriger werden ließen. Die Popularität des Märchenfilms in der ersten Hälfte der fünfziger Jahre muß vor allem auf die Popularität des *Märchens* zurückgeführt werden. Nur dieser Umstand hat verhindert, daß es schon früher zu einer grundlegenden Krise des Kinder- und Märchenfilms in der Bundesrepublik gekommen ist. Auch das *Kinderfernsehen,* das in den sechziger Jahren allmählich zum bedeutsamsten Medium für Kinder wurde, nahm Märchensendungen (als Puppenspiel oder Realfilm) oder märchenhafte Versatzstücke ins Programm auf. Beide wurden als Realitätsferne und Unwirklichkeit verstanden. Eine gewisse Renaissance feierten das Märchen bzw. märchenhaftphantastische Element in einigen Vorschulserien der siebziger Jahre. Auch hier dienten sie häufig dazu, den aufgesetzten pädagogischen Zeigefinger dieser Sendereihen zu kaschieren. In dieser Hinsicht stehen viele Vorschulsendungen durchaus in der Tradition des Märchenfilms der fünfziger Jahre. Nur die Serie „Das feuerrote Spielmobil" hat versucht, medienadäquate Märchenbearbeitungen zu konzipieren und umzusetzen.

Nach einer Phase, in der Märchenverfilmungen eine völlige untergeordnete Bedeutung im Programmangebot hatten, ist seit einiger Zeit die Tendenz zu beobachten, dem Märchen wieder eine größere Aufmerksamkeit zuzumessen. Das Angebot reicht dabei von phantasievollen tschechischen Fernsehfilmen („Die Märchenbraut") über traditionelle Puppenspiele bis hin zu Zeichentrickserien („Märchen der Völker"). Sieht man einmal von Mehrteilern wie der „Märchenbraut" ab, so zeigt der Verzicht auf moderne Märchen und die gleichzeitige Konzentration auf das Volksmärchen auch die mögliche Ambivalenz dieses Märchenbooms. So wird genau zu beobachten sein, welche Intentionen sich bei diesen medialen Bearbeitungen durchsetzen werden. Anders gesagt: Sollte mit den Film- und Fernsehmärchen nur einer unreflektierten Innerlichkeit das Wort geredet, Betulichkeit und Bravheit vorgeführt werden, so sind die Adaptionen auch dann fragwürdig, wenn sie künstlerisch gelungen sein sollten. Denn auffällig ist, daß Gegenwarts- oder moderne Märchen weder im Programmangebot der westdeutschen Fernsehanstalten noch im Kinoprogramm auftauchen, sieht man einmal von den Produktionen der sozialistischen Staaten oder dem Haro Senft-Film „Ein Tag mit dem Wind" ab. Märchen haben in westdeutschen Produktionen mehr mit „Es war einmal" als mit Zukünftigem, mehr mit sentimentaler Idyllik als mit Phantasie, Traum und Realität zu tun. Und Phantasie wird dann immer noch mehr unter dem Blickwinkel einer Wirklichkeitsferne betrachtet als daraufhin, sie als eine spielerische Möglichkeit anzubieten, sich Wirklichkeit anzueignen oder zu durchdringen.

Auch der in den 20er Jahren entstehende *Kinderfunk* war nahezu gleichzusetzen mit dem Märchenfunk. Hier ist ein weiteres Beispiel dafür gegeben, wie mangels medieneigener Stoffe auf literarische Traditionen zurückgegriffen wurde. Ja man versuchte anfänglich sogar, die Erzählsituation des Märchens im Funk nachzustellen, indem man den Erzähler mit einer Kindergruppe um das Mikrophon herum gruppierte. Märchenerzählerinnen wie Vilma Mönkeberg oder Lisa Tetzner hatten am Aufbau des Kinderfunks in den verschiedenen Sendeanstalten großen Anteil und damit an der Verbreitung des Funkmärchens. Sie wiesen in ihren Sendungen *eine* Möglichkeit auf, Märchen funkisch zu erzählen. Allmählich entwickelten sich dann die dramatisierten Märchenformen, die in den 50er und 60er Jahren im Programmangebot dominierten. Danach hatten die Märchenhörspiele, wie der Kinderfunk insgesamt, eine untergeordnete Bedeutung. Auch die *Märchenschallplatte,* die lange Zeit mit der Kinderschallplatte identisch war, hat ihre dominierende Stellung in den 70er Jahren zugunsten der Tonträger mit Abenteuer- und TV-gebundenen Themen verloren. Gleichwohl dürften die Märchenschallplatte und der -film noch immer die wichtigsten Medien für Märchenadaptionen darstellen.

Die Geschichte der Märchen in den Medien ist somit lang, auch wenn in den letzten Jahren ihr Stellenwert geringer geworden ist. Eine völlige Verdrängung aus den Medien steht aber nicht zu erwarten, dazu ist die Popularität von Märchen zu gut zu vermarkten, nicht vorhandene Urheberrechte lassen zudem billige Produktionen zu, vorherrschende Bearbeitungsprinzipien können geschätzte Werte wie Betulichkeit, Vertraulichkeit, Gemütlichkeit und Tradition suggerieren, die sich allemal gut verkaufen lassen. Das zeigt sich u.a. darin, daß vor allem im nicht-medialen Bereich mit Märchensymbolen und -figuren geworben wird – vom Aufkleber auf Bleistiften und Schampooflaschen bis hin zu bedruckten Bettbezügen, von Schneewittchen als Schießbudenfigur und dem Märchenkaleidoskop bis hin zu den touristischen Werbestrategien, die eine Fahrt ins „Märchenland" versprechen. Um das Märchen baute sich in der Bundesrepublik zuerst ein kommerzieller Kindermedienverbund auf (Jensen 1980, S. 13–48). Das alles paßt zur Geschichte der Verwertung des Märchens in den Medien. Und trotz immer wieder diskutierter Neuansätze für mediale Umsetzungen in den letzten Jahren ist es schon erstaunlich, wie wenig insgesamt die Chancen für medienspezifische Bearbeitungen reflektiert worden sind. Das hängt wohl damit zusammen, daß diejenigen, die potentielle Interessenten sein konnten, aus künstlerischen, erzieherischen oder grundsätzlichen Erwägungen heraus desinteressiert waren und daß diejenigen, die sich inhaltlich desinteressiert zeigten, nur ein kommerzielles Interesse hatten.

Zur Kritik medialer Märchenadaptionen

Genauso lang wie die Historie medialer Märchenadaptionen sind auch die vehementen Kontroversen, die erbitterten Auseinandersetzungen über das Für und Wider von Märchen in Medien. Diejenigen, die mediale Märchenbearbeitungen grundsätzlich verneinten, dominierten bis weit in die sechziger Jahre hinein mit ihren Argumenten.

Und auffällig ist, daß vieles von dem, was schon vor Jahrzehnten gegen Märchenadaptionen ins Feld geführt wurde, sich noch heute unter völlig veränderten sozio-kulturellen und künstlerischen Rahmenbedingungen wiederfinden läßt[2]. Etwas vereinfacht dargestellt, lassen sich drei Positionen bei bei der Betrachtung von Märchenadaptionen ausmachen: die eine lehnt mediale Bearbeitungen schlichtweg als dem Märchen unangemessen ab[3]; die zweite versucht, sich mit den Märchen in den Medien mehr schlecht als recht zu arrangieren (Mönckeberg-Kollmar 1972; Bruns 1980); die dritte Position, ausgehend von einer kritischen Bestandsaufnahme vorhandener Produktionen, strebt an, Märchenfilm und Märchenplatte als eigenständige, künstlerische Möglichkeit des Märchens gelten zu lassen und zu etablieren[4].

Überblickt man die Argumente, die *gegen* das Märchen in Film, in Fernsehen oder auf Platte genannt wurden, so lassen sich sechs Aspekte finden:

1. Das Schallplattenhören oder der Kinobesuch berge nicht jene Vertrautheit, jene Intimität und Geborgenheit, die die vis-à-vis-Kommunikation beim erzählten Märchen auszeichnen.

2. Der Märchentext bedürfe der „imaginativen Ergänzung", der „individuellen Ausschmückung" durch Zuhörer. Der Film konkretisiere das Phantastisch-Wunderbare, mache aus der Flächenhaftigkeit und der Eindimensionalität des Märchentextes ein „so-ist-es".

3. Die letztgenannte Feststellung wird besonders bei den Personen des Märchenspiels problematisiert, weil der Film mit Realpersonen arbeite und nur singuläre Varianten der Märchenpersonen anbiete. Der Film lege Personen auf bestimmte Stereotypen und Klischees fest.

4. Die mündliche Erzählung fordere dazu auf, die „offenen" Stellen des Märchens durch das Zutun des Zuhörers auszuschmücken. Weil Film und Schallplatte aber die Leerstellen des Märchens besetzten, werde die Phantasietätigkeit des Kindes gebunden.

5. Die Medienspezifika von Platte oder Film wirkten phantasieraubend. Der Film führe beispielsweise nicht nur aus, sondern als realistisches Medium bringt das Nebeneinander von Realität und Phantasie im Film die Kinder zur Frage: „Wie wird das gemacht?" Damit wird der Märchenzauber einer realistisch-pragmatischen Anschauung unterworfen.

6. Alle Punkte laufen generell auf den entscheidenden Einwand gegenüber Märchen in den Medien hinaus. Diese, so wird argumentiert, zerstörten die kindliche Phantasie. Weil die Kinder alles fertig angeboten bekämen, werde ihre Vorstellungskraft nicht mehr angestrengt. Der Rezipient werde, so Brigitte Bruns, „im Akzeptierungsfall seiner je persönlichen Imaginationsmöglichkeit und -lust beraubt" (Bruns 1980, S. 343).

Allerdings darf nicht übersehen werden, daß sich doch auch Kritiker vehement für Märchen in den Medien ausgesprochen haben. Das gilt vor allem für die Plattenbearbeitungen, mit dem Argument, daß es für Kinder immer noch besser sei, gute Märchenplatten zu hören, als gar keine Märchen mehr kennenzulernen. Dabei wird unter „gut" das authentisch erzählte Märchen verstanden, das aus einem rhythmisch-melodischen Ablauf, aus Ton- und Ausdrucksnuancen, aus Variationen der Artikulationen lebt. Bearbeitete

Märchen oder der Einsatz von medienspezifischen Ausdrucksmitteln werden streng abgelehnt[5]. Während die Platte im großen und ganzen geduldet wurde, hatten es Filmbearbeitungen in den fünfziger und sechziger Jahren schwerer. Positionen, die schon in diesem Zeitraum Filme als eigenständige ästhetische und künstlerische Kraft ansahen, die forderten, Märchenfilme fürs Auge zu machen und zu gestalten, Märchenfilme mithin, die „den schöpferischen Menschen zum Verfasser (brauchten), für den das bewegte Bild in ähnlicher Weise Ausdrucksmittel ist, wie es dem Märchendichter das Wort ist" (Kümmerle 1958, S. 70), diese Positionen waren in den fünfziger und sechziger Jahren nicht nur selten, sondern heftig umstritten. Filmkünstlerische Positionen kritisierten beispielsweise ein Zuwenig an Medienspezifika. Der bundesdeutsche Märchenfilm der fünfziger Jahre wurde besonders im Hinblick auf die mangelhafte Gestaltung, die veralteten Aufnahmetechniken, die ungenügenden darstellerischen Leistungen und die phantasielose Ausstattung kritisiert. Mittlerweile ist manches anders geworden. Forderungen nach medienspezifischen Märchenbearbeitungen, nach modernen Märchen in Film und auf Schallplatte werden sowohl vom jüngeren deutschen Kinderfilm, von Kinderfernsehmachern als auch in der Märchendidaktik geäußert. Allen diesen Positionen ist gemein, Arbeitsweisen für eine je medienspezifische Umsetzung des Märchens zu entwickeln, medienadäquate Produktionen als einen Beitrag zur ästhetischen Erziehung zu betrachten. Wenn Fernseh- oder Schallplattenmärchen gelungen sind, dann sind sie, so Walter Israel, „kunstvolle Eigengewächse nach eigenen ästhetischen und kommunikativen Prinzipien, die wir lernen müssen" (Israel 1976, S. 117). Vielleicht sollte man deshalb eher von *Filmmärchen, Fernsehmärchen oder Plattenmärchen* als von Märchenfilmen oder Märchenplatten reden. Denn die Termini „Märchenfilm" oder „Märchenplatte" legen das Schwergewicht der Bearbeitung meist auf die werkgetreue Wiedergabe des Märchens und weniger auf Momente wie die Beachtung von Medienspezifika oder die Produktion phantasievoller, sinnlicher (Hör-)Bilder. Der Versuch, das originale Märchen oder die Erzählsituation weitgehend unbearbeitet in die Medien zu übertragen, dieser Versuch wird weder dem Märchen noch den künstlerisch-ästhetischen Möglichkeiten des Films, des Fernsehens oder der Platte gerecht. Um die veränderten Aussagequalitäten als auch Intentionen von Märchenbearbeitungen in Medien genauer zu umschreiben, scheint es präziser, von Filmmärchen oder Fernsehmärchen zu sprechen.

Auch wenn man sich über sehr viele anspruchslose Märchenbearbeitungen in den Medien ärgern kann, so muß doch gleichfalls festgestellt werden, daß manche Kritik an medialen Märchenbearbeitung einseitig und unglaubwürdig war: da wurde weitgehend die Möglichkeit der ästhetischen Sensibilisierung durch künstlerische Medienproduktionen vernachlässigt; da wurde unreflektiert auf einer Unveränderbarkeit des Märchens beharrt; da kam der Aspekt der Gegenwartsmärchen kaum ins Blickfeld; da diskutierte man wenig über Medienspezifika, über die verschiedenen Möglichkeiten des Erzählens mit Kamera und Mikrophon: stattdessen wurde über eine Imitation von Erzählsituationen in Medien nachgedacht (Möncheberg-Kollmar 1972, S. 175; Bruns 1980, S. 350). Medien, vor allem aber Bildmedien, wie dem Fernsehen oder dem Kino wurden von den Apologeten und Fetischisten eines „echten" Märchenerzählens jeglicher künstlerischer Wert abgesprochen, genauer gesagt: der Beitrag audiovisueller Produktionen für eine Entfaltung für Phantasie und Emotion wurde nicht erkannt. Das mag damit zusammenhängen, daß beispielsweise dem „plebeiischen Massenmedium" Film (genau wie später der Schallplatte oder dem Fernsehen) zerstörerische Wirkungen auf bestehende kulturelle Normen und Werte nachgesagt wurden. Diesen bilderstürmerischen Positionen, die man heute noch der Tendenz nach in manchen didaktischen Konzeptionen finden kann (wenn auch nicht mehr so spekulativ und wortgewaltig begründet), sind die ästhetischen Sensibilisierungsmomente einer an künstlerischen Prinzipien orientierten Film- und Schallplattenproduktion bzw. medialen Märchenbearbeitungen entgegenzustellen. Dies soll in drei Thesen geschehen, die anschließend erläutert und konkretisiert werden:

1. Für Märchenadaptionen in Film, Fernsehen und auf Platte ist zu fordern: a) Die Diskussion um das Für und Wider der Märchen in den letzten Jahren muß in die medialen Umsetzungen einfließen. b) Diese Umsetzung muß mit mediengerechten und -spezifischen Mitteln erfolgen. c) Bei der Bearbeitung von Volksmärchen muß verdeutlicht werden, daß die vorgestellte Interpretation nur *eine* Möglichkeit darstellt, daß man Schwerpunktsetzungen vorgenommen hat. d) Märchenfilme und -platten haben „offene" Formen zu sein, die das „Unfertige" hervorheben, wobei „unfertig" nicht nachlässig meint. e) Mediale Märchenbearbeitungen müssen berücksichtigen, daß sich Medienprodukte erst in den Köpfen der Rezipienten vollenden. f) Die Produktionen haben weiterhin das Wahrnehmungsvermögen der Kinder gleichermaßen zu berücksichtigen wie zu entwickeln. g) Mediale Märchenbearbeitungen sollten nach Möglichkeiten suchen, Kinder schon während der Produktion zu beteiligen, oder ihnen anbieten, den selbständigen produktiven Umgang mit den Medien zu vollziehen.

2. Unbestreitbar sind die Qualitäten des Erzählens, so daß Medienerzählungen als *eine* Form der Erfahrungsvermittlung zu akzeptieren sind, wobei hinzugefügt werden muß, daß das unmittelbare Begreifen und Erleben sicherlich der frühkindlichen Weltwahrnehmung angemessener ist. Wenn

Zwei Werbe-Graphiken für Rotkäppchen-Filme. Das Dirndl mit Blumen-strauß heißt bezeichnenderweise Heidi (links). Das Mädchen mit den Kuller-augen hat starke Ähnlichkeit mit Micky Mouse. Beide Filme versprechen, ,,viel Freude" zu bereiten.

Medien diese positiven Funktionen zugewiesen werden, dann nicht den Me-dien allgemein, sondern jenen, die sich auf das kindliche Subjekt ernsthaft einlassen und nicht seine Gefühle und Interessen zur Legitimierung hoher Einschaltquoten oder Verkaufsziffern nutzen.

3. Die alltäglichen Erfahrungswelten der Kinder haben sich ebenso verän-dert wie die gesellschaftliche Stellung der Heranwachsenden. Für die Kinder ist die Medienvielfalt alltäglich, zu einer zweiten Natur geworden. Damit sind aber Veränderungen in den Wahrnehmungsmustern und in der Erfah-rungsvermittlung einhergegangen. Auch Märchenverfilmungen haben dies zu berücksichtigen; nicht um einem blinden Fortschrittsfetischismus zu huldi-gen, sondern um das Für und Wider von Vergangenem und Neuem differen-zierter einschätzen zu können. Anders ausgedrückt: Welche Formen geschicht-lich überlieferter und welche in das Heute hineinreichende Wahrnehmungs-muster, Erfahrungsmöglichkeiten und Kommunikationssituationen kann man übergehen, ohne daß wichtige ästhetische Sensibilisierungsprozesse beim Kind davon unberührt bleiben? Welche eventuell nicht mehr aktuellen Formen muß sich das Kind aber aneignen, um gegenwärtige Formen von ,,neuer Sinnlichkeit" und Momente ästhetischer Erziehung kritisieren zu können? (Pazzini 1980, S. 173).

Hier soll auf einige Aspekte der Thesen eins und zwei noch näher einge-gangen werden. Die von Lüthi festgestellten Märcheneigenschaften wie Ein-dimensionalität, Flächenhaftigkeit, Allverbundenheit und Welthaltigkeit

(Lüthi 1977) auf der einen sowie die Forderung nach einer Berücksichtigung von Medienspezifika auf der anderen Seite stellen bei einer medialen Adaption keinen Widerspruch dar. Denn die Arbeit mit medienspezifischen Mitteln meint ja, mittels Kamera und akustischen Mitteln das Phantastische, Realistische, das Schwebende der Märchen herauszustreichen, Möglichkeiten zur Imagination, zum Weiterfabulieren anzubieten. Die Berücksichtigung der Medienspezifika hat zur Konsequenz, auf das Nachstellen von mündlichen Kommunikations- und Erzählsituationen, auf die Verfilmung von Märchentheater grundsätzlich zu verzichten. Je stärker man sich an Märchentraditionen anlehnt, desto eher gibt es ein unzulängliches mediales Mischprodukt, das weder den Medien- noch den Märchenkenner zufriedenzustellen vermag. Märchen in den Medien sollten das spontane, improvisierte Spiel der Darsteller berücksichtigen, so durch den Verzicht auf ein ausformuliertes Drehbuch, denn wie kaum ein anderes Medium ist beispielsweise der Film geeignet, zugleich zu abstrahieren und zu konkretisieren, die Schwebe zwischen Fiktion und Authentizität, zwischen Traum, Phantasie und Wirklichkeit zu halten. Schon deshalb muß es erstaunen, daß es in den bundesdeutschen Medienangeboten kaum Gegenwarts- und moderne Märchen gibt: Zum einen deshalb, weil dadurch überzogenen Aktualisierungen des Volksmärchens aus dem Wege gegangen werden kann; zum anderen, um die Möglichkeiten des Genres Märchen bzw. den Stellenwert des medialen Erzählens durch gegenwartsbezogene Themen stärker herauszustreichen; zum dritten bietet das Gegenwartsmärchen Ansätze, die Phantasie als subversive Kritikinstanz an entfremdeter gesellschaftlicher Realität einzusetzen, Tagträume als Mittel einer anderen, besseren Wirklichkeit einzusetzen; schließlich können Gegenwartsmärchen, können märchenhaft-phantastische Erzählungen Personen, Stoffe, Umwelten rücksichtsloser, radikaler und unkonventioneller gestalten. Denn die Schwierigkeiten bei der filmischen Bearbeitung von Volksmärchen sollten selbst dann nicht unterschätzt werden, wenn es gelingen sollte, das Märchen mit der Kamera neu zu erzählen. Die Probleme liegen dabei auf zwei Ebenen. Zum einen eignen sich nicht alle Märchen für eine mediale Bearbeitung[6], zum anderen ergeben sich Schwierigkeiten bei der Veränderung von Requisiten. Sie sollten aber generell möglich sein – allerdings nicht als aufgesetzte Erneuerungen oder modischer Firlefanz vor allem in technischen Details. Hermann Bausinger hat dies zurecht als „Naivität aus der Retorte" kritisiert (Bausinger 1960, S. 281). Gleichwohl muß von Märchenbearbeitungen verlangt werden, daß sie Akzente setzen, Eigenschaften der Charaktere gewichten, Haupt- und Nebenfiguren herausheben, neue Figuren hinzufügen. Und auch die Eigenschaften von Märchenpersonen wie die Eindimensionalität oder Flächenhaftigkeit brauchen durch die Verbildlichung und Gestaltannahme nicht beeinträchtigt zu werden; gerade eine erzählende Kamera kann verdeutlichen, wie Personen das Traumhaft-Wunderbare als völlig normal erleben, wie die Dimensionen von Zeit und Entwicklung ausgeschaltet bleiben. Filmische Mittel wie Montage, Schnitt, Rückblenden, Zeitraffer, Kamerafahrt oder -einstellungen, handlungsbezogen eingesetzt, geben dem Regisseur einen Reichtum an technisch-künstlerischen Mitteln in die Hand, dem das erzählte Wort immer nachstehen muß. Bilder legen nicht fest, sondern rufen Assoziationen, Träume, Phantasien hervor. Denn die Aneignung von Bildern hat viel mit der alltagsweltlichen Erfahrung und den Sehnsüchten der Rezipienten zu tun. Kinder sehen und hören jene phantastischen Geschichten, die eine schnelle emotive Beteiligung versprechen, beispielsweise deshalb, um im Alltag nicht geforderte Persönlichkeitsbereiche zu befriedigen oder alltägliche Frustrationen zu kompensieren. Je schneller ein Stoff eine gefühlsmäßige Anteilnahme oder Fluchtphantasien verspricht, desto attraktiver und subjektiv bedeutsamer ist er für das betreffende Kind. Hier liegt denn auch ein Nachteil einer an künstlerischen Prinzipien orientierten filmischen Erzählweise. Kindern ist häufig die Art und Weise, wie sie emotiv beteiligt werden gleichgültig. Für sie zählen Spannung und Erlebnis während der Aneignung, und *daran* wird die Qualität des (Fernseh-)Films gemessen — nicht daran, inwieweit Abenteuer oder Spannung durch medienspezifische und -unspezifische Mittel erzeugt werden. Von daher ist die Forderung nach künstlerisch-anspruchsvollen Medienerzählungen zunächst eine Erwachsenenperspektive, die sich zwar zum Anwalt der Kinder macht, aber wohl nur selten in ihrem Namen spricht. Künstlerisch anspruchsvoll darf deshalb nicht heißen, an Kommunikationsbedürfnissen und -interessen der Kinder vorbei zu argumentieren, sondern die berechtigten Kommunikationsansprüche der Kinder in emanzipatorischer Hinsicht zu fördern und zu entwickeln. Es kann nicht darum gehen, Kindern Film- oder Fernsehbilder zu verbieten, sondern den Phantasiereichtum audiovisueller Produktionen zu erkennen. Film und Fernsehen können Künste sein. Wenn es Macher gibt, die durch ihre Produktionen ständig das Gegenteil beweisen, spricht das gegen die Macher, nicht gegen die Bilder. Man sollte sich allmählich daran gewöhnen, veränderte Formen der Assoziation und Phantasie, wie sie die Bildmedien nun einmal mit sich bringen, auch daraufhin zu betrachten, inwieweit sie einen Beitrag zur ästhetischen Erziehung leisten können. Bei dieser Einschätzung kommt es auch auf die angesprochene Altersstufe an. Dies ist vor allem damit zu begründen, daß sich anspruchsvolle Film- und Fernsehproduktionen auf das Wahrnehmungsvermögen ihrer Zuschauer einstellen sollten. Denn Kinder müssen erst lernen, mit den filmsprachlichen Codes umzugehen, müssen erfahren, wie die Bedeutung von Montage und Schnitt, von Kamerabewegung und Einstellungsgröße, von hell und dunkel, laut und leise in Bezug zur Handlung zu setzen sind, um sich das Gesehene oder Gehörte bewußter aneignen zu können. Denn je mehr Wissen den Kindern über die ästhetische Gestaltung eines Mediums zur Verfügung steht, desto größer dürften Kritikfähigkeit *und* Spaß während der Rezeption sein, desto weniger dürften sie von dem, was sie gesehen haben, überfahren werden (Jensen 1980, S. 252–347; Bauer 1980; Vitouch 1978, S. 195–213). Dieses Wissen über das Gemachte, das Produzierte eines Mediums stört keinesfalls die Phantasie oder die Imaginationslust der Kinder, sondern ist im Gegenteil eine Bedingung dafür, daß sie sich während der Rezeption dem betreffenden Medium hingeben können und gleichzeitig die Gewißheit haben, die emotionale Balance halten zu können (Jensen 1980).

Märchenbearbeitungen im Film und im Fernsehen

Verschiedene Ansätze filmischer Märchenadaptionen und Möglichkeiten des filmischen Gegenwartsmärchens sind besonders gut am Kinderfilm der realsozialistischen Staaten (UdSSR, ČSSR, DDR) zu verdeutlichen, denn dort gibt es schon über Jahrzehnte hinweg eine filmkünstlerische Tradition in der Gestaltung von Filmmärchen. So produzieren die Sowjetunion seit den dreißiger Jahren, die DDR und die ČSSR seit den fünfziger Jahren audiovisuelle Märchenbearbeitungen – und 1965 auf der Kinderfilmkonferenz in Gottwaldow standen u.a. Probleme der Märchenverfilmung im Mittelpunkt der äußerst kontroversen Diskussionen[7]. Eine derart reflektierte und kontinuierliche Tradition in der Bearbeitung des Film- und Fernsehmärchens ist in der Bundesrepublik nicht festzustellen – sieht man einmal von Lotte Reinigers Scherenschnittfilmen in den dreißiger Jahren ab. Auch die Märchenfilme der fünfziger Jahre entsprangen eher wirtschaftlichen als filmkünstlerischen Überlegungen. Realistische Märchenfilme im Fernsehen der sechziger Jahre kamen in ihrer idealistischen Konzeption kaum über die frühen Vorbilder hinaus, versuchte man doch einerseits Märchen durch eine werkgetreue Bearbeitung, andererseits dem Medium Film durch langatmige Landschaftsdarstellungen, Schnittmontagen oder verschiedene unmotivierte Kameraeinstellungen Rechnung zu tragen, ohne jedoch eine überzeugende Synthese zu finden. Und auch das Nachstellen der Situation des Märchenerzählers vor der Kamera mußte unbefriedigend bleiben. Erst in den siebziger Jahren werden Ansätze sichtbar, neue Wege bei der filmischen Adaption von Märchen zu gehen. Dabei wird deutlich, daß es hier erstaunliche, wenn auch nicht unbedingt vergleichbare Parallelen zu Prinzipien der Märchenbearbeitungen in der DDR gibt. Allerdings muß darauf hingewiesen werden, daß die westdeutschen Versuche längst nicht so zahlreich sind wie in der DDR, so daß die im folgenden erwähnten Beispiele eher die Ausnahme als die Regel darstellen. Es sind aus der Vorschulreihe „Das feuerrote Spielmobil" die Folge „Schneewittchen" und der bundesdeutsche Kinderfilm „Ein Tag mit dem Wind".

Die Serie „Das feuerrote Spielmobil" wurde Anfang der siebziger Jahre vom Bayrischen Rundfunk produziert, wobei versucht wurde, sie als Gegenmodell zur „Sesamstraße" und zu anderen Vorschulmagazinen aufzubauen. Der Märchenfilm „Schneewittchen" wurde Mitte der siebziger Jahre hergestellt und läuft noch heute verschiedentlich in den dritten Fernsehprogrammen.

Der Untertitel des Films lautet: „Frei nach einer Erzählung der Gebrüder Grimm". Trotzdem sind Struktur und Inhalt, was Handlungsablauf und Personenkonstellationen angeht, weitgehend unverändert geblieben. Das betrifft vor allem die Gestaltung von Schneewittchen, die Verteilung der Attribute Gut und Böse sowie die Funktion der Zwerge als ein unwirkliches, mystisches und phantastisches Element. Veränderungen zeigen sich bei der Benennung von Figuren, der Einführung neuer Personen, dem Ausmalen und der Aufwertung vorhandener Figuren, einer veränderten und erweiterten Erzählperspektive sowie beim offenen Schluß[8]. Hinzu kommen Akzentuierungen. Die Königin entwickelt sich zur Bösen, sie ist es nicht von vornherein[9]; die Handlungsepisoden sind klar, und die Entwicklung der Handlung ergibt sich logisch aus den einzelnen Szenen; hinzu kommt eine teilweise psychologische Deutung von Handlungsmotiven. Die offene Schlußszene fordert zum Weiterdenken auf, etwa dahingehend, daß Märchen etwas mit Entwicklung und Veränderung zu tun haben, daß Märchen Anregungen zum Nachdenken geben können. Die vorliegende Produktion stellt eine bewußte Abkehr von den kitschig-pompösen Märchenfilmen, von der damit verbundenen romantischen Verklärung einer heilen Welt in anderen Produktionen dar. Durch den behutsamen Umgang mit technischen Mitteln, durch Akzentuierungen und leichte Veränderungen ist es gelungen, die Grenze zwischen Märchenwelt und Realität, zwischen Vergangenheit und Gegenwart zu symbolisieren und in der Schwebe zu halten. Filmische und vorfilmische Mittel werden dabei beispielhaft eingesetzt.

Mit vielen Preisen wurde der bundesdeutsche Kinderfilm „Ein Tag mit dem Wind" prämiert, der 1978 von Haro Senft produziert wurde. Darin ist die Suche eines achtjährigen Jungen nach seinem Hasen beschrieben. Es ist ein Weg, sich selbst zu finden, mit Träumen zu leben, die Probleme des Alltags mit Vertrauen in die eigenen Kräfte anzugehen.

Der Regisseur Haro Senft hat in einem Interview dargelegt, warum er im Film sehr bewußt auf die Tradition des Märchens zurückgegriffen hat: „Sie (die Märchen) bereichern die Phantasie und die Emotionen genauso wie die intellektuellen Fähigkeiten. Darüber hinaus sind die Märchen und Mythen die besten Helfer bei inneren und äußeren Konfliktsituationen, weil sie Konflikte nicht mit dem berühmten pädagogischen Zeigefinger lösen, sondern vielmehr der Phantasie und der inneren Erlebnismöglichkeit den entsprechend notwendigen Spielraum lassen. (. . .) Wesentlich erscheint mir, daß wir Phantasiebereiche, Trauminhalte und auftretende Mythologeme nicht von unserer gegenwärtigen Realitätsebene getrennt betrachten und darstellen. So wie das gute Märchen in sich bereits zwei heute nicht mehr deutlich erkennbare Realitätsebenen aufbaut, um besser in seinem wahren Inhalt nachvollzogen werden zu können, sollten wir uns bemühen, die schöpferischen Kräfte in unserer oft sehr blassen Wirklichkeit zuzuführen" (Muffler–Kluth 1978, S. 26). In „Ein Tag mit dem Wind" wird zum einen ein Held vorgeführt, ein alltäglicher, kein dressierter Held, der seine Abenteuer in einer alltäglichen Umwelt zu bestehen hat. Der Film führt ein Kind vor, das zeigt, wie man Erfahrungen machen kann, daß man Emotionen besitzen, Gefühle zeigen und ausleben darf, daß man auf die eigenen Fähigkeiten und Möglichkeiten zur Realitätsbewältigung zurückgreifen kann. Der Film verdeutlicht, daß Noch-nicht-Wissen nicht heißt, Nicht-Denken-Können, und er erkennt die Phantasie der Kinder als Mittel zur Realitätsaneignung an, tut sie nicht als Phantasterei ab. Sowohl auf der kinematographischen – d.h. z.B. die Arbeit mit langen Einstellungen und Schwenks – als auch auf der vorkinematographischen Ebene – d.h. z.B. durch die differenzierte Verwendung von Licht, Farbe und Musik – wird Stimmung, Atmosphäre, eine ruhige Grundstimmung erzeugt. Nicht äußere Hektik macht den Film spannend, sondern seine innere Dynamik, die sich aus dem Weg des Helden ergibt. Damit durchbricht der Film die vorherrschenden Sehgewohnheiten von Kindern, weil er seine dramatischen Elemente nicht aus einer aufgesetzten Höhepunktdramaturgie gewinnt, sondern sie aus einer alltäglichen Handlung heraus entfaltet. Die Produktion ist ein hervorragendes Exempel für die eingangs erwähnten Qualitäten des Erzählens: dieser Film und das mündliche Erzählen, beide erfordern Zeit, um die Handlung zu entfalten, beide vermitteln wichtige Erfahrungen; beide nehmen das Kind als Subjekt ernst, gehen auf dessen Phantasien und Wahrnehmungsvermögen ein; beide dokumentieren, wie Phantasie und Realität zusammengehören; beide sind konkret und abstrakt zugleich; beide zeigen auch, daß emotionales Beteiligtsein möglich ist, ohne daß man durch „action" emotional völlig überfahren und verängstigt wird.

Genau wie in den fünfziger Jahren der westdeutsche Kinderfilm mit dem Märchenfilm gleichzusetzen war, bestand das Angebot an Kinderschallplatten zum überwiegenden Teil (über 80 Prozent) aus Märchenplatten. Noch bis zum Anfang der siebziger Jahre dominierten bekannte Volksmärchen im Tonträgermarkt für Kinder, moderne oder Gegenwartsmärchen ließen sich fast nicht finden. In der ersten Hälfte der siebziger Jahre verdrängten dann billig produzierte Abenteuerplatten oder Tonträger mit TV-gebundenen Themen die Märchen, so daß gegenwärtig das Genre „Märchen" nur noch ein Viertel des Gesamtrepertoires ausmacht (Hengst 1979; Rogge 1982). Gleichwohl sind einige Strukturelemente geblieben: jeder größere Schallplattenkonzern hat die beliebtesten Volksmärchen (etwa 10 bis 20 Titel) im Programm, die nachwievor *eine* finanzielle Basis des Marketings bilden. Denn Märchenschallplatten sind meistens (im wahrsten Sinne des Wortes) billige Produktionen. Märchen stellen urheberrechtsfreie Stoffe dar. Und unterlegt man den medialen Bearbeitungen noch lizenzfreie Musikeinlagen, bleiben für die Konzerne nur noch die unmittelbaren Produktions- wie Vertriebskosten. So kann davon ausgegangen werden, daß Märchenplatten Dauerseller bleiben. Und wenig geändert haben sich die Adaptionsformen des Märchens, wenn sich auch die Bearbeitungs„moden" etwas verlagert haben. Überwog in den fünfziger und zu Anfang der sechziger Jahre noch das erzählte bzw. rezitierte Märchen (vor der Hörfolge und der Hörspielbearbeitung des Märchens), so stellt in den letzten Jahren die Hörfolge — worunter eine Reihung gespielter Dialogszenen verstanden wird, die von einem Erzähler verbunden sind — das häufigste Bearbeitungsprinzip dar.

Schon das erzählte bzw. rezitierte Schallplattenmärchen war keineswegs eine werkgetreue Umsetzung des Märchens, auch wenn der überwiegend tantenhaft-betuliche Erzählstil eine persönlich-emotionale, ganz in der Märchenerzähltradition stehende Note vermitteln sollte. Und selbst die bloße Rezitation des Märchens durch bekannte Schauspieler verdeckte nicht jene kleinen Bearbeitungen, die das Märchen — ganz im Sinne der Ideologie der fünfziger und sechziger Jahre — mit kindertümelndem Beiwerk versahen. Die Kritik trifft also nicht die Adaption schlechthin, sondern geht dagegen an, dem Märchen durch die Einführung nichtssagender Adjektive, ausschmückender Adverbien oder neuer Objekte bzw. dem Aufbau einer Rahmenhandlung jene Aussage zu geben, die einer konservativen Kinderliteratur- bzw. Märchenpädagogik entgegenkam.

Weitaus stärkere Eingriffe wies die Märchenhörfolge bzw. das Märchenhörspiel auf. Dies nicht nur wegen der eben angesprochenen „kleinen"

Änderungen, sondern vor allem deshalb, um möglichst viele Märchen (meist vier) auf die Vor- und Rückseite einer Langspielplatte bzw. Musikcassette zu pressen. Während sich die Hörfolge insofern an das Märchenvorbild hält, als sie fast ausschließlich die Dialoge aus dem Originaltext in Spielszenen übersetzt und den weiteren Text von einem Erzähler in häufig sehr persönlichem Stil vortragen läßt, löst das Märchenhörspiel den Stoff in Spielszenen auf, wobei dem Erzähler bloß die Rolle eines Kommentators bleibt. Bei der Mehrzahl der auf dem Markt befindlichen Schallplattenmärchen (weit über 80 Prozent) kann ein legerer, nachlässiger Umgang mit dem Märchenstoff konstatiert werden. Da werden erzählende Teile gekürzt, die Handlungsmotivationen der beteiligten Personen verändert, da finden sich unzulässige bzw. lächerliche Aktualisierungen, da werden Dialogszenen zu „action"- oder Klamaukszenen, und eine naturalistische Geräuschkulisse bzw. sentimental-rührselige Musik soll als Hör„kleister" jene Emotionen beim Hörer aufbauen, die die nachlässige bzw. „schlampige" Produktion ansonsten eher verhindern würde. Festzustellen bleibt, daß sowohl die Hörfolge, das Hörspiel als auch das rezitierte Märchen kaum jene Medienspezifika berücksichtigen, die die Tonträger auszeichnen: z.B. durch die Kombination von verschiedenen Stimmen, identifizierbaren Geräuschen und der Musik als eigenständiger Aussage ein Produkt zu schaffen, das neben dem produktiven Vergnügen und einer humorvollen Unterhaltung auch der ästhetischen Sensibilisierung des Hörsinns dienen könnte. Während bei der Hörfolge bzw. dem Hörspiel zumindest Ansätze sichtbar werden, die wegen des dominierenden kommerziellen Verwertungsinteresses aber zum Scheitern verurteilt sind, kann man das rezitierte bzw. erzählte Märchen allenfalls als Sprechplatte bezeichnen, die auf relevante Charakteristika eines Tonträgers (z.B. Aufbau eines Hörraums durch Geräusche, die Musik als ein handlungstragendes Element) verzichtet. Erzählte Märchenplatten sind so nicht mehr als eine Art auditiver Märchendokumentation.

Aus der Vielzahl an austauschbaren Tonträgermärchen[10] ragen zwei Produktionen besonders heraus, weil sie auf unterschiedliche Art und Weise Möglichkeiten für das Märchen auf Tonträgern anbieten: da ist zum einen die „Rotkäppchen"-Fassung in Anlehnung an Jewgenej Schwarz aus dem Pläne-Verlag als Beispiel für eine medienadäquate Bearbeitung eines Volksmärchens, da sind zum anderen „Neue Märchen: zum Lesen, Hören, Selbermachen" als Beispiel für ein Gegenwartsmärchen auf Tonträgern, die gleichzeitig zu einem produktiven Umgang mit elektronischen Medien auffordern[11].

Die Langspielplatte aus dem Pläne-Verlag geht mit dem Rotkäppchen-Stoff auf so hintergründige Art und Weise um, daß weder die ursprüngliche Handlung verloren geht noch die neu eingefügten Figuren oder veränderte

Handlungsmotivationen bekannter Personen als aufgesetzter Firlefanz erscheinen. Auch die Umdeutung anthropromorpher Stereotypen (z.B. daß Hasen immer ängstlich sein müssen) entwickelt sich schlüssig aus der Handlung. Die vorliegende Produktion beweist einerseits, daß die Phantasie ihre eigene Logik hat, andererseits wie tragend der musikalisch-akustische Rahmen für eine dem Medium angemessene Produktion ist. Wohl einmalig ist der Versuch, die Medienspezifika einer Platte selbst auf der Platte zu thematisieren. Denn der Erzähler des Märchens ist die Platte selbst. Durch Kratzgeräusche oder veränderte Laufgeschwindigkeiten wird das dem kindlichen Zuhörer an verschiedenen Stellen gezeigt. Das Experimentierende dieser Rotkäppchen-Bearbeitung wird dadurch partiell verdeckt, daß an alltägliche Hörgewohnheiten der Kinder angeknüpft wird: sei es, daß einige Tierstimmen an die von bekannten Slapstik- oder Zeichentrickfilmen erinnern, oder daß Lieder auf kindliche Musikvorlieben eingehen. Absolut überzeugend ist die Integration akustischer und musikalischer Elemente. So sind die Vielzahl an Hauptfiguren nicht nur durch ihre Stimmen, sondern genauso auf Grund spezifischer Melodien und Instrumente identifizierbar; bestimmte Lieder tauchen als Leitmotive immer dann auf, wenn die jeweiligen Handlungsträger neu auftreten. Die vorgestellte Rotkäppchen-Fassung ist im Hinblick auf den Einsatz von Medienspezifika, wie sie die gegenwärtige Technik der Tonträgerproduktion bereitstellen, richtungsweisend.

Ein anderer Versuch dürfte — wenn auch längst nicht so umfassend gelungen — doch auf seine Art ein innovativer Schritt sein. Gemeint ist jene Intention, den Kindern durch die eigenschöpferische Umsetzung märchenhaft-phantastischer Stoffe Möglichkeiten in die Hand zu geben, wie man selbständig mit technischen Medien umgehen kann. Denn Tonträger, vor allem die Cassette, bieten auf Grund der leichteren technischen Handhabbarkeit interessante Ansätze, Kinder als Produzenten von Märchen herauszustellen, künstlerische Mittel eigentätig und produktiv einzusetzen. Hierfür sind die Märchen von Theo Geißler und Jörg Grünler ein Beispiel. Die erste und zweite Geschichte der Cassette sind Gegenwartsmärchen, die nur aus wenigen gesprochenen Sätzen bestehen, so daß Teile des Handlungsgeschehens ausschließlich durch Geräusche dargestellt werden. Diese eigenständige akustische Ausmalung nötigt den Hörer zu bewußter Wahrnehmung der meist im Hintergrund eher beiläufig aufgenommenen Geräusche bei anderen Produktionen. Die dritte und vierte Erzählung geben nur das Verbale bewußt vor und sollen von den Kindern selbständig vertont werden. Ein Beiheft gibt dazu konkrete Arbeitsvorschläge und Hinweise zur Medienarbeit mit Kindern. Genauso originell wie der Ansatz sind die Geschichten. „Die kleine Weltreise" erzählt von einem Mann, der in einem Taxi durch die Stadt fährt, in der er schon jahrelang wohnt und dort mit einem Mal alles fremd findet. Ein „Flugplatz für Winkelhausen" zeigt einen ehrgeizigen Bürgermeister, der den Marktplatz seiner Kleinstadt zum Großflughafen ausbaut, um Touristen für seine malerische Kleinstadt anzulocken. „Peter Purzelbaum" ist ein Junge, der nicht mit anderen Kindern spielen darf und der „Held des Dschungels" stellt einen Schauspieler vor, der in der illusionären Filmwelt Superman und in Wirklichkeit ein Versager, ein Schwächling ist. Die Produktion von Geißler/Grünler stellt einen wichtigen Versuch dar, Realität und Phantasie zu verbinden, auf medienästhetische Elemente hinzuweisen, die Wahrnehmung des Hörsinns durch schöpferische Tätigkeiten zu sensibilisieren, Kinder zu künstlerischen Eigenaktivitäten anzuregen und zu zeigen, wie man auch mit elektronischen Medien selbsttätig umgehen kann.

Über Möglichkeiten von Märchenadaptionen – ein Fazit

Es ging im bisherigen Beitrag nicht darum, jene Vielzahl an anspruchslosen medialen Märchenadaptionen und jene Fehler bei der Umsetzung der Märchen in Film oder auf Schallplatte aufzulisten, um schließlich in einer Negativkritik steckenzubleiben oder gar die Unmöglichkeit von Medien-Märchen zu beweisen. Denn die Anspruchslosigkeit vieler vorhandener Märchenproduktionen kann fast immer auf drei schwerwiegende und folgenreiche Versäumnisse zurückgefügt werden: 1. auf ein grundsätzliches Desinteresse sowohl am Märchen als auch an Medienproduktionen, die versuchen, die jeweiligen Spezifika eines Mediums für die Herstellung erzählender Film- oder Hörbilder einzusetzen: 2. auf jene Bestrebungen, das Märchen als vermeintlich traditionelles Kulturgut für ideologische Zwecke (wie z.B. der deutsche Märchenfilm in den dreißiger oder in den fünfziger Jahren) oder für kommerzielle Verwertungsinteressen (z.B. in der Werbung oder als „Anreißer" für Marketingstrategien) zu nutzen: 3. auf die Versuche traditionalistisch-kulturpessimistischer Statthalter einer erzählten Märchentradition, die aus opportunistischen Erwägungen bestimmte Medien (z.B. die Schallplatte) zwar nicht ablehnen, aber bei der Bearbeitung einer unreflektierten Übertragung der mündlichen Kommunikationssituation in ein technisches Medium das Wort reden.

▷

Eines der wenigen Plakate, die vom üblichen billigen Hollywood-Stil abweichen. Dennoch bleiben die Betonungen des konventionellen weiblichen Schönheitsideals (blonde lange Locken, blaue Augensterne, knallroter Mund) und die Embleme des Reichtums (Krone, Ärmelstulpen und Kugel in hellem Gelb).

Der Froschkönig

Ein Märchenfilm
nach den
Brüdern Grimm
Verleih:
FRITZ GENSCHOW FILM
Berlin

Ausgegangen wurde in den vorliegenden Darstellungen von der Überlegung, daß es möglich ist, Märchen, Phantasie und Träume mit der Kamera oder dem Mikrophon zu erzählen. Bei der Berücksichtigung von Medienspezifika erhält das Produkt allerdings veränderte Qualität: es ist ein filmisch bzw. auditiv erzähltes Märchen, ein künstlerisches Produkt, das zu einer umfassenden ästhetischen Erziehung beitragen kann (Traumarbeit, Phantasie als Mittel der Realitätsaneignung, als Kritik an entfremdeter Realität, als Sensibilisierung des Wahrnehmungs- und Hörsinns, als Erfahrung von Emotion und Sinnlichkeit), die für die emotionale Entwicklung der Kinder bedeutsam ist. Die vorgestellten positiven Möglichkeiten medialer Bearbeitungsansätze von Märchen sollten weiter verdeutlichen:

— Hör- bzw. Filmbilder sind zweideutig unbestimmt, können sich erst im Erleben der Kinder, in der Bedeutungszuweisung durch die Kinder vervollständigen. Hör- und Filmbilder brauchen genausowenig festzulegen wie die Stimme des Erzählers, des Drumherums der mündlichen Kommunikationssituation.

— Auch Medien-Märchen können deshalb die Schwebe zwischen Phantasie und Realität halten, ein ähnlich produktiv-unterhaltsames Vergnügen darstellen wie es das mündlich erzählte Märchen hervorzurufen vermag.

— Gleichwohl sind Schwierigkeiten und Probleme bei der Umsetzung mancher Volksmärchen unverkennbar (z.B. bei der Darstellung von Tieren, der Wiedergabe von Stimmen, der filmischen Umsetzung von Zeitläufen, der Darstellung historisch-sozialer Situationen u.ä.). Und auch der Weg über Aktualisierungen, der Herstellung von Gegenwartsbezügen oder der Erklärung von vergangenen Situationen bzw. Wortbedeutungen eignen sich nur selten. Diese Einschränkung hinsichtlich der Bearbeitungsmöglichkeit aller Volksmärchen hat weniger mit dem Beharren auf Werktreue zu tun als damit, aufgesetzt wirkende Neuerungen zu vermeiden.

— Von daher sind jene Anstrengungen besonders zu begrüßen und zu unterstützen, die märchenhaft-phantastische Elemente für die Gestaltung von Gegenwartsstoffen benutzen. Moderne Märchen bieten anschauliche bzw. nachvollziehbare Möglichkeiten, jenen Lebens- und Erfahrungszusammenhang des Märchens zu dokumentieren, den das pädagogisch zugerichtete (Kinder-)Märchen verloren zu haben scheint. Erst durch Gegenwartsmärchen dürfte es wieder möglich sein, alternative Sichtweisen auf eine unverrückbar erscheinende Realität anzubieten, einer Sichtweise mithin, die in der Mischung von Phantasie und Realität gerade (früh-)kindlichen Wahrnehmungs- und Aneignungsweisen zu entsprechen scheint.

— Damit ist ein weiterer Aspekt verknüpft: das mediale Gegenwartsmärchen vermag den Blick dafür zu öffnen, daß das Märchen nur ein kleiner Teil einer alltäglichen Erzähltradition sein kann. Dadurch kann einerseits Borniertheiten und Starrheiten in der ideologischen und traditionalistisch-verengten Betrachtungsweise des Märchens vorgebeugt, andererseits der Blick auf allgemeine filmische wie auditive Erzähltraditionen geöffnet werden. Schon allein deshalb sind die Möglichkeiten medialer Märchenbearbeitungen ausschließlich im Gesamtkontext einer umfassenden alltäglichen Erzählpraxis zu sehen. Und je „offener" sich diese medialen Erzählformen darbieten, desto produktiver, bedeutungsreicher kann sich die Aneignung solcher Produkte durch den kindlichen Rezipienten darbieten. Wie Kinder mit Medien-Märchen umgehen können, welche Bedeutung die verschiedenen medialen Gestaltungsmittel dabei haben, soll noch an Hand einiger Beobachtungen wenigstens ansatzweise angerissen werden.

Anmerkungen zur Rezeption

Die Behauptung Kino und Fernsehen würden alle Kinder ihrer Phantasiefähigkeiten und -tätigkeiten berauben, kann nur von jemandem gemacht werden, der noch nie oder nur selten mit Kindern im Kino oder vor dem Bildschirm gesessen hat. Eine sehr anschauliche Schilderung des ČSSR-Märchenfilmers Ota Hofmann verdeutlicht, was angemerkt werden soll: „Setzen wir bei den Filmschöpfern Meisterschaft voraus! Dann verblassen die Millionen Rundfunkschlösser, und der Schatten des Bildschirms wird noch grauer als gewöhnlich. Die heftige Phantasie der Filmleinwand ist vielleicht schneller als die Phantasie des Hörers. Die Dinge bewegen sich, verändern ihre Gestalt. Der Stuhl wird zum galoppierenden Pferd. Das Wölkchen am Himmel verwandelt sich in ein Schäflein und reiht sich in die Herde ein. Autos können fliegen genauso wie Menschen, der Löwe spielt Ziehharmonika, das Märchen erhält Flügel" (Hofmann 1964, S. 23). Rezeption, so verstanden, ist eigentlich ein irreführender Begriff, denn in Wirklichkeit findet während der Aneignung des Films eine weitere, man kann sagen „zweite Produktion" (Bitomsky 1972) des Films in den Köpfen, im Erleben der Zuschauer statt. Filmische Zeichen regen an, einen eigenen Film zu assoziieren, sich eigenen Träumen und Phantasien hinzugeben. Diese Produktion in der Phantasie ist nur möglich, weil das filmische Zeichen auf der konnotativen Ebene offen ist, Leerstellen aufweist, die selbständige Assoziationen unterstützen und ermöglichen. Allerdings kann — und das muß einschränkend hinzugefügt werden — diese Offenheit filmischer Zeichen auch eingeschränkt werden,

149

oder aber der Zuschauer ist auf Grund seiner Wahrnehmungskompetenz nicht in der Lage, die Aussage und Offenheit filmischer Codes zu verstehen (Jörg 1979). Es gibt bisher nur sehr wenige Untersuchungen, die sich mit dem filmischen Märchen oder dem Film allgemein und den Auswirkungen auf die Phantasietätigkeit der Kinder auseinandergesetzt haben. Und was manchmal über die Beeinträchtigung von Spiel, Kreativität und Phantasie durch Medien angemerkt wurde, ist vielfach spekulativ. Da stellte man die Behauptung auf, das Bild—Erleben werde beim Fernsehen animalisiert. „Der Genießer des Fernsehens lebt also in seinen Vorstellungen auf die gleiche Art, wie das Tier als ganzes wahrnehmend in seiner Umwelt lebt" (Heymann 1964, S. 23). Und Karl Heymann, der diese Überlegungen Mitte der sechziger Jahre anstellte, fährt fort: „Es bleibt dem Kind gar nichts anderes übrig, als die auf animalische Art bei ihm produzierten Bilder unverarbeitet und unverwandelt in seinen Bewegungsorganismus einfach abgleiten zu lassen. (...) Die Animalisierung kommt bei den Kindern durch das Fernsehen so ins Rollen, daß ihr werdendes Menschsein davon wie geprägt wird. Das ist aber zugleich ein Weg, der das Werden des Kindes in einen moralischen Schwachsinn hineindrängt. Das Fernsehen, so muß man also sagen, veranlagt bei Kindern bestimmte Formen des Schwachsinns, vor allem moralischen Schwachsinn. Dieser ist eben durch die Angleichung des kindlichen Verhaltens an tierischen Reaktionsweisen gekennzeichnet" (Heymann 1964, S. 25—26). Damit sind die medialen Bearbeitungen insgesamt diskreditiert, bildhaftes Denken wird gegen anschauliches Denken pseudophilosophisch ausgespielt. Die Diskussionen über das Für und Wider von Märchenfilm und Märchenplatte sind deshalb auch ein Exempel für eine bilderstürmerische Position in Bildung und Erziehung, die eine lange Tradition hat. Das Wort, die Sprache als Organismus, das Verbale „als das irrational Gewordene, mystisch Geheimnisvolle" (Glaser 1974, S. 223), wird höher eingeschätzt als das vermeintlich triviale Bild.

Renate Grimm, die in ihrer Dissertation „Der Einfluß des Fernsehens auf die produktive Phantasie des Kindes" als Ausgangsthese formulierte, daß Kinder mit hoher Fernsehnutzung über keine schöpferische Phantasie verfügen, d.h. das Gesehene mehr oder weniger reproduzieren, mußte als Hauptergebnis ihrer Untersuchung konstatieren, daß die Ausgangsthese auf Grund der erhaltenen Ergebnisse weder bestätigt noch widerlegt werden konnte. Grimms anschließende Feststellung jedoch, daß audiovisuelle Medien Kinder in eine *bestimmte* Richtung der Aneignungstätigkeit drängen könnten (Dumrauf 1979, S. 149—150), soll noch einmal aufgenommen werden.

Und auch die für ihre eher kritische Haltung zu Film und Fernsehen bekannte Margarete Keilhacker kommt in einer etwas älteren Untersuchung über „Das Verhältnis von Kindern zu erzählten Märchen im Fernsehen" zu Ergebnissen, an denen nicht vorbeigegangen werden darf (Keilhacker 1965). Sie beschreibt in ihrer Untersuchung die Reaktion von Kindern auf verschiedene Formen des Fernsehmärchens: zum einen auf ein mit Schauspielern dargestelltes, zum anderen auf ein durch einen Erzähler vorgetragenes Märchen. Interessant ist, daß mündlich erzählte Märchen als dem Medium nicht angemessen abgelehnt wurden. Auch hier ist wieder ein Beleg dafür gegeben, daß bei der Gestaltung von Medien auf die Medienkonzepte der Kinder zu achten ist (Jensen 1980 II). Noch wichtiger ist jedoch Keilhackers Feststellung, daß bei den Nacherzählungen der Kinder, die im Anschluß an die Sendung stattfanden, eine „selbständige Verarbeitung", eine „eigenständige Ausschmückung" zu beobachten war. Ihr Fazit: Es findet sich „kein Beleg dafür, daß der Film die Vorstellungskraft stärker eingeengt hätte als die Erzählung" (Keilhacker 1965, S. 77). Im Gegenteil: Die Darstellungen der Kinder, die den gespielten Film gesehen hatten, waren wesentlich origineller, die Zeichnungen wiesen größeren Phantasiereichtum auf als bei jenen Kindern, die nur das mündlich vorgetragene Märchen gehört und gesehen hatten (Keilhacker 1965, S. 77).

Rezeptionsstile, Aneignungsweisen hängen aber nicht nur von der Altersstufe der Kinder ab, sondern auch von der Gestaltung eines Films (Jensen 1980 II). Wer einen Märchenfilm der fünfziger Jahre sieht und das Verhalten der Kinder beobachtet, wird die atemlose Spannung, die Identifikation mit dem Helden, die zugehaltenen Augen und Ohren erleben und auch den lärmenden Abbau der Nervenanspannung nach der Vorstellung. Anders dagegen die Reaktionen bei „Ein Tag mit dem Wind" — auch hier zieht die Handlung die Kinder in den Bann, aber es sind auch gegenseitige Gespräche möglich, nicht als Versicherung wie beim Illusionsfilm, sondern eher als Selbstverständigungen; hier herrscht ein distanziertes Sehen, was nicht gleichbedeutend ist mit Emotionslosigkeit und Imaginationsverlust. Der Film strengt auf andere Weise an, man muß sich auf ihn einlassen, seine verschlungenen Pfade mitverfolgen, mitdenken und mitassoziieren; aber man kann auch abschweifen und bleibt trotzdem in der Handlung; der Film läßt Spielraum, das Gesehene schon während der Aneignung zu verarbeiten (Jensen 1980, S. 252–326).

Filmproduktionen wie „Ein Tag mit dem Wind" oder „Schneewittchen" haben es schwer angesichts der Medienvielfalt und Genres, die auf Action, auf Höhepunktdramaturgien, auf den ungeheuren Wortschwall abheben. Auch wenn ein Phantasieverlust durch Medien entschieden bestritten werden muß, so heißt das natürlich nicht, daß die technische Produktion audiovisueller oder auditiver Bilderwelten unsere Wahrnehmung nicht beeinflussen würden. Sehen, Hören und andere Sinnestätigkeiten werden in der Tat nachhaltig geprägt. Zwar nicht als Zerstörung der Phantasie, aber als Modellierung von Sinnlichkeit – das ist die entscheidende Problemlage. Denn Fernsehunterhaltung à la „Dalli Dalli" prägt auch Konzepte darüber, *was* Unterhaltung ist; Zeichenfilmproduktionen à la „Heidi" oder „Niels Holgersson" zeigen den Kindern, *wie* spannende Zeichentrickfilme auszusehen haben; betulich, brav biedere, aber auf die Tränendrüse drückende Märchenfilme formieren Vorstellungen darüber, *was* Märchen sind; Actionelemente und Höhepunktdramaturgien verdeutlichen Kindern, *was* spannend ist und *wie* schnell Spannung und damit auch ein emotives Beteiligtsein erzeugt werden kann; Seh- und Hörgewohnheiten bilden sich schneller heraus, als man denken sollte. Aber auch das ist nicht quasi naturwüchsig, sondern gesellschaftlich-geschichtlich, medienpolitisch und -ökonomisch bedingt. So verstanden haben anspruchsvolle moderne oder tradierte Märchenerzählungen in den verschiedenen Medien ihre politische Aufgabe; sie können zeigen, was Fernsehen, Film oder Schallplatte – als künstlerische Aufgabe verstanden – zu leisten imstande sind, und gelungene Erzählungen in den Medien könnten dazu dienen, der Forderung nach einer immensen Ausweitung des Medienangebots die Forderung nach anspruchsvolleren Medienangeboten entgegenzustellen. Wer also auf die Möglichkeit des Erzählens in den Medien verzichtet, gibt kampflos ein wichtiges Feld preis – auch das sollte beachtet werden, wenn man generell die Chancen des Märchenerzählens in den Medien verwirft. Noch eins kommt hinzu – Ota Hofmann hat das so ausgedrückt: „Vielleicht wird man eine Zeitlang bei Kinderfilmen an die Kinokassen eine Tafel hängen müssen: Erwachsenen Eintritt verboten! solange sie nicht mit Kinderaugen sehen können. So wird es sein" (Hofmann 1964, S. 34). Wer die Assoziationsmöglichkeiten, die Phantasietätigkeiten, den alltäglichen produktiven Umgang der Kinder mit Medien nur unter dem Aspekt des „Das-hat-es-bei-uns-nicht-gegeben" sieht, zeigt einen Mangel an Selbstreflexion. Gerade durch eine übertriebene Pädagogisierung können Sensibilisierungsprozesse bei Kindern behindert werden, können kindliche Wahrnehmungsmuster, kann die Suche nach neuen Erfahrungsmöglichkeiten empfindlich gestört werden. Erzählungen, Erzählen – gleich ob Märchen oder Alltagsgeschichten können Formen von Wahrnehmung und Erfahrung vermitteln, auf die – obgleich vielleicht ungleichzeitig – nicht verzichtet werden darf. Denn Erzählen erfordert einen Rezipienten, der die gehörten oder gesehenen Inhalte weiterspinnt, sie vor dem Hintergrund seiner Welterfahrung deutet. Phantasie ist dabei ein Erkenntnismittel, ist Produktion, ist Kritik an entfremdeten Zuständen wie auch Vorgriff auf neue ungewohnte Vorstellungen, ist spielerischer Umgang mit einer möglichen anderen Wirklichkeit.

Geschichtenerzählen, Märchenerzählen hieße auch, nach Freiheit und Glück jenseits eines perspektivlosen Pragmatismus suchen, ein Anderswo denken und auf Zukünftiges vorgreifen; Geschichten und Märchen zeigen das Veränderbare, das Wandelbare; das Gute besiegt das Böse, der Schwache den Starken, der Kleine den Großen. Märchenerzählen, Erzählen schlechthin, hat etwas zu tun mit Vertrauen und Selbstvertrauen; es hat etwas zu tun mit Zeit haben für den anderen, sich auf ihn Einlassen, hat etwas zu tun mit Phantasie- und Traumarbeit, mit Unterhaltung im Sinne von prodesse et delectare. Erzählen in dem hier skizzierten Sinne hat eine Aufgabe – je auf seine Weise im Fernsehen, im Kino, auf Schallplatte und in der mündlichen Form. „Die Veränderbarkeit der Welt fand jeweils geteilte Aufnahme. Den Profiteuren der Stagnation war sie ein Alptraum, den Stagnierten die einzige Hoffnung. So sehen wir die Profiteure den Veränderungsgedanken in die unteren Bereiche verdrängen, unter die Falltüren und Bewußtseinsgrenzen; doch die Gegebenheiten reproduzieren ihn immer wieder als ihren eigenen Gegenentwurf, der sich in den Köpfen derer, die noch hoffen, zur Gegenwelt, zur Utopie erhebt" (Knauth 1974, S. 53).

Auf das subversive Potential des Märchens, des Geschichtenerzählens, gleich in welcher Form, kann nicht verzichtet werden, will man nicht eine Form preisgeben, in der über ein Zukünftiges, ein Besseres erzählt werden kann.

Anmerkungen

1 Hinweise auf die Geschichte der Märchen in Medien bieten u.a.: Mönckeberg-Kollmar 1972; Psaar 1976; Wolf 1969; Jensen 1980.

2 So wiederholte Brigitte Bruns völlig unkritisch Feststellungen über die Problematik von Märchenverfilmungen (Bruns 1980, S. 341–344), die angesichts von Forschungsergebnissen über die künstlerischen Möglichkeiten des (Märchen-)Films in der von ihr vorgebrachten Form ebenso unverständlich wie abwegig sind.

3 Aus der Vielzahl der Veröffentlichungen sei hier nur hingewiesen auf: Streit 1980; Heymann 1964; Spielmann 1962.

4 Für diese Position vergleiche beispielsweise: Psaar 1976; Israel 1976; Über das Filmmärchen in den sozialistischen Staaten vergleiche zum Beispiel die Diskussionsbeiträge in der inzwischen eingestellten DDR-Zeitschrift „Film, Fernsehen, Filmerziehung" (1965 und 1966).

5 Siehe: Mönckeberg-Kollmar 1972, S. 175. Der von der Autorin mit Vehemenz postulierte Verzicht auf Medienspezifika kann hier nicht geteilt werden, da damit die ästhetischen Möglichkeiten des Mediums Schallplatte ungenutzt bleiben würden. Ausschließlich gesprochene Märchen auf Platten dienen – bei aller Brillianz einer Erzählerin (z.B. von Kamphoevener) – eher der Dokumentation einer Märchenerzählerin als der ästhetischen Sensibilisierung des Hörsinns. Und auch Brigitte Bruns (Bruns 1980) sieht die Chancen für Märchen in Medien weniger in der Berücksichtigung von Medienspezifika als vielmehr in der Entwicklung neuer Realisations-

möglichkeiten, z.B. in der Mitbeteiligung von Kindern an der Herstellung eines Produkts oder im Arbeiten mit kindlichen Laiendarstellern. Bruns' Anregungen, Kinder an der Herstellung von Märchenfilmen zu beteiligen, sind bedenkenswert.

6 Tier-, Zauber- und Wundermärchen sind für eine mediale Bearbeitung – vor allem in Film- und Fernsehbearbeitungen – weniger geeignet als das novellenartige oder das Schwankmärchen. Tiermärchen führen in Realfilmen sehr häufig zu Monsterfilmen, Zaubermärchen legen das Schwergewicht zu sehr auf einen modernistischen Umgang mit dem Zauberhaften. Auch Zeichentrick- oder Puppenfilme vermögen daran nur wenig zu ändern. Aber über diesen eher filmtechnischen Aspekt hinaus sind eigentlich nur die Schwankmärchen für eine thematische wie personale Akzentuierung, Gewichtung und Aktualisierung in Medien-Märchen geeignet. Insgesamt ist weiterhin für mediale Märchenbearbeitungen in Westdeutschland ein Verzicht auf moderne Märchen und phantastische Geschichten auffällig.

7 Vergleiche dazu die Beiträge in der DDR-Zeitschrift „Film, Fernsehen, Filmerziehung".

8 Bild der letzten Szene des Films. Der Jäger und der Koch (Frank und Frei) kommen noch einmal ins Bild und sprechen zu den Zuschauern vor dem Bildschirm: „Jäger: Andere erzählen, daß die Königin auch zur Hochzeit kam, und daß sie solange in glühenden Pantoffeln tanzen mußte, bis sie tot umfiel. – Koch: Aber niemand weiß, wie die Geschichte wirklich zu Ende ging".

9 Insgesamt dürfte die Intention einer entwicklungspsychologischen Deutung der Königin eher mißlungen sein, da dieser Versuch eher aufgesetzt wirkt und kaum medienspezifisch ins Bild umgesetzt wird. Nur durch übertriebene Mimik und sprachliche Gesten angedeutet, bleibt die löbliche Absicht im Ansatz stecken.

10 Akzeptabel waren aus der Vielzahl an Produktionen nur die Bearbeitungen der Grimmschen Märchen bei Bärenteller-Musicaphon (BM 30 L 3001, Aufnahmeleitung: Gertrud Loos) und die Bearbeitungen einiger Märchen von Andersen (bei Heliodor 257 8007, nacherzählt von Gertrud Loos).

11 Die Rotkäppchen-Platte ist erschienen im Pläne-Verlag (K 20905); die „Neuen Märchen: Zum Hören, Lesen, Selbermachen" bei der Network Medien-Cooperative, Hallgartenstr. 69, 6000 Frankfurt/M. (Nr. 10 502).

Märchen vermitteln – Märchen erleben

GERHARD HAAS

Wozu Märchen gut sind

Überlegungen zur zeitgenössischen
Märchendiskussion und Märchendidaktik

1.

Die seit langem geführte, wenn nicht immer intensive, so doch oft heftige
Diskussion zu Wert und Unwert des Märchens hat erstaunlich divergierende
Ergebnisse gezeigt: Märchen sind verschlüsselte Sozio- oder Psychogramme,
Indikatoren für soziale Strukturen, Nachrichten von fremden Völkern,
früheren Kulturen und von vergangenen Zeiten, Mythenreste, bunte Geschichten, Lehrtexte; und sie dienen der Ermutigung der Schwachen, Kleinen und
Unterdrückten; sie stellen Geborgenheits- und Glückpotentiale oder aber
Hilfen für die psychische Reifung dar; sie sind Schauplatz grausam-bar-
barischer Taten ebenso wie der Ort einer ins Reine, in die rechte Ordnung
gebrachten Welt; und nicht zuletzt: Märchen sind Texte für Erwachsene und
sind zugleich Literatur für junge Leser.

Noch erstaunlicher allerdings als die vielfältigen, sich ergänzenden oder
(scheinbar) widersprechenden Deutungen ist jedoch das Faktum, daß der
methodologische Aspekt in der Diskussion, also etwa die Frage nach dem
erkenntnisleitenden Interesse des jeweils Fragenden, nach der Standortge-
bundenheit und der Reichweite der Antworten und nach der Thematisie-
rung dieser wechselnden Vorgaben, so gut wie ganz ausgeklammert blieb und
weithin bis auf den heutigen Tag ausgeklammert bleibt. Wenn etwa, um nur
zwei Beispiele zu nennen, gesagt wird, Märchen enthielten problematische
Rollenmuster, bewirkten eine Festschreibung von Sozial- und Bewußtseins-
strukturen, und dagegen vorgebracht wird, Märchen bildeten archetypischen
Psycho-Konstellationen ab, dann kann entweder anerkannt werden, daß das
eine *und* das andere möglich ist und eine Diskussion allenfalls über die jeweiligen, beidem gerecht werdenden Konsequenzen zu führen sei; oder aber
eine der beiden Positionen setzt sich im gegebenen günstigen geistes- bzw.
zeitgeschichtlichen Kontext absolut und beendet so die Diskussion, erledigt
aber damit natürlich nicht das Problem einer unbestreitbar legitimen doppel-

ten Sichtweise. Die gleiche Aporie zeigt sich, wenn der Analyse und Einschätzung ein Verständnis zugrunde liegt, das dem Märchen die Funktion der Spiegelung aktuell-alltäglicher, gesellschaftlich bedeutsamer Probleme und Ereignisse zuschreibt – der marxistische Didaktiker Edwin Hörnle etwa hat sich in den zwanziger Jahren ausschließlich unter diesem Funktionsaspekt für Märchen interessiert – und wenn von hier aus beispielsweise die Requisitenerstarrung als negativ bewertet, dieser Position aber die andere entgegengestellt wird, die Märchen als *gewordene* Form, als historische Gestalt z.B. in der Gattung Grimm, in der Erzählweise Janosch oder der Editionsform von der Leyen oder Karlinger nimmt, und von hier aus die historische Form für sachgerecht und wünschenswert hält[1].

Es ist überhaupt nicht bestreitbar, daß die erste wie die zweite Position legitime Bedürfnisse und Einsichten zum Ausdruck bringt und daß deshalb die eine unmöglich die andere, in welcher Form auch immer, logisch zwingend negieren kann. Man kann Fakten/Gegebenheiten bedauern, aber nicht negieren; und man erledigt auch nichts, wenn man in schöner Entschlossenheit die eine Sichtweise mit ihren jeweils sachlichen Implikaten absolut setzt und andere Sichtweisen entweder unterschlägt oder aber als falsch, reaktionär oder ideologisch denunziert. Der Grund für die Unmöglichkeit der Verabsolutierung einer einzigen Deutung liegt auf der Hand: Es ist schlichtweg undenkbar, daß das Märchen im Laufe seiner langen Geschichte – belegt von den frühesten schriftlichen Zeugnissen der Menschheit an! – nicht zum Träger sehr verschiedener Erfahrungen und Bedürfnisse geworden sein sollte. Die Absolutsetzung *einer* Aussage negierte also die Geschichtlichkeit des Menschen und des menschlichen Geistes; man kommt dementsprechend in der Diskussion um die didaktische Funktion des Märchens nur weiter, wenn man den jeweiligen Verstehensansatz *und* die ihm zukommende Reichweite in jeder Stellungnahme oder Analyse mitthematisiert.

Um nun die Ebenen zu bestimmen, auf denen sinnvoll diskutiert werden kann, die aber auch zugleich die Grenzen der jeweiligen Diskussion bezeichnen, ist es sinnvoll, sich die möglichen Erkenntniszugriffe zu vergegenwärtigen. Wer von der Position der Literaturwissenschaft aus nach dem Stellenwert von Märchen in der geistig-seelischen Entwicklung des Kindes fragt, geht verständlicherweise zunächst von der Form und Machart des Textes aus, ebenso wie der Volkskundler die sozialhistorischen Bedingtheiten, der Gesellschaftswissenschaftler die ideologischen Implikate zu erkunden sucht und danach in einem zweiten Schritt die Berührungspunkte in der kindlichen Psyche und in der Bewußtseinsentwicklung des Kindes zu beschreiben trachtet. Genau umgekehrt – und von seinem Standpunkt aus ebenso plausibel – verfährt der Psychologe, der Anthropologe, der Psychotherapeut und

Otto Ubbelohde (1867–1922) hält sich genau an den Wortlaut des „Snee-wittchen"-Märchens: „Dann setzten sie den Sarg hinaus auf den Berg, und einer von ihnen blieb immer dabei und bewachte ihn. Und die Tiere kamen auch und beweinten Sneewittchen, erst eine Eule, dann ein Raabe, zuletzt ein Täubchen."

der Pädagoge. Er nimmt jeweils das diagnostizierte therapeutische oder im gesellschaftlich fundierten Theoriediskurs ermittelte pädagogische Bedürfnis als Ausgangspunkt und ordnet diesen Bedürfnissen die Ergebnisse der Text-analyse zu. Eine dritte grundsätzliche Ingebrauchnahme des Textes zeigt sich da, wo Systementwürfe verifiziert oder abgestützt werden sollen. So ist es etwa leicht belegbar, daß Sigmund Freud oder C.G. Jung Märchen nur als Beispiel- und Belegmaterial im Rahmen ihrer tiefenpsychologischen Theo-rien wichtig waren, und ebenso, daß die Textwissenschaft den Leser/Hörer allenfalls ergänzend als Adressaten zu den formalen und gehaltlichen Analy-sen hinzudachte und – denkt.

Wenn diese jeweils das Erkenntnisinteresse steuernden Ansätze unberück-sichtigt bleiben, kommt es zu permanenten Grenz- und Reichweitenüber-schreitungen und werden politische Richtungs-, wissenschaftliche Positions-

oder/und individuelle Wertentscheidungen gewissermaßen zum Kriterium einer Textsorte gemacht, die für verschiedene Zugriffe und Erfahrungsbedürfnisse offen ist, aber gleichwohl immer neu für eine einzige Sichtweise reklamiert wird.

Es gibt im ganzen sechs Ebenen, auf denen die Frage nach dem Wesen des Märchens beantwortet werden kann:

1. die Ebene der gesellschaftlichen, politischen und ideologischen Funktion
2. die Ebene der psychologisch-psychotherapeutischen Funktion
3. die Ebene der pädagogischen Funktion
4. die Ebene der kulturwissenschaftlich-volkskundlichen Funktion
5. die Ebene der literarischen Funktion
6. die Ebene der bewußtseinsstrukturellen Funktion.

Natürlich gibt es vielfältige Überschneidungen und Berührungen dieser Ebenen; aber letztlich ist nur auf der Grundlage einer strikten Respektierung der Grenzen ein echter, Erkenntnis fördernder Diskurs, also das Reden von Gleichberechtigten ohne gegenseitige Kränkung, möglich.

Über die Rangfolge der Ebenen entscheidet die jeweilige Gesellschaft in ihrer je eigentümlichen geistesgeschichtlich kulturellen und politischen Situation. Diese Rangfolge ist also ein permanent zu reflektierendes Politikum; sie unterliegt deshalb notwendig der Veränderung. Allerdings heben diese Veränderungen nicht auf, daß zwar jede Ebene eine gewisse funktionale Autonomie besitzt, daß aber andererseits Erkenntnisse über das Wesen von Märchen nur dann weiter bringen, wenn in ihnen zugleich die jeweilige Nähe oder der Abstand zu den anderen Funktionsebenen mitbeschrieben wird.

Schwierig wird die Sache da, wo über die Verträglichkeit und Unverträglichkeit der einzelnen Aspekte und über die erkenntnismäßige Wertigkeit der verschiedenen Ebenen zueinander entschieden werden muß. Die nachfolgenden Überlegungen zur 6. Ebene sind ein Beispiel für diese Problematik, aber auch für sich anbietende Lösungsmöglichkeiten.

2.

In den vorliegenden Funktionsbeschreibungen des Märchens spielen die psychologischen, die pädagogischen, die — im weitesten Sinne — politischen, die ästhetischen und die volkskundlichen Gesichtspunkte eine zentrale Rolle; — praktisch nie wurde dagegen der Frage nachgegangen, ob Märchen nicht auch in erkenntnisstruktureller Hinsicht für die Leser und Hörer ein Ange-

Ornamental stilisiert und scharf konturiert, dadurch realistischer bzw. psychologischer Interpretation entrückt, ist die farbige Illustration von Eva Johanna Rubin (*1926) zum „Schneewittchen".

bot bereithalten, das diese, mit zunehmenden Alter zwar immer mühsamer und meist unbewußt, aber doch mit Nutzen realisieren.

Ursache für die Nichtbeachtung dieses Phänomens in der Märchenforschung ist die weithin totale Dominanz des inhaltlichen Aspekts. Selbst Max Lüthis Formbeschreibung des Märchens orientiert sich durchgehend an Stoff, Inhalt und Handlung. In dem Begriff der Eindimensionalität etwa ist, leicht erkennbar, eine spezifische Wahrnehmungs- und Bewußtseinsstruktur mitbeschrieben, die sich dem üblichen Dualismus von Diesseits und Jenseits verweigert und in scheinbar naiver Weise die Einheit der Welt in als bare Münze genommen, d.h. weder symbolisierten noch interpretierten Bildfolgen festhält. Lüthi sieht dagegen nur das Faktum, daß Diesseits und Jenseits nicht scharf geschieden, nicht als unterschiedliche Bereiche fixiert werden und dementsprechend Menschen und Teufel, Hexen und Tiergestalten, Riesen und Dämonen auf die selbstverständlichste Weise *ein* Handlungsfeld bilden. Daß es eines spezifischen Bewußtseins bedarf, um das auf der Figuren- und Leserebene nachzuvollziehen und daß daraus eine Erkenntnisform erwächst, die nicht die ‚normalen' Wege geht, bleibt außer Betracht, wird nicht erörtert.

Einsichten in dieser Richtung werden in der Diskussion eher beiläufig artikuliert und müssen häufig erst interpretativ erschlossen werden. So heißt es beispielsweise in einer Untersuchung zur Märchenrezeption in der DDR: „Kinder ebenso wie das Märchen behaupten ständig etwas und beweisen nichts. Man ist immer wieder erstaunt über die Schwierigkeiten, die Kinder haben, wenn sie bestimmte Behauptungen beweisen oder modifizieren sollen, wenn sie herausfinden sollen, wie sie auf diese oder jene Erklärung verfallen sind. Ebenso setzt das Märchen ständig die unwahrscheinlichsten Tatbestände in die Welt, ohne sich um Begründung und Beweisführung zu scheren." (Wardetzky 1980, S. 38)

An anderer Stelle dieses Erfahrungsberichts heißt es: „Der Sinn des Märchens ist über die Sinne erfaßbar. Es setzt kein begriffliches Abstraktionsvermögen voraus. Jeder Gedanke, jedes Motiv erfährt seine Versinnlichung... In der Konkretheit, Bildhaftigkeit liegt sein Vorzug, denn auch den Kindern dieses Alters ist die phänomenologische Betrachtungsweise eigen." (Wardetzky 1980, S. 36)

Es muß hier zunächst offen bleiben, ob die überaus rasche Parallelisierung von Struktur des Märchens einerseits und Rezeptionstruktur des Kindes andererseits zu recht erfolgt. Von Interesse sind zunächst lediglich Beobachtungen, die so immer wieder gemacht, aber nie intensiv auf ihre erkenntnisstrukturelle Ursache bzw. Konsequenz befragt wurden:

— das Märchen „beweist", d.h. erklärt und begründet in aller Regel nicht in einem diskursiv-argumentativen Sinne: kein Wort davon, woher z.B. Rumpelstilzchen um die Nöte der Müllerstochter weiß; kein Wort davon, wie der süße Brei im Topf zustande kommt oder wie in „Hans mein Igel" ein Hahn in der Schmiede beschlagen werden und wie er in der Lage sein kann, mit seinem Reiter auf einen hohen Baum zu fliegen.

— das Märchen vermittelt sich primär über die Sinne: es wird nicht das Denken, Meinen, Fühlen der Figuren vorgeführt, sondern ihr Handeln, d.h. der Leser/Hörer *sieht* und *hört* etwas: das Bild, das gesehene Geschehen *ist* die Botschaft. Anders als in der Fabel und vielfach der erzählerischen Hochliteratur kommentiert deshalb der Erzähler die Handlung weder direkt noch indirekt. Schlußwendungen, in denen sich der Erzähler als solcher zu erkennen gibt, etwa „... und wenn sie nicht gestorben sind ..." oder: „Mein Märchen ist aus/und geht vor Gustchen sein Haus" drücken in ihrem spielerischen Duktus eben auch die entschiedene Verweigerung einer reflexiven, gedanklichen Verarbeitung bzw. Übersetzung aus. (Vergleiche dazu auch Ulf Diederichs aphoristisch-prägnantes Diktum, Märchen könnten auch erzählt werden, um etwas dem Begriff Inadäquates *nicht* auf den Begriff bringen zu müssen)[2]

Man hat von solchen Beobachtungen aus auf ein dem Märchen zugrunde liegendes aktionales Weltverständnis geschlossen oder auf eine Entstehung in Schichten bzw. sozialen Gruppen, denen aufgrund ihrer unausgebildeten einfachen geistigen Struktur die Reflexion, das Gedankliche und Theoretische fernliegt. Aber abgesehen davon, daß sie das zu Erklärende letzlich nur ein Stück weiter wegschieben, sind solche Erklärungen so diskriminierend wie historisch unbeweisbar. Näher liegt m.E. dagegen die Überlegung, ob in Märchen nicht eine Form der Welterklärung und -beschreibung vorliege, die der herrschenden und uns selbstverständlich gewordenen Form wissenschaftlichen, logisch-rationalen Denkens und Folgerns alternativ beigeordnet ist und eine möglicherweise notwendige Ergänzung dazu darstellt.

Wer eine solche Möglichkeit erwägt, hat mit dem Vorhalt zu rechnen, er argumentiere antiaufklärerisch, konservativ, ja letzlich reaktionär und antihumanistisch, denn er stelle die regulierende Vernunft als Entscheidungsinstanz in Frage.

Für eine Argumentation im Entweder-Oder-Schema kann das plausibel sein, nicht jedoch für jemanden, der etwa Paul Feyerabends Feststellung ernst nimmt, die europäisch-abendländische Wissenschaft stelle „eine unter anderen Formen des Denkens" und Erkennens dar — „und nicht unbedingt die beste. Sie ist (nämlich) laut, frech und fällt auf; grundsätzlich ist sie nur in den Augen derer, die sich schon für eine bestimmte Ideologie entschieden haben oder die Wissenschaft akzeptiert haben, ohne jemals ihre Vorzüge und Schwächen geprüft zu haben." (Feyerabend 1977, S. 392)

Nun hat Claude Lévi-Strauss für denjenigen, der sich auf solche Überlegungen einläßt, auf der Grundlage ethnologischer Forschungen Gesichtspunkte entwickelt, die in dieser Frage weiterführen. Er kann nämlich zeigen, daß dem Menschen offensichtlich zwei Grundmöglichkeiten des Erkennens und Entscheidens zur Verfügung stehen: Erkenntnis über das in der Regel affektiv-emotiv getönte komplexe Bild — wobei die Erkenntnis keineswegs immer als bewußter Akt vollzogen werden muß — oder über die logisch-rationale Schlußfolgerung. (Lévi-Strauss 1977)

Die europäische Geistesgeschichte ist aus der griechischen Philosophietradition heraus mit Entschiedenheit den Weg des analytischen Denkens gegangen und hat dabei der anderen Möglichkeit, Erfahrung zu verarbeiten und sich projektiv zu verhalten, nur noch eine Funktion im Bereich der Dichtung und eine Randexistenz im Bereich der Volkskultur, des Brauchtums und der niederen Mythologie gelassen. Diesem Randbereich gehört auch das Märchen zu (ohne daß damit über Herkunft und Ursprung irgendeine Aussage gemacht wäre).

Aufbewahrt wird das Denken in Bildern im Mythos, in der phantastischen Kunst und im Traum. Carl Gustav Jung weist darauf hin, „daß das, was wir heute an Energie und Interesse in Wissenschaft und Technik geben, der antike Mensch zu einem großen Teil in seine Mythologie gab". (Jung

1967, S. 161) Die Verbindung von mythisch-phantastischem Weltentwurf, Traum und Märchen hält Jung für absolut evident: „Der Schluß, daß die Zeit, welche die Mythen schuf, kindlich, d.h. phantastisch gedacht hat, wie es bei uns jetzt noch der Traum . . . tut . . ., ergibt sich beinahe von selbst." (Jung 1967, S. 166) Den „Traummechanismus des Märchens" hat die Tiefenpsychologie in zahllosen Untersuchungen nachgewiesen.

Wenn C.G. Jung den Träumen und dem Märchen die Funktion zuspricht, auf „zweckmäßige und intelligente" Weise die rational strukturierte Bewußtseinslage zu „kompensieren resp. das (zu) ergänzen, was dort fehlt" (Jung 1967, S. 168), dann widerspricht er auch einer Entwicklung, in deren Verlauf das phantastische Element unter dem allgemeinen Herrschaftsanspruch der rationalen Vernünftigkeit und im Zeichen der clarté-Forderung, d.h. dem Verlangen nach logischer Durchschaubarkeit und formaler Klarheit in die Trivialität abgedrängt[3] oder allenfalls − etwa bei E.T.A. Hoffmann oder Jean Paul − als Ausnahme akzeptiert wurde.

Die Zuordnung des Märchens zum Bereich des Phantastischen muß allerdings dem, der die Phantastik-Diskussion verfolgt, überraschend, ja ärgerlich erscheinen, ist doch gerade in dieser Diskussion etwa bei Vax oder Caillois oder Todorov oder Klingberg das Märchen immer als etwas Eigenes betrachtet worden; und Phantastik-Definitionen klammern gemeinhin das Märchen aus[4].

Bei Otto Ubbelohde (1867−1922) reitet (oben) − getreu der Grimmschen Fassung − „Hans mein Igel" auf seinem „Gockelhahn und mit seinem Dudelsack".

Bei Janosch (*1931) hingegen dienen das Motorrad und die Sonnenbrille dem einem Punk ähnelnden Hans mein Igel als Requisit (rechts).

Und als der Bauer wieder einmal in die Stadt fuhr, wollte Hans mein Igel eine Sonnenbrille. Eines Tages wünschte er sich ein Motorrad. »250 Kubik und vier Gänge«, sagte er. »Dann will ich davonbrausen und nie, nie wiederkommen.« Da war der Bauer froh, daß er ihn loswerden sollte, kaufte ihm eine fast neue Maschine mit allem drum und dran. Hans mein Igel nahm seine Mundharmonika, setzte seine Sonnenbrille auf, stieg in den Sattel, haute leicht den ersten Gang 'rein, und brauste im vierten davon. Der Bauer hatte ihm noch etwas Geld für den Lebensunterhalt mitgegeben, das reichte auch noch für zwei Rückspiegel. Hans mein Igel fuhr in die große Stadt.

Es ist hier nicht der Ort, die Problematik der genannten – und anderer – Definitionen zu diskutieren; es ist lediglich zu sagen, daß auf der erkenntnisstrukturellen Ebene die *inhaltlichen* Unterschiede nicht etwa aufgehoben werden, aber ihre trennende Funktion verlieren. Unterhalb der Ebene stofflich- inhaltlicher Verschiedenheiten haben nämlich phantastische Geschichten, Sagen und eben auch Märchen etwas gemeinsam, das Claude Lévi-Strauss strukturell als ,wildes Denken' beschreibt und das diese Literatur kategorial von der nicht-phantastischen Literatur unterscheidet – Übergänge und gewisse Mischformen sind damit nicht ausgeschlossen. Vier Merkmale bestimmen diese Form des Erkennens:

– Alle Erkenntnis – für die Figuren der Handlung wie für den Leser – vollzieht sich auf indirekte, sinnlich vermittelte Weise
– Bestimmend für Aussageweise und Aussagerichtung ist dementsprechend nicht der schlußfolgernde Gedanke, sondern das unvermittelte, komplexe, vieldeutige Bild
– Diese Bildlichkeit wiederum ist geprägt durch die Vorstellung von einem geheimen immanenten Zusammenhang aller Dinge: alles ist mit allem auf irgendeine Weise zutiefst verbunden – das kann sich je nach der stofflichen Füllung grauenerregend oder glückverheißend-helfend darstellen
– Auf dieser Gundlage vollzieht sich die das Phantastische prägende ,harte Fügung', d.h. die kombinatorische Verbindung heterogener Elemente.

Daß die meisten Märchen – nicht zuletzt Märchen anderer Völker und fremder bzw. früher Kulturen – diese Grundstruktur besitzen, läßt sich relativ leicht nachweisen. Als Beleg dafür mögen die folgenden Hinweise zu zwei Grimmschen Märchen und einem Feenmärchen aus der von Frederik Hetmann herausgegebenen Sammlung „Reise in die Anderswelt" dienen:
„Der süße Brei" (KHM 103) erzählt vier aktionale, d.h. gewissermaßen anschaubare Geschehnisse: die Begegnung mit der alten Frau im Wald – das Essen des Hirsebreis – das Kochen und Überkochen – die Heimkunft des Mädchens und das Sprechen der richtigen Formeln. Im Mittelpunkt aber stehen die beiden Bilder vom Brei, der alle Straßen und Häuser – bis auf eines! – füllt, und vom Breiwall um die Stadt, durch den man sich hindurchessen muß. Eindrücklich vieldeutige Bilder – keine Reflexionen.
In „Hans mein Igel" (KHM 108), breiter angelegt als der „Süße Brei" (und deshalb hier nur im Überblick zu referieren) sammelt sich die Erzählung um das Bild des Jungen, der, halb Mensch halb Igel, auf dem Hahn in die Fremde reitet, der auf hohem Baum seine Esel und Schweine hütet und die süßeste Musik macht, der zwei Königen aus der Irre hilft, der auf seinem

Ein romantisches Genre, die Kulisse eines verwunschenen mittelalterlichen Schloßhofs, öffnet Gustave Dorés (1832–1883) Illustration zu Charles Perraults Dornröschen-Fassung.

Gockelhahn zuerst zum Vater kommt und ein großes Dorffest arrangiert, dann zu den beiden Königstöchtern und dabei die eine als Lohn für ihre Falschheit mit den Igelstacheln sticht, der aber durch die Liebe der anderen – das La-Belle-et-La-Bête-Motiv! – von seiner Igelshaut erlöst wird. Wiederum: Bild und Sinnbild, keine analytische Reflexion.

Die Geschichte von „König Cormac", der in die Anderswelt verlockt wird (Hetmann 1981), setzt ein mit dem Bild des Fremden, der „hatte graues Haar, ein golddurchwirktes Hemd auf der Haut, breite Schuhe aus weißer Bronze an den Füßen, und über der Schulter trug er einen strahlenden Zweig mit neun Äpfeln, die waren aus rotem Gold. Und so wunderbar war das Geräusch, das von dem Zweig ausging, daß keiner auf Erden unter den Sterblichen in seinem Bewußtsein irgendein Bedürfnis oder einen Wunsch hatte, außer dem, diesen Laut zu hören . . .". Dem folgen die Bilder der Paläste, die Cormac auf der Suche nach Sohn, Tochter und Frau findet; etwa: „Er . . . sah das Haus eines Großkönigs mit Balken aus Bronze und Mauern aus Silber, und das Dach war gedeckt mit den Schwingen weißer Vögel. Dann

167

entdeckte er auf dem Rasen eine Quelle, aus der Ströme entsprangen. Die Heere tranken dort, und dort wuchsen auch die neun immerwährenden purpurnen Haselsträucher von Buan. ...." Die Suche endet am Herdfeuer von Mannanan, „König im Lande des Versprechens"; und dieser Schluß ist geprägt durch das Bild des goldenen Bechers, den Lügen zerbrechen und den die Wahrheit wieder zusammenfügt.

Anders als in den Grimmschen Märchen gibt hier der Erzähler durch den Mund Mannanans am Schluß gewisse Deutungshinweise; aber diese Deutungen lösen die komplexen Bilder nicht auf und erschöpfen sie nicht; sie treten gewissermaßen, die eine Form des Erkennens von Welt und Wirklichkeit mit der andern verbindend, ergänzend neben sie – wie wir insgesamt vor allem in den europäischen Märchen mit solchen Einschüssen eines logisch ordnenden und erklärenden Verstandes in das erzählerische Gewebe rechnen müssen. Diese Einlagerungen sind ohne Frage für den charakteristischen Gestus des europäischen Volksmärchens mitverantwortlich, und es wäre eine reizvolle Aufgabe, nicht nur die Sprach- und Stilschichten, sondern mit ihnen zugleich die Denk-, Argumentations- und Bewußtseinsformen, die sich nach und nach übereinandergeschichtet haben, abzutragen und dabei zusätzliche Einsichten in Wesen und Struktur des Märchens zu gewinnen.

Wenn in diesen Texten alles mit allem verbunden ist, dann nicht auf der Grundlage einer gedanklich hochreflektierten Theorie sondern als Ausdruck einer faktischen Praxis. Die alte Frau weiß im „Süßen Brei" schon um die Not, bevor ein Wort gesprochen werden muß; in „Hans mein Igel" sind Denken und Sein nicht getrennte Kategorien: der Wunsch des Bauern: „. . . und sollts ein Igel sein" geht wörtlich in Erfüllung; im großen Wald stoßen beide Könige nacheinander, wie magisch angezogen, auf Hans den Igel, und die gute Königstochter und das Königreich erscheinen wie vorbestimmt für ihn. In „König Cormac" schließlich wird alles handlungsreiche Geschehen zu einem Ganzen zusammengefügt, erhält Sinn durch die Worte Mannanans: „. . . mit Zauberei habe ich dich hierhergebracht, damit wir einen Abend lang freundschaftlich untereinander plaudern können." Nichts kann in dieser Welt beziehungslos verloren gehen.

Dieses innere Gesetz, das im Märchen in den meisten Fällen dem Helden zugute kommt, in der phantastischen Geschichte im engeren Sinn sich aber häufig gegen den Menschen richtet und ein Gefühl der Ausweglosigkeit, des Gefangenseins erzeugt, – diese Allverbundenheit, um Lüthis wenn auch nicht *völlig* damit identischen Begriff zu gebrauchen, läßt im Märchen die gleichwohl zugrunde liegende Heterogenität fast vergessen.

Heterogenität – um mit diesem Aspekt die Andeutung einer Analyse zu schließen – zeigt sich im „Süßen Brei" in der Sprengung der „normalen"

Dimensionen: daß aus dem kleinen Töpfchen diese Unmasse Brei quellen kann, daß Brei eine ganze Stadt füllen, überdecken, wie eine Mauer einschließen kann – das paßt normaler – d.h. realistischerweise nicht zusammen. Die Kombinatorik des Heterogenen fügt in „Hans mein Igel" einen Tiermenschen zusammen („oben ein Igel, unten ein Junge"); heterogen ist die Benutzung des Hahns als Reitpferd und das Beschlagen des Gockelhahns in der Schmiede; und heterogen ist natürlich ebenso die Verbindung des abstoßend häßlichen Sauhirten mit der schön-liebreizenden Königstochter, oder die süße Musik, die der wie ein Tier auf dem Baum Hausende hervorzubringen vermag. Heterogen ist in „König Cormac" zu allererst die Wirklichkeitsebene, auf der sich Cormac und Mannanan bewegen, heterogen, d.h. „normalerweise" – was immer das ist – nicht zusammenpassend das Geschenk des silbernen Zweiges und der Preis – die Auslieferung von Kindern und Frau an den Fremden. Heterogenität, die Unvereinbarkeit im Sinne einer rationalen Ordnung also, kennzeichnet ebenso die bereits anzitierten Bilder: der Bote Mannanans trägt „Schuhe aus weißer Bronze"; ein Baumzweig bringt goldmetallene Früchte hervor; der Zweig erzeugt eine Musik, die die Hörer nicht nur erfreut, sondern so fasziniert, daß sie alles andere, alles Dunkle und Schwere vergessen und hinter sich lassen; stumme Fische stoßen „laute Schreie der Wehklage aus" und Dächer sind gedeckt mit den Schwingen weißer Vögel. –

Die phantastischen Wahrnehmungsstrukturen des Märchens erklären vielleicht auch Linda Déghs Beobachtung, daß dem modernen Menschen die Märchen*metaphorik* wichtiger zu sein scheint, als der eigentliche Märchen*inhalt* –: diese bildlichen Wahrnehmungsformen stellen offensichtlich auch im wissenschaftlichen Zeitalter etwas Unverzichtbares, etwas Lebensnotwendiges dar. Dem entspricht Jungs Bemerkung, es gelinge nur wenigen Individuen „in der Epoche eines gewissen intellektuellen Übermutes" die bildlich-mythischen Denkformen abzustreifen (Jung 1967, S. 167); schlußendlich kehre der menschliche Geist doch immer wieder zu dieser Urform der Wirklichkeitsbeschreibung und -bewältigung zurück.

3.

Was hat das alles mit der Frage nach Wert und Unwert von Märchentexten für Kinder zu tun?

Alle Beobachtungen der Psychologie und Anthropologie deuten darauf hin, daß der geschichtlichen Entwicklung von der Dominanz der mythisch-bildlichen Weltsicht in der Frühzeit des Menschen über das gleichberechtigte

Nebeneinander sinnlicher und logisch-rationaler „Denk"-Weisen, bis zur absoluten Herrschaft des „vernünftigen", d.h. analytischen Wissenschaftsdenkens eine psychogenetische Entwicklung entspricht. Kristin Wardetzky berichtet: „Umfangreiche Einzelgespräche mit Unterstufenkindern . . . zeigten, daß sie – unabhängig von ihrer intellektuellen und sozialen Reife über geradezu eidetische Fähigkeiten verfügen . . . Sie sind in hohem Maße sensibel für das äußere Geschehen im Detail. Fragt man sie jedoch, warum sich eine Figur so oder so verhalten habe, sind sie meist ratlos oder begründen wiederum mit Handlungsdetails . . ." (Wardetzky 1980, S. 37), d.h. sie begründen/erklären Bilder mit Bildern.

Vor-wissenschaftliches Denken ist nicht vereinfachtes, sondern ein qualitativ anderes, eben ein komplexes Bilddenken vom Hundertsten ins Tausendste, intensiv, spontan, sprunghaft – dem entspricht das Märchen, entspricht Erkenntnis- und Darstellungsform des Märchens in vielerlei Hinsicht.

Vieles von dem, was Lüthi als abstrakten Stil und vor allem als Sublimation und Welthaltigkeit beschreibt, findet in der spezifischen Erkenntnisstruktur nichtrealistischer Texte seine Erklärung. Die Nähe von Kind und Märchen ist also nicht nur – wie häufig argumentiert wird – eine Frage des Inhalts, sondern weitaus mehr eine Frage der analogen bildhaft-indirekten Erkenntnisstruktur, die im übrigen von Piaget sehr genau beschrieben wird (Piaget 1975) und die in Harald Linckes Darstellung zur Symbolentwicklung eine zentrale Rolle spielt (Lincke 1981), ebenso wie im Hinblick auf die Funktion des Bildes bei Detlef-Ingo Lauf (Lauf 1976).

Das hat für die Rezeption Konsequenzen. Im komplexen Bild vermittelte Einsicht bzw. Erfahrung kann Schicht um Schicht abgehoben und abgeholt werden. Daß Kinder Märchen wieder und wieder hören wollen, hat neben anderen Gründen vermutlich auch diesen Grund. Der gedankliche Diskurs dagegen erlaubt dieses prozeßhafte Erkennen weit weniger; wer ihm – dem Diskurs – nicht ganz zu folgen vermag, wird auch *ganz* abgewiesen, *ganz* alleingelassen.

Damit wiederum hängt die vielbeschriebene Glücks- und Geborgenheitserfahrung zusammen, die Kindern die Märchen bzw. Märchenlektüre wert sein läßt. Die Bilder sind nicht ungeduldig wie der logische Schluß; Bilder haben Zeit; Bilder haben viele Seiten, viele Zugänge; Bilder warten – analytische Gedanken, Schlußfolgerungen rennen davon. Natürlich gehört zu diesem Aspekt auch die Erfahrung jenes geheimen und so tröstlichen Zusammenhangs von allem mit allem – ein Netz, das gewissermaßen die Abgründe überspannt.

Die spielerische Kombination heterogener Elemente: des Fremden, des Unwahrscheinlichen, des so-noch-nicht-Gesehenen und Geschehenen schließ-

Ludwig Richter (1803–1884) illustrierte Ludwig Bechsteins 1857 erschienene Sammlung „Deutsche Märchen", darunter auch „Die sieben Geißlein". Biedermeierlich mutet der strohgedeckte Fachwerkbau des Stalles an, vor dem sich die Geißenmutter mit Heugabel und Tragekorb verabschiedet, während der Wolf im Hintergrund lauert.

lich ist geeignet, eine kreative Kombinations-, Bau- und Gestaltungslust zu erzeugen. Das Märchen ermutigt dazu, ohne Furcht, im Spiel, im Spiel der Imagination das Neue, das Ungewohnte, das Radikale zu wagen, ohne das Scheitern befürchten zu müssen. Es ist das Gleiche, was Karl Heinz Bohrer als Antrieb im Bereich der gewissermaßen entwickelten phantastischen Kunst, in phantastischen Werken der Hochliteratur also, zu entdecken glaubt: der Wunsch, das Reale, Faktische durch das Surreale zu erweitern; ein Wunsch der nicht auf eine direkte Realisierung hofft, sondern immer als Gegenentwurf gegen das Faktische schlechthin verstanden wird, aber doch die Fähigkeit, eben auch in realen Zusammenhängen alternativ-bildlich zu denken und handeln, mitentwickelt und wachhält. (Bohrer 1970)

Wir wissen, daß die Geartetheit des menschlichen Geistes, von der Johann August Musäus spricht, nicht an den endlichen Entwürfen Genüge zu finden,

171

sondern „seine grenzenlose Tätigkeit ... in das Reich hypothetische Möglichkeiten" hinüberwirken zu lassen – wir wissen, daß dieser Drang bereits im jungen Menschen erstickt werden kann. Märchen, phantastische Texte im ganzen aber halten Grenzen offen, sind Sprengsätze gegen eine zu frühe Verfestigung von Denk- und Verhaltensgewohnheiten und sind dazu geeignet, eine für sich allein unzureichende, aber in der Verbindung mit dem Kalkül der Vernunft wohltätig *ergänzende* Erkenntnisform des Menschen *mit*auszubilden oder überhaupt am Leben zu erhalten.

Märchen dienen in diesem Sinne auch der Erhaltung eines Freiraums und Spielraums für das Nutzlose, Zweckfreie; sie sind eine Möglichkeit der seelischen Balance nach der – psychogenetisch gesehen – Aufrichtung der Herrschaft des Realitätsprinzips und der Abdrängung des Lustprinzips bei der Ausbildung des Über-Ichs, d.h. der verantworteten Personwerdung des jungen Menschen.

Diese ergänzende, korrigierende, erweiternde, ausbalancierende Funktion verliert das Märchen allerdings dann, wenn es interpretatorisch auf einen außerhalb dieser Funktionen liegenden Zweck verkürzt wird. Natürlich kann man Märchen auf dunkles Raunen und konservative Weltsicht hin ausdeuten und kann sie ideologisch ausbeuten; aber jede Möglichkeit des Menschen wird in der Einseitigkeit falsch – auch die Möglichkeit, im Märchen ein Stück verlorener Erkenntnisfähigkeit zurückzugewinnen, mit seiner Hilfe dem Faktischen den Glanz des Unabänderlichen zu nehmen, dem scheinbar Ver-rückten eine Chance zu geben, das Spiel der Einbildungskraft als kreative Potenz zu verstehen. Die Bildlichkeit als Erkenntnisform eigener Qualität zu bejahen und von da aus dem Märchen didaktisch Gewicht zu verleihen, heißt dementsprechend immer zugleich auch, diese bildlichen Erfahrungen mit rational-gedanklich eingeholten Einsichten zu verbinden und auf diese Weise eine *alle* Kräfte ausbildende Entwicklung des Menschen, speziell des Kindes, zu befördern.

Und ein letztes: So, wie man der Meinung sein kann, daß die angespielten Phantastik-Definitionen auf je ihrer Ebene, also mit der je begrenzten Reichweite ,richtig' sind, wobei allerdings die erkenntnisstrukturelle Ebene als Basis zu verstehen ist, so lassen sich auch die weiteren in der Gegenwart diskutierten didaktischen Positionen zum Märchen rechtfertigen, wenn in ihnen, und sei es auch nur verdeckt und mittelbar, die Lust am Bild, die Fähigkeit des Bilderlesens im weitesten Sinne, die Ergänzung der Reflexion durch sinnliche Erfahrung, die Bereitschaft zu alternativem, das Üblich-Normale sprengendem Denken mitbefördert werden. Alle pseudowissenschaftlichen Einschüchterungsversuche dagegen, das und das seien Märchen ursprünglich gewesen und deshalb sei dieser Aspekt jetzt auch der einzige legitim didaktisch vertretbare, sind sachlich haltlos: wir wissen über Ursprünge und ursprünglichen Gebrauch so gut wie nichts und selbst für die frühbürgerliche Zeit viel zu wenig, um darauf eine tragfähige Argumentation aufbauen zu können.

Was wir wissen, ist dies: wenn Märchen in der Gegenwart — neben gleichberechtigten, gleich wichtigen anderen Funktionen — konkret subversive, d.h. auf Veränderung im psychischen und gesellschaftlichen Bereich abzielende Qualitäten besitzen, dann nicht nur, und wahrscheinlich nicht primär aufgrund ihrer Inhalte, sondern vor allem aufgrund ihrer alternativen Erkenntnisstruktur. Sie entziehen sich der Vereinnahmung durch eine im Ansatz und Ursprung zwar befreiende und progressive, aber mit dem unbedingten Herrschaftsanspruch starr und eng gewordene Rationalität, indem sie deren Ansprüche relativieren und dabei keineswegs nur irrationale Gegeninhalte transportieren; wie überhaupt zu sagen ist, daß die Verweigerung der gedanklichen Reflexion nicht die Verweigerung der Rationalität an sich, wohl aber ihrer hypertropen und sich absolut setzenden Ausdrucksform beinhaltet.

Ein solcher Ansatz mündet keineswegs in der Mystifizierung — auch nicht der didaktischen Mystifizierung — des Märchens, denn die genannten Funktionen können ohne Frage auch von anderen querliegenden, ver-rückten, in irgend einer Weise die herrschenden Erkenntnisformen in Frage stellenden Texten übernommen werden. Das Problem ist nur, daß es noch wenige gibt, die die gleiche intensive satt sinnliche Bildkraft des Märchens haben — zumindest im Bereich der Kinderliteratur. Aber das kann sich ändern.

In dem so umgrenzten Struktur- und Funktionsverständnis treffen schließlich auch die Ergebnisse einer selbstkritisch-genauen Ideologiekritik und über die jeweilige Schulmeinung hinausblickender psychotherapeutischer Analysen mit der Analyse des Märchens und zugleich des Bewußtseinszustandes der gegenwärtigen Kultur zusammen und verbinden sich als verschiedene Seiten einer Sache mit einschlägigen kulturkritischen oder völkerkundlichen Beobachtungen (W. Müller 1981, S. 63–79 u. S. 80–99). So unbequeme Konsequenzen das auch zweifellos hat: eine künftige Diskussion zur Didaktik des Märchens dürfte hinter diese Einsicht in die komplexe Ganzheit der ‚Sache‘ ebenso wie in die Reichweitenbegrenztheit der einzelnen Ansätze nicht mehr zurückfallen.

1 So beispielsweise R. Schendas vierte These (vgl. S. 41 dieses Buches).

2 Im Einleitungsgespräch des Falkensteiner Märchen-Kolloquiums. Dazu auch die Überlegungen Klaus Doderers, der im gleichen Diskussionszusammenhang zu erwägen gab, ob in dem Grimmschen Begriff der Naivität des Märchens nicht eine quasi revolutionäre Potenz gegen eine geistesgeschichtlich herrschend gewordene totale Rationalität enthalten gewesen sei.

3 Vgl. dazu die aufschlußreichen Hinweise und Überlegungen bei Werner Müller (W. Müller 1981, S. 17–40): „Die krampfhafte Rationalisierung des Irrationalen und die Unterdrückung des Unbegreiflichen zerstört die Physiognomie der Epoche bis zur Unkenntlichkeit" (30). „Die Koppelung an das Einsehbare und Vernünftige trifft die Geschichtsschreibung mit besonderer Schwere. Denn die Reduzierung des Lebens beseitigt in erster Linie das Eigenschaftliche der Zeiten, ihre Atmosphäre, den Lebenston, wie ihn Huizinga genannt hat. . . . Denn der Ratio bleiben die Qualitäten unzugänglich, sie erfaßt nur Quantitäten" (27). In der Modifizierung auf „bleiben *manche* Qualitäten unzugänglich" trifft der letztzitierte Satz genau die Situation, in der das Märchen eine wichtige zeitgenössische Funktion gewinnt.

4 Vgl. die dem deutschen Leser zugänglich gemachte Diskussion in der von Rein A. Zondergeld herausgegebenen Zeitschrift „Phaicon" (Phaicon 1, 1974; Phaicon 2, 1975); sowie Göte Klingberg (Klingberg 1970, S. 220–241).

MANFRED KLEIN

Es geht nicht nur um Märchen

„Ich liebe alles, was nicht wirklich ist" – so die Antwort eines lesefrohen Zehnjährigen auf meine Frage, was er denn gerne von mir als Lesestoff mitgebracht bekommen möchte. Auf insistierendes Nachfragen, was er denn darunter verstünde, ergab sich folgende bunte Mischung aus Texten und konkreten Titeln: Märchen, „Donald Duck", „Die Brüder Löwenherz", „Momo", „Die unendliche Geschichte", „Micky Mouse", Heldensagen, „Tom Sawyer", „Der kleine Hobbit" und „Der Herr der Ringe", „Wickie", „Superman" und, wenn erreichbar, „auch was über Sternenkriege". Die „wirklichen" Geschichten seien meist traurig und brächten ihn zum Heulen, so z.B. die Bücher über das Leben der großen Indianerhäuptlinge, auch Steubens „Tecumseh"-Bücher.

Diese gewiß nicht extraordinäre Auflistung von Leseinteressen lehrt u.a. zweierlei: Erstens weiß dieser Zehnjährige ziemlich gut zwischen fiktionalen und nichtfiktionalen Texten zu unterscheiden, er hat auch begriffen, daß es in der Realität selten so gut ausgeht wie in den Geschichten, die er liebt. Zweitens weist die Reihung wieder einmal unmißverständlich auf ein Faktum hin, das wir bei unserer üblichen *selektiven* Literaturdidaktik immer wieder aus den Augen verlieren, obwohl es uns allen vermutlich bewußt ist: Das Märchen stellt im Textangebot für Kinder *einen* Faktor unter zahlreichen anderen benachbarten dar und zwar, cum grano salis, auch schon im Vorschulalter, besonders wenn man das Angebot unter medienübergreifendem Aspekt sieht. Bei den Überlegungen zu Wert und Unwert des Märchens für Kinder bleibt seine Stellung innerhalb einer dynamischen Entwicklung der Rezeptionsgewohnheiten und der rezeptiven Fähigkeiten des Kindes bisher doch weitgehend ausgespart – und das, obschon es zweifellos zu den ganz frühen literarischen und medial vermittelten Angeboten gehört und deshalb zwangsläufig Folgen hat. *Wie* und *was* lernen Kinder bei der Märchenrezeption eigentlich im Hinblick auf ihre *weitere* literarische Sozialisation – so könnte man das Problem in der hier angebrachten Kürze vielleicht auf einen vorläufigen und zugegebenermaßen schlichten Nenner bringen.

Die damit angedeutete Aufgabenstellung für zukünftige Arbeiten soll, bezogen auf nur einen der denkbaren Schwerpunkte, kurz umrissen werden:

Der Schneevertreiber „Klorck" (links) und der aus der dunklen Moorland-
schaft kommende „Weidenkobold" (rechts) sind Erfindungen des Schrift-
stellers Wolfdietrich Schnurre. Sie gehören ohne Zweifel in die Kategorie der
übernatürlichen Wesen und sind insofern Rohmaterial für Märchen. Schnurre
stellt sie allerdings nur kurz mit dem Stift und je einem kleinen Gedicht in
seinem Buch „Die Zwengel" (1967) vor.

Überblickt man die von dem Zehnjährigen angeführten Texte, die er unter
seinem Begriff von „nicht wirklich" zusammenfaßte, dann könnte man, abgesehen wohl von Mark Twains „Tom Sawyer", feststellen, daß sie alle mehr
oder weniger ausgeprägte phantastische Elemente enthalten, die sie auf den
ersten Blick in eine gewisse inhaltliche und strukturelle Verwandtschaft miteinander zu rücken scheinen – das Volksmärchen, Donald samt Anhang, die
Hobbits aus dem Auenland und die naive Weltraumabenteuerlichkeit aus
den Science Fiction-Heften und -Comics. Dieser Umstand legt z.B. den Gedanken nahe, das Märchen gerade unter diesem Aspekt der *Phantastik* in didaktische Beziehung zu den sonstigen Texten phantastisch geprägten Inhalts
zu setzen, die ja nicht nur die weitere Lesewirklichkeit des Kindes, sondern

Ludwig Richter (1803–1884) hat zu Ludwig Bechsteins Version des Mär-
chens ,,Der kleine Däumling'' auch diese grausam-kannibalische Szene illu-
striert: ,,Schon wetzte er sein langes Messer, die Kinder zu schlachten, und
nur allmählich gab er den Bitten seiner Frau nach, sie noch ein wenig am
Leben zu lassen und aufzufüttern, weil sie doch gar zu dürr seien, besonders
der kleine Däumling.''

auch die des Jugendlichen und Erwachsenen in ganz erheblichem Umfange
bestimmen, letzteres z.B. trifft besonders auf die zur Zeit marktüberschwem-
mende Science Fiction-Literatur zu. Tatsächlich befaßt sich die Literaturwissenschaft auch in der Bundesrepublik seit kurzem mit dem bisher hierzulande noch kaum erforschten Gebiet der literarischen Phantastik, – und eine
der ersten wichtigen Veröffentlichungen stellte eine 1974 aus dem Französischen übersetzte Abhandlung von Roger Caillois mit dem Titel ,,Das Bild des
Phantastischen. Vom Märchen bis zur Science Fiction'' dar (Caillois 1974, S.
44–83).

Während die Literaturwissenschaft also wenigstens im Ansatz einen Bo-
gen über die Genres hin unter dem Gesichtspunkt der Phantastik schlägt, be-

177

gnügt man sich in der Literaturpädagogik und -didaktik im Gegenteil meist noch mit ausgrenzenden Definitionen, z.B. zwischen Märchen und phantastischer Kindergeschichte (Krüger 1960 u. 1969; Klingberg 1973 u. 1974), und behandelt die beiden Gegenstände auch in verbreiteten Handbüchern nach gattungspoetologischen Grundsätzen getrennt, − was zweifellos zu Zeiten und bei gewissem Erkenntnisinteresse seine Berechtigung hat. Will man jedoch zukünftig mehr über Wert und Unwert des Märchens für Kinder erfahren, scheint mir diese Abgrenzung auf die Dauer eher hinderlich zu sein. Denn nochmals: Helfen die Erfahrungen im Umgang mit Märchen dem heranwachsenden Kind bei seiner Begegnung mit phantastischen literarischen Offerten anderer Provenienz? Dabei hat uns gerade in den letzten Jahren im Verhältnis zwischen Kind und Literatur nichts so interessiert wie die Rolle der Phantasie, ihre Funktion bei der Sozialisation und im allgemeinen gesellschaftlichen Prozeß. Bietet sie dem Kind, so lautete die Alternativfrage, Kompensation für seine nichterfüllten Erwartungen oder bildet sie wirklichkeitsverändernde Hefe in seinem Denken?

Antworten darauf gab und gibt es aus psychologischer oder soziologischer Sicht. Lars Gustafsson behauptete, eher soziologisch argumentierend, der literarischen Phantastik liege eine „reaktionäre moralische Haltung" zugrunde (Gustafsson 1970), womit er auf die Fremdbestimmtheit des Menschen angesichts scheinbar undurchschaubarer Mächte anspielte, während Richard Alewyn, eher psychologisch ausholend, darauf hinwies, daß der Sieg des rationalen Weltbildes im 18. Jahrhundert dem Menschen die Furcht vor Naturphänomenen genommen habe; seither könne er Angst in der phantastischen Literatur ohne existentielles Risiko spielerisch genießen (Alewyn 1974). Damit sind zwei Grundpositionen zur Phantastik in der Literatur skizziert, die in allen Schattierungen auch in die Diskussionen um das Märchen eindrangen, die aber auch beide unausweichlich auf die Frage verweisen, was denn eigentlich das Phantastische in der Literatur sei. Oder mit anderen Worten und im Kontext unseres Beispiels: ist die Phantastik des Märchens die gleiche wie im „Micky Mouse"-Comic, in Michael Endes „Momo" oder John R.R. Tolkiens „Herr der Ringe"? Sind literarische Erfahrungen des Kindes aus dem Märchen auf diese anderen Texte beziehbar?

◁

In der Version Walt Disneys vom „Tapferen Schneiderlein" spielt Micky Maus das furchtlose Schneiderlein. Am Ende der Story wird die Märchen-Atmosphäre gebrochen, indem deutlich wird, daß es ein Märchen-Film war, der zu Micky Maus' Geburtstag gezeigt wurde. Hier wird Micky Maus-Schneiderlein dem König vorgeführt.

Ein vor kurzem erschienener Reader zur „Phantastik in Literatur und Kunst" (Thomsen 1980) muß zur Definition des Begriffs auf die „Grande Encyclopédie Libraire Larousse" zurückgreifen; eine brauchbare deutsche Definition war offensichtlich nicht auffindbar, was auf den Stand der Phantastik-Forschung im deutschen Sprachraum kein günstiges Licht wirft. Bleibt man bei einer Annäherung zunächst auf der Ebene der Handlungselemente, dann kann man den Auftritt des Phantastischen zweifellos schon in der Mitwirkung irrealer Wesenheiten und in „kontraempirischen" Ereignissen sehen (Thomsen 1980, S. 24). Aber: was uns auf dieser Ebene phantastisch zu sein scheint, erscheint zu anderer Zeit und in anderen Kulturräumen absolut nicht so. Man wird also doch wohl noch Tzvetan Todorovs Konzept zu Hilfe nehmen müssen, nach dem zur Phantastik die durchgehende, kontinuierliche Grenzüberschreitung auch für das Bewußtsein des Lesers gehört (Todorov 1972).

Demnach steht dann allerdings manches Volksmärchen mit seiner Verwurzelung in der historischen Empirie eines vergangenen Märchenpublikums (Richter/Merkel wiesen nachdrücklich darauf hin; Richter 1974) in einem ganz anderen Verhältnis zur Phantastik als etwa Momos Konfrontation mit den „grauen Herren" von der Zeitsparkasse oder gar die durchgängig anthropomorphisierte Enten- und Mäusewelt der Disney-Comics. Diese wenigen zitierten Definitionsversuche zeigen, wie schwer das Phantastische also unter Umständen zu entschlüsseln sein dürfte. Zwischen den beiden Ordnungen, empirisch die eine, spirituell organisiert die andere (Todorov 1972), wird wohl auch für Kinder kein Weg ohne Hindernisse und Fallen verlaufen, wie es oft romantisch oder auch nur naiv gedacht war.

Und trotzdem oder gerade deswegen lohnt sich eine didaktische Wegweisung durch die Gefilde des Phantastischen zwischen Märchen und Science Fiction, denn allemal stellt Phantastik (wie R.G. Renner an Kafka nachwies. Renner 1978) eine bereits deformierte Wirklichkeit bloß. Schon das zu erkennen, wäre für Kinder zweifellos wichtig.

CARL-HEINZ MALLET

Praktizierte Märchendidaktik

Drei Beispiele aus der Schule

Das erste Beispiel liegt lange zurück: 1949, und die Kinder, die Bekanntschaft mit Grimm'schen Märchen machen sollten, lebten als Ärmste der Armen in einem trist-traurigen Nissenhüttenlager. Sie waren nicht nur arm und unterernährt, sondern auch lernbehindert. Nach zwei Jahren erfolglosen Besuches der Grundschule hatten sie weder lesen und schreiben gelernt noch konnten sie rechnen. Darum kamen sie auf eine Hilfsschule, wie diese Institution damals hieß. Ich wurde ihr Klassenlehrer, und das Ergebnis war ein Fiasko. Weitgehend hilflos stand ich meinen zwanzig dreckigen, zum Teil verlausten Schülern gegenüber, die laut schrien, über Tische und Bänke sprangen und mich weder als Lehrer anerkannten noch als Erwachsenen für voll nahmen: sie duzten mich. Geregelter Unterricht war nur selten möglich, folglich waren meine pädagogischen Bemühungen wenig erfolgreich. Alle methodischen und didaktischen Mittel, die ich gelernt hatte, versagten. Lernen war das letzte, wozu meine Schüler bereit waren.

Kein Wunder: zwei Jahre lang hatten sie in der Schule erlebt, daß sie nichts konnten, und Lehrer waren für sie Leute, die etwas von ihnen verlangten, was sie doch nicht schafften. Woher sollten sie noch Lust zum Lernen haben? Ich versicherte ihnen, daß es in dieser Schule für sie leichter und besser gehen würde, aber davon waren sie nicht beeindruckt, vermutlich glaubten sie mir nicht, jedenfalls schossen sie lieber mit Papierkugeln. Dabei waren sie durchaus nicht bösartig, sie hatten nichts gegen mich, aber sie verhielten sich nach eigenen Regeln, die ich wenig beeinflussen konnte.

So blieb es, bis ich Ihnen ein Märchen erzählte. Das war nicht etwa das Ergebnis tiefschürfender pädagogischer Überlegungen, sondern schlichte Notwehr. Ich wollte nichts weiter, als daß sie endlich einmal ruhig wären und mir zuhörten. Nach dem Scheitern so vieler Versuche versprach ich mir auch von dieser Aktion nicht viel, aber das Wunder geschah: Sie waren still, alle. Was meine gesamten pädagogischen und methodischen Mittel nicht fertiggebracht hatten, das schafften Aschenputtel, Rotkäppchen und Hänsel und Gretel. Bei den Märchen hingen die Kinder mir an den Lippen und waren

181

friedlich. Als Aschenputtel glücklich ihren Prinzen bekommen hatte, sprang Hanna, das ungebärdigste meiner Mädchen, auf und verkündete strahlend, daß sie mich später heiraten und dann auch in einer Kutsche mit sechs weißen Pferden davor zur Kirche fahren wollte. Alles lachte, man freute sich, und alle wollten mehr Märchen hören.

Jeden Sonnabend erzählte ich der Klasse nun ein Märchen, und die galten damals ganz und gar nicht als positives pädagogisches Mittel, sondern waren von der Militärregierung aus Schulbüchern entfernt worden, und nicht wenige glaubten, vom Ofen, in dem Gretel die böse Hexe verbrannt hatte, führe ein gerader Weg zu Auschwitz und zu deutscher Grausamkeit.

Ich war froh, in den Märchen eine Möglichkeit gefunden zu haben, besser mit meiner Klasse fertig zu werden. Natürlich bewirkten sie keine Wunder, aber sie bedeuteten die Wende zum Besseren. Das dürfte mehrere Gründe gehabt haben. Zunächst einmal freuten sich alle Kinder auf das Märchenerzählen am Sonnabend. Es machte ihnen Spaß, brachte gute Laune und befriedigte sie. Sie erlebten mit den Heldinnen und Helden der Märchen die unglaublichen Abenteuer, überwanden mit ihnen alle Hindernisse und Schwierigkeiten, siegten mit ihnen, bekamen am Schluß ihren schönen Prinzen oder ihre schöne Prinzessin, und alle Bösen wurden bestraft. Dabei konnten die Kinder die Sorgen und Kümmernisse ihres grauen Alltags vergessen und fanden vielleicht auch mehr Zuversicht für ihr eigenes Leben. Bruno Bettelheim könnte Recht haben, wenn er meint: „Märchen erleichtern es dem Kind, mit den Schwierigkeiten des Lebens fertig zu werden, weil sie ihm die Hoffnung vermitteln, daß es sie genauso überwinden wird wie der Märchenheld, dem es gelingt, alle Widrigkeiten zu bezwingen (Mallet 1980, S. 209). Wesentlicher für die schulische Arbeit war, daß die Märchenstunden das Schüler-Lehrerverhältnis änderten. Als Märchenerzähler hatte ich die Kinder beeindruckt. Ich war für die Schüler nun kein junger Mann mehr, mit dem sie mehr oder weniger machen konnten, was sie wollten. Dadurch verstärkte sich ihr Vertrauen zu mir, und mein Einfluß auf sie wurde größer. Sie begannen, mir zu glauben, daß ich nicht nur Märchen erzählen, sondern ihnen auch etwas beibringen könnte. Sie sträubten sich folglich weniger gegen das Lernen, fingen an, sich am Unterricht zu beteiligen und machten manchmal auch ihre Hausarbeiten. Dadurch stellten sich erste Lernerfolge ein, die die Kinder ermutigten und mir allmählich auch Lehrerfachkompetenz eintrugen. Die gegenseitigen positiven Verstärkungen machten die Schule für Schüler und Lehrer erfreulicher und erfolgreicher.

Wie weit auch die Märcheninhalte zu diesem positiven Prozeß beigetragen haben, wird offen bleiben müssen. Denkbar ist jedoch, daß die Märchen mit ihrer sinnlich erfahrbaren Bildersprache gerade diese Kinder, die sich in der

*Klaus Ensikats (*1937) Wolf ist ein auf Amouren versessener Verführer,
dem das adrett anzuschauende kleine Mädchen nicht gewachsen sein dürfte.
Nicht umsonst diente gerade Charles Perraults Märchen zur Vorlage.*

wissenschaftlich-analytischen Denkweise so schwer taten, besonders angesprochen haben. So zeigten beispielsweise ihre Bilder, die sie zu Märchenthemen malten, eine bessere Qualität als andere Bilder.

Eine andere Situation fand ich in der nächsten Klasse vor, die ich einige Jahre später übernahm: Eine Oberklasse mit dreizehn- und vierzehnjährigen Jungen und Mädchen. Sie hatten das Lesen und Schreiben gelernt, gingen nicht einmal ungern zur Schule und hatten keine Vorurteile gegen die Lehrer, die sie als verständnisvoll erlebt hatten und bei denen sie mitkamen und etwas lernten. Ihr Problem war die Schulart, die sie besuchen mußten, ihr Status als Hilfsschüler. „Hilfsschüler" war damals ein außerordentlich diskriminierendes Schimpfwort, und nicht wenige riefen es ihnen auf der Straße nach. Es gab zu der Zeit noch keine „Aktion Sorgenkind" und kaum Verständnis für Behinderte. Die Hilfsschule war als „Dummenschule" und „Brettergymnasium" verschrien, wer sie besuchte galt als „doof" und wurde oftmals in Kindergemeinschaften nicht akzeptiert. Selbst der Hilfsschullehrer genoß wenig Ansehen. Er bekam für seine Arbeit 50,– DM monatliche Zulage, die von Regelschullehrern „Schmutzzulage" genannt wurde. Einige Freunde rieten mir, doch lieber an einer „richtigen" Schule zu unterrichten.

Ich erzählte das meiner Klasse. Die Schüler fanden gut, daß ich trotzdem bei ihnen blieb, aber es half ihnen nicht für ihre eigene Situation.

Vielleicht, so überlegte ich, könnten Märchen auch diesen Kindern mehr Selbstvertrauen geben. Wie kaum in anderen Geschichten waren deren Helden oft genug diejenigen, die anfangs von allen verlacht, verspottet und wenig geachtet wurden, später aber über alle anderen triumphierten. Ich gab meinen Einstand mit Bechsteins „Das Gruseln" und hatte damit bei meinen Vierzehnjährigen einen ähnlichen Erfolg wie damals mit Aschenputtel bei den Drittkläßlern. Die Situation des Helden Hans paßte allerdings auch haargenau auf die Lage meiner Schüler. Auch sie hatten ständig erlebt, daß sie „alles falsch" machten und nichts recht verstanden. Auch von ihnen hieß es, daß sie „ein Brett vor dem Kopf" hätten, Dummbärte wären, ein Lebtag nichts aus ihnen würde, und ihre Eltern noch ihre Last mit ihnen haben würden. Die meisten waren Außenseiter wie der Märchenheld, sie wurden genau wie er verspottet. Ihm geht es sogar noch schlimmer. Nicht nur verhöhnt ihn sein als „klug und gescheit" geltender Bruder Matthes, sondern sein Vater jagt ihn auch mit Schimpf und Schande aus dem Haus.

Im Gegensatz zu meinen Schülern macht dem Helden das alles nichts aus. Er verliert weder Zuversicht noch gute Laune, und bange machen läßt er sich schon gar nicht. Ihn kann der als Gespenst verkleidete Küster auf dem nächtlichen Kirchturm nicht erschrecken. Er fürchtet sieben Tote am Galgen nicht und wird spielend mit wilden Katzen und Hunden fertig. Ihm macht die Einsamkeit im verwunschenen Schloß nichts aus, und er besiegt einen starken Riesen. Von dem klugen Matthes ist nie wieder die Rede, Hans aber bekommt die schöne Prinzessin, wird König, und das Gruseln lernt er auch.

Die Überlegenheit des anfangs als dumm und unfähig geschilderten Helden machte den meisten Kindern Spaß, die Klasse reagierte auf seine Erfolge und Siege verständlicherweise mit besonderer Befriedigung, und am Schluß des Märchens saßen einige Schüler mit vor Anteilnahme roten Köpfen da. Alle waren von der Geschichte begeistert, viele aber über das Unverständnis und die Härte des Vaters empört. Nicht einmal angehört hätte er seinen Sohn, beschwerten sie sich.

Die meisten sprachen aus Erfahrung. Zumindest für ihr Schulschicksal hatten viele Eltern kein Verständnis. Sie gaben ihren Kindern die Schuld an deren Schulversagen, hatten sie für jede schlechte Zensur beschimpft und sich geschämt, als sie auf die Hilfsschule mußten. Einige hatten es fertiggebracht, diese Tatsache in der Verwandtschaft zu verheimlichen. Einer der Jungen durfte aus diesem Grunde nicht an unserem öffentlichen Sportfest teilnehmen.

Das Märchen bot sich für ein Gespräch über die Situation der Schüler geradezu an, aber dieser Versuch scheiterte. Wohl konnten sie sich am fröhlichen Optimismus des Helden erfreuen und ihn nacherzählend zum Ausdruck bringen, aber einen Transfer zu ihrem eigenen Schicksal ließen sie nicht zu, da blockten sie ab. Das geschah nicht aus intellektuellem Unvermögen, sondern weil ihnen das Thema unangenehm und letztenendes so peinlich wie ihren Eltern war. Die Befriedigung, die das Märchen bot, blieb auf die Erzählsituation und auf die Phantasie beschränkt. Nach außen und in ihr reales Leben wirkte sie nicht. Der Märchenheld war zuversichtlich und mutig, sie waren es nicht.

Dennoch erzählte ich ihnen weiterhin Märchen, und sie freuten sich auf diese Stunden. Sie genossen es, etwas erzählt zu bekommen, persönlich angesprochen zu werden, und besonders erfreuten sie jene Märchen, deren Helden anfangs dumm und unterlegen erschienen, sich aber am Schluß als siegreich erwiesen. Bei solchen Geschichten konnten sie jedenfalls für den Augenblick ihre eigenen Sorgen vergessen und sich von ihrer Bedrückung erholen. Das taten sie, aber das war auch alles. Mit ihrer Diffamierung durch die Umwelt wurden sie nicht besser fertig.

Es kam zu einem traurigen Zwischenfall: Eine meiner Schülerinnen schimpfte drei ihrer eigenen Klassenkameraden „Hilfsschüler". Von der anderen Straßenseite hatte sie ihnen das schlimme Wort provozierend zugerufen – im Beisein ihrer Eltern und von ihnen geduldet. Sie gehörten zu denen, die den Schulstatus ihrer Tochter mit allen Mitteln verschwiegen und vertuschten.

Die Klasse war empört, Jutta wurde am anderen Tag in der Schule verprügelt und dann von den meisten geschnitten.

So traurig dieser Zwischenfall war, sowohl Juttas Verhalten wie die Reaktion der Klasse, in solche Prozesse kann man als Lehrer nur selten mit Erfolg direkt eingreifen. Ich wartete damit bis zur nächsten Märchenstunde, und als alle erwartungsvoll da saßen, weigerte ich mich zu erzählen. Ich hätte es satt, erklärte ich ihnen, sie immer wieder mit Geschichten über ihre Schwierigkeiten hinwegzutrösten, um dann Zwischenfälle wie jene zu erleben. Damit wäre es vorbei, und sie müßten nun selbst etwas tun. Die Märchenhelden blieben schließlich auch nicht hinter dem Ofen sitzen, sondern ließen sich etwas einfallen, täten und riskierten etwas.

Damals gab es noch kein Fersehen, keine Taschenradios und Recorder, so daß die Erzählstunden einen erheblichen Stellenwert besaßen. Die Klasse war ebenso enttäuscht wie verblüfft und bereit, für die Fortsetzung der Erzählstunden einiges zu tun. Sie seien als achte Klasse alt genug, hielt ich ihnen vor, selbst einmal etwas auf die Beine zu stellen, um unser Ansehen aufzubessern und den anderen zu zeigen, daß wir auch wer sind und etwas können, und ich schlug vor, ein Stück aufzuführen und dazu Volksschulklassen einzuladen. Sofort protestierte Jutta gegen den Plan: „Ich stell' mich doch als Hilfsschülerin nicht auch noch groß auf die Bühne!" Aber sie besaß zur Zeit wenig Gewicht in der Klasse. Ihr Protest blieb ohne Wirkung.

Ich regte an, das Gruselmärchen aufzuführen und malte ihnen aus, wie wirksam sich die Gespenster- und Schauerszenen spielen lassen würden. Damit gewann ich sie, und sofort gab es eine lebhafte Debatte: „Wer spielt wen? Woher kriegen wir einen Galgen? Wie verkleiden wir die Katzen?" Ich atmete auf – aus unsere Erzählgemeinschaft wurde eine Spielgemeinschaft.

Wir waren zu der Zeit „Untermieter" in einer großen Volks- und Realschule, die eine Aula mit hervorragend ausgestatteter Bühne besaß. Sie zu benutzen war ein weiterer Reiz für die Kinder. Wir arbeiteten wie nie zuvor, sogar an etlichen Nachmittagen probten wir und arbeiteten an den Kostümen und den Dekorationen. Leicht war die Aufgabe nicht. Es gab Krisen und Kräche, immer wieder wollte der eine oder andere aufgeben, und auch ich verlor manchmal die Nerven und schimpfte, aber wir hielten durch. Sogar Jutta machte mit. Sie spielte die Prinzessin und genoß die Rolle. Mutter und große Schwester halfen ihr bei dem Kleid: rosa, bodenlang, mit Rosen drauf. Jutta, die sich nicht einmal durch Lob und Anerkennung aus ihrer pessimistischen Lustlosigkeit hatte herausbringen lassen und sich in der Rolle der Diffamierten gefiel, war zum ersten Mal gelegentlich fröhlich und ge-

*In einem dichten Waldgehäuse stehen sich ein naives Mädchen und ein rusti-
kaler Wolf gegenüber. Die Illustratorin Eva Johanna Rubin (*1926) verzichtet auf alle Pikanterie, um die schlichten Züge des Rotkäppchen-Märchens
hervortreten zu lassen.*

löst. Außerdem spielte sie die Königstochter ausgezeichnet, so daß sich ihre
Stellung in der Klasse besserte. Sie fand unter den Jungen sogar etliche
Bewunderer, die sie „Prinzessin" nannten, was ihre Stimmungslage weiter
verbesserte.

Die Besetzung der Rollen erwies sich nicht nur in ihrem Fall als wirksames
pädagogisches Mittel. So spielte der schüchternste der Klasse, der sich gar
nichts zutraute, eine der wilden Katzen. Ich ließ ihn durch die hintere Aula-
tür auftreten. Auf dem Weg zur Bühne durfte er mit seinen Ketten rasseln
und die Zuschauer erschrecken. Manche der Erst- und Zweitkläßler kreisch-
ten tatsächlich. Der Junge hatte den Auftritt seines Lebens, und der blieb
nicht wirkungslos, ließ ihn sicherer und mutiger werden.

Horst wurde von seinem Vater abgelehnt. Der hatte sich − wie viele
Väter − zuviel von seinem Sohn versprochen. Als der Junge in der Schule
völlig versagte und dann auch noch auf die Hilfsschule kam, hatte er ihn
völlig abgeschrieben. Ich ließ Horst die Rolle des Märchenvaters spielen. Man
hätte nicht mit ihm über seine Probleme reden können, aber auf der Bühne

spielte er sie aus: Überzeugend und mit Genuß beschimpfte er seinen dummen und nichtsnutzigen Sohn und jagte ihn dann als wahrhaft böser Vater aus dem Haus. Er bekam Szenenbeifall, und nach der Aufführung klopfte ihm sein Vater anerkennend auf die Schulter.

Unser wortgewandter Klassenkasper, dessen Hemmungslosigkeit alle Lehrer und sogar manche Mitschüler nervte, war nach einhelliger Meinung der geeignete Hauptdarsteller. Aber er versagte auf der Bühne. Da, wo er nicht gehemmt sein sollte, war er es, und diese heilsame negative Erfahrung dämpfte ihn ein wenig. Er bewährte sich allerdings als Souffleur, kannte fast das ganze Stück auswendig und sein Mutterwitz wirkte oftmals ermunternd und entspannend auf die gestreßten „Schauspieler". Die aktiv dargestellten Rollen erwiesen sich bei einigen Schülern als wirksam. Erst durch das Spielen der Märchenfiguren kam es zu positiven Veränderungen, die das Erzählen nicht hatte bewirken können.

Bei allen Schülern führte der Erfolg zu einer Ermutigung. Die eingeladenen Unterklassen waren begeistert, und wir mußten auch vor der Mittelstufe spielen. Sogar einige Oberklassen kamen zur zweiten Aufführung. Die Volksschüler — sowie manche ihrer Lehrer — hatten nicht gedacht, daß Hilfsschüler derartiges leisten könnten. Wir spielten natürlich auch vor den Schülern der eigenen Schule und an einem Abend vor den Eltern und vor Gästen. Zum ersten Mal waren alle Eltern in die Schule gekommen. Die Diffamierung blieb ein Problem, wurde aber hiernach von vielen Schülern und deren Eltern nicht mehr ganz so tragisch gesehen.

Die gemeinsame Arbeit an dem Stück wirkte sich bis ans Ende der Schulzeit positiv auf das Klima in der Klasse aus. Wir hatten uns besser kennengelernt, unsere Stärken und Schwächen erfahren — auch die des Lehrers — und waren zu einer Gemeinschaft geworden, in der ein Zwischenfall wie der mit Jutta nun nicht mehr vorkam.

Mit dem Märchenerzählen war es nach der Aufführung allerdings vorbei. Über die Grimm'schen Heldinnen und Helden waren wir hinausgewachsen. Ich löste die Märchen durch Sagen ab, und im neunten Schuljahr folgte die Klasse den Abenteuern der Helden Homers mit gleicher Begeisterung und — wie ich hoffe — mit noch größerem Gewinn.

Diese Ereignisse liegen weit zurück. Inzwischen hat sich die Welt und haben sich die Kinder geändert. Man möchte meinen, daß Vierzehnjährige heute nichts mehr vom Märchen wissen wollen. Ich wollte herausfinden, ob das stimmt und habe es ausprobiert — unter erschwerten Bedingungen: an vierzehn- und fünfzehnjährigen Schülern einer Schule für Lernbehinderte der Großstadt Hamburg. Inzwischen Schulleiter, gab ich in dieser achten Klasse eine Vertretungsstunde. Ohne weitere Umstände erzählte ich ihnen das Märchen vom tapferen Schneiderlein. Sie bekamen zwar vor Aufregung keine roten Köpfe, waren aber die ganze Zeit still und hörten zu. Beim anschließenden Gespräch über die Geschichte kritisierte ich den Schneider und fand ihn gar nicht tapfer: „Wie kann man sich wegen sieben erschlagener Fliegen nur einbilden, ein großer Held zu sein?" fragte ich und fand es unmöglich, deswegen den Beruf und damit das sichere Auskommen aufzugeben und mit nichts als einem alten Käse als Landstreicher zu leben. Aber mit dieser Art von Realismus kam ich nicht an. Einhellig verteidigten die Schüler den Helden und protestierten gegen meinen Versuch, ihn herabzusetzen. Zeiten und Menschen mögen sich geändert haben, aber die Märchenhelden scheinen Helden geblieben zu sein, die man sich nicht entwerten lassen will.

Als Fachlehrer gab ich in dieser Klasse Biologie. Wir waren bei der Sexualerziehung und kamen in diesem Zusammenhang auf den bösen Wolf. Er erwies sich als eingängiges Anschauungsobjekt für männliche Triebeigenschaften. Kein Schüler hatte Zweifel an seiner diesbezüglichen Qualität und darüber, was er von Rotkäppchen wirklich wollte. „Und die Großmutter hat er auch vernascht", konstatierte ein Junge, und die anderen nickten dazu. „Armes Rotkäppchen" sagte ich. „Selbst Schuld", fanden mehrere Jungen. Dagegen protestierten jedoch die Mädchen und wollten in der Heldin keinesfalls ein hilfloses Opfer des lüsternen Wolfes sehen. Sie hat schließlich überlebt, und der Wolf mußte sterben, erklärten sie. Die Klassenlehrerin fehlte langfristig, ich übernahm einen Teil ihrer Stunden, und die Kinder baten mich, mit ihnen ein Stück für die Schulentlassungsfeier einzuüben. Das war an unserer Schule die Aufgabe der achten Klassen. Ich schlug betont arglos Rotkäppchen vor. Die meisten verstanden, worauf ich hinaus wollte. Ich erzählte ihnen das Märchen noch einmal und stellte es dann mit dem Ziel zur Diskussion, daraus ein vorführbares Stück für die Schulentlassungsfeier zu machen. Wir begannen mit der Mutter. Die Schüler fanden sie „doof". Zur Präzisierung angehalten meinten sie: Zu streng. Meckert nur. Immer diese blöden Ermahnungen. Sie hatten recht. So stellt das Märchen sie dar, und so konnten wir sie spielen. Die abwertende Betonung ihrer Rigidität entsprach dem Geschmack der pubertierenden Schüler und würde, wie sie meinten, auch den zu entlassenden Mitschülern gefallen. Also ließen wir unser Stück mit einem ergeben dastehenden Rotkäppchen beginnen und der ermahnend auf sie einredenden Mutter. Zur Verstärkung wiederholte ein Sprechchor jeder ihrer Sätze – alle Original Grimm –: Mach dich auf, bevor es heiß wird! Geh hübsch sittsam! Lauf nicht vom Weg ab! Vergiß nicht, Guten Morgen zu sagen! Guck nicht in allen Ecken herum!

Wie sollte Rotkäppchen darauf reagieren? Nicht so wie im Märchen, da waren sich alle einig! „Hör doch mit diesem dämlichen Gelaber endlich auf", schlug jemand vor, aber in dieser Form verfiel der Satz aus stilistischen Gründen der Zensur.

Wir beschäftigten uns mit dem Inhalt der mütterlichen Ermahnungen. Was meint sie wohl mit „hübsch sittsam gehen" fragte ich. Das löste eine Kettenreaktion aus. „Nicht mit dem Po wackeln und so." „Im Wald, wo kein Mensch ist?" Von mehreren: „Da ist schließlich der böse Wolf." „Er will wissen, was sie unter ihrer Schürze hat". „Bestimmt nicht den Korb. Der paßt nicht unter 'ne Schürze vom kleinen Mädchen." Einige lachten, einige kicherten. „Und wie wollen wir dann das Fressen spielen?" fragte einer, und die Stimmung wurde ein wenig ausgelassen. „Hat Rotkäppchen denn den Wolf an ihre Schürze gelassen?" fragte ich, und nun triumphierten einige Mädchen: „Das hätte dem so gepaßt, aber da hatte er keine Chance." „Stehengelassen hat sie ihn", „und dann fortgeschickt." „Aber schließlich hat sie sich doch von ihm fressen lassen!" trumpfte ein Junge auf. „Nein!" protestierten die Mädchen „sie wurde gefressen, vielleicht hat sie sich etwas überschätzt."

Einig waren wir uns darüber, daß Rotkäppchen weder brav und gehorsam war noch vor dem Wolf Angst hatte und daß sie sich nicht fressen lassen wollte. Von dieser Erkenntnis ausgehend entwickelten wir gemeinsam den Dialog für das Stück, und diese Arbeit machte den Schülern und dem Lehrer viel Spaß.

Wolf: „Guten Tag, Rotkäppchen."
Rotk.: „Hallo, Wolf, wie gehts dir, du Bösewicht?"
Wolf: „Wohinaus so früh?"
Rotk.: „Das möchtest du wohl wissen, was?"
Wolf: „Was trägst du unter der Schürze?"
Rotk.: „Das, mein Lieber, geht dich einen feuchten Kehricht an!" . . .
Wolf: „Darf ich ein wenig mitkommen, Rotkäppchen? Darf ich dich begleiten?"
Rotk.: „Hast du denn vergessen, was du tun mußt, du Dummkopf? Vertrödle deine Zeit nicht. Los mach dich auf den Weg, du mußt doch die Großmutter fressen!" . . .
Wolf: „Ach, ja." (trollt sich)

Die Szene im Hause der Großmutter nahm folgende Form an:
Rotk.: „Guten Morgen!" (Niemand antwortet) Nichts? — Auch gut. (Geht zum Bett, zieht den Vorhang auf) „Ach da liegt er ja, der böse Wolf. Mann, hast du große Augen!"
Wolf: „Damit ich dich besser sehen kann."

Rotk.: „Siehst du mich denn gerne?" (dreht sich vor ihm)

Wolf: „Ja, Rotkäppchen."

Rotk.: „Du hast auch ganz schön große Ohren!" (Packt ihn an den Ohren)

Wolf: „Damit ich dich besser hören kann."

Rotk.: „Soll ich dir mal was flüstern?"

Wolf: „Ja Rotkäppchen, bitte!"

Rotk.: „Du bist ein garstiges, häßliches, graues Viech!"

Wolf: „Aber ich hab' ganz weiches Fell."

Rotk.: „Und ein unverschämt großes Maul!"

Wolf: „Damit ich dich besser fressen kann."

Rotk.: „Du hast mich also zum Fressen gern?"

Wolf: „Ja, Rotkäppchen. Komm, laß dich bitte fressen!"

Rotk.: „Ist nicht, mein Lieber! Daraus wird nichts. Rück erstmal die Großmutter raus!"

Wolf: „Läßt du dich dann fressen?"

Rotk.: „Davon reden wir später."

Wolf: „Ich hab die Großmutter gar nicht gefressen. Sie ist im Schrank."

Rotk.: „Hallo, Großmutter! Hier ist Kuchen und Wein für dich, und schöne Grüße von der Mutter."

Wolf: „Wie ist es nun, Rotkäppchen, darf ich dich jetzt fressen?"

Rotk.: „Du darfst mich *nicht* fressen. Du gehst jetzt in deinen Wald. Dort verwandelst du dich in einen richtigen Menschen. Dann kannst du wiederkommen und mich zu einem Eis einladen. Ist das klar? Und nun ab mit dir!" (Schiebt ihn hinaus.)

Wir kamen mit unserem „Rotkäppchen '79" gut an. Die Neuntkläßler amüsierten sich, deren Eltern nicht minder und die meisten Lehrer auch.

Ich muß allerdings sagen, daß die achte Klasse, die das Märchen so originell diskutierte und so wirksam in Szene setzte, keine typische Lernbehindertenklasse war, sondern eine Sammelklasse guter Schüler aus mehreren Lernbehindertenschulen, die versuchen wollten, ihren Volksschulabschluß zu machen. Ihre Klassenlehrerin hatte sie mit großem Engagement gefördert und auf freie und offene Diskussion besonderen Wert gelegt.

Ich habe aus meinem persönlichen Erleben als Lehrer über Begegnungen von Kindern und Märchen in der Schule berichtet, drei Beispiele aus der Praxis erzählt. Damit will ich keinesfalls Märchen auf ein pädagogisches Hilfsmittel reduzieren oder sie als Therapie für Sonderschüler herausstellen. Das kann sehr wohl eine Möglichkeit sein, aber Märchen haben viele Aspekte und nicht nur eine Dimension. Nicht umsonst haben sie Jahrhunderte überdauert, allen Anfechtungen getrotzt, alle Verfemungen überlebt. Schon dadurch sind sie als Literaturgattung einmalig.

Als Lehrer fand ich, daß sie Kinder erfreuen und sie anregen können, über menschliche Probleme nachzudenken. In meinem Falle bewirkten sie noch etwas: Die Arbeit mit Märchen in der Schule ließ mich Märchen wie Kinder besser verstehen. Ohne sie hätte ich mein Buch „Kennen Sie Kinder?" nicht schreiben können. Der Umgang der Schüler mit den Märchenstoffen, ihre spontanen, unreflektierten Stellungnahmen, trafen oft den psychologischen Kern einer Situation, hellten Zusammenhänge auf, die mir sonst entgangen wären. Das Umgehen mit Märchen und Kindern in der Schule war ein Prozeß auf Gegenseitigkeit: Die Schüler und ihr Lehrer haben davon profitiert, und das ist, so meine ich, ein gutes Fazit.

Literaturverzeichnis

Alewyn, Richard: Probleme und Gestalten. Essays. Frankfurt 1974.

Apel, Friedmar: Die Zaubergärten der Phantasie. Zur Theorie und Geschichte des Kunstmärchens. Heidelberg 1978.

Aries, Philippe: Geschichte der Kindheit. München, Wien 1975.

Arnould, Émile Jules François: Le manuel des péchés. Etude de littérature religieuse anglo-normande (XIIIᵉ siècle). Paris 1940.

Azadooskij, Mark Konstantinovic: Eine sibirische Märchenerzählerin. Helsinki 1926.

Barchilon, Jaques: Le conte merveilleux français de 1690 à 1790. Paris 1975.

Bastian, Ulrike: Die ‚Kinder- und Hausmärchen‘ der Brüder Grimm in der literaturpädagogischen Diskussion des 19. und 20. Jahrhunderts. Frankfurt/M. 1981. (Studien zur Kinder- und Jugendforschung. 8.).

Bauer, Karl W. (zus. mit Heinz Hengst): Wirklichkeit aus zweiter Hand. Reinbek 1980.

Baughman, Ernest W.: Type and motif index of the folk-tales of England and North America. The Hague 1966.

Bausinger, Hermann: „Historisierende" Tendenzen im deutschen Märchen seit der Romantik. Requisitenverschiebung und Requisitenerstarrung. In: Wirkendes Wort. 10. 1960. 5. S. 279—286.

Bausinger, Hermann: Buchmärchen. In: Kurt Ranke (Hrsg. zus. mit anderen): Enzyklopädie des Märchens. Bd. 2. Berlin, New York 1979. Sp. 974—977.

Bechstein, Ludwig: Das Märchen und seine Behandlung in Deutschland. In: Germania. Die Vergangenheit, Gegenwart und Zukunft der deutschen Nation. Hrsg. von einem Verein von Freunden des Volkes und Vaterlandes. Eingeführt durch Ernst Moritz Arndt. Bd. 2. Leipzig 1852. S. 316—328.

Berne, Eric: What do you say after you say hello? New York 1973.

Bettelheim, Bruno: The uses of enchantment. New York 1976.

Bettelheim, Bruno: Kinder brauchen Märchen. Stuttgart 1977.

Bitomsky, Hartwig: Die Röte des Rots von Technicolor. Neuwied 1972.

Bloch, Ernst: Literarische Aufsätze. Bd. 9 der Gesamtausgabe. Frankfurt/M. 1965.

Bohrer, Karl Heinz: Die gefährdete Phantasie oder Surrealismus und Terror. München 1970.

Brackert, Helmut (Hrsg.): Und wenn sie nicht gestorben sind . . . Perspektiven auf das Märchen. Frankfurt/M. 1980.

Brezan, Jurij: Eine Geschichte in tausend Varianten. In: Das schönste Buch. Hrsg. von der Akademie der Künste der Deutschen Demokratischen Republik. Berlin, Weimar ²1977. S. 66—67.

Bruns, Brigitte: Märchen in den Medien. In: Zeitschrift für Pädagogik. 26. 1980. 3. S. 341—344.

Caillois, Roger: Das Bild des Phantastischen. Vom Märchen bis zur Science Fiction. In: Phaicon. 1. 1974. S. 44—83.

Christiansen, Reidar Th.: European Folklore in America. Oslo 1962.

Colshorn, Carl (zus. mit Theodor Colshorn): Märchen und Sagen. Hannover 1854.

Czernich, Michael: Kinderschallplatte. In: Klaus Doderer (Hrsg.): Lexikon der Kinder- und Jugendliteratur. Bd. 2. Weinheim, Basel 1977. S. 202—204.

Dégh, Linda: Märchen, Erzähler und Erzählgemeinschaft. Berlin 1962.

Dégh, Linda: People in the tobacco belt. Four lives. Ottawa 1975.

Dégh, Linda: Biologie des Erzählens. In: Kurt Ranke (Hrsg. zus. mit anderen): Enzyklopädie des Märchens. Bd. 2. Berlin, New York 1979. Sp. 386—406.

Dégh, Linda (zus. mit Andrew Vázsony): Magic for sale. Märchen and legend in TV advertising. In: Fabula. Jg. 20. 1979. H. 1—3, S. 47—68. (II)

Diesterweg, Friedrich Adolph Wilhelm: Deutsche Nationalerziehung, ihre Bedeutung, ihr Zweck, ihre Mittel. In: Germania. Die Vergangenheit, Gegenwart und Zukunft der deutschen Nation. Hrsg. von einem Verein von Freunden des Volkes und Vaterlandes. Eingeführt durch Ernst Moritz Arndt. Bd. 1. Leipzig 1851. S. 64—72.

Dinges, Ottilie: Gott im Märchen. In: jugendbuch magazin. 31. 1981. 1. S. 23—24.

Di Scanno, Teresa: Les contes de fées à l'époque classique (1680—1715). Neapel 1975.

Doderer, Klaus: Das bedrückende Leben der Kindergestalten in den Grimmschen Märchen. In: Klaus Doderer (Hrsg.): Klassische Kinder- und Jugendbücher. Weinheim, Basel ³1969. S. 137—151.

Dumrauf, Klaus: Vorschulfernsehen und Kleinkinder. Berlin 1979.

Dworkin, Andrea: Woman Hating. New York 1974.

Eastman, Mary Huse: Index to Fairy Tales and Legends. Boston ²1926.

Eckert, Horst: Janosch erzählt Grimm's Märchen. Weinheim, Basel 1972.

Elias, Norbert: Über den Prozeß der Zivilisation. Bd. 1—2. Frankfurt 1977.

Ellwanger, Wolfram (zus. mit Arnold Grömminger): Märchen — Erziehungshilfe oder Gefahr? Freiburg 1977.

Erfurth, Fritz: Die „Deutschen Sagen" der Brüder Grimm. Diss. Münster 1938.

Euler, Hartmut: Hasen, Zwerge, Puppenmuttis. Einige Bemerkungen zum ‚trivialen' Bilderbuch. In: Informationen Jugendliteratur und Medien (Jugendschriften-Warte). 28. 1976. 4. S. 49—54.

Fabre, Daniel (zusammen mit Jaques Lacroix): La Tradition orale du conte occitan. Les Pyrénées Audoises. Bd. 1—2. Paris 1973—1974.

Fehling, Detlef: Amor und Psyche. Die Schöpfung des Apuleius und ihre Einwirkung auf das Märchen, eine Kritik der romantischen Märchentheorie. Wiesbaden 1977.

Fetscher, Iring: Wer hat Dornröschen wachgeküßt? Das Märchen-Verwirrbuch. Hamburg, Düsseldorf: Claassen 1972.

Fetscher, Iring: Von einem tapferen Schneider. Versuch einer soziologischsozialhistorischen Deutung. In: Helmut Brackert (Hrsg.): Und wenn sie nicht gestorben sind . . . Perspektiven auf das Märchen. Frankfurt/M. 1980. S. 120–136.

Feyerabend, Paul: Wider den Methodenzwang. Skizze einer anarchistischen Erkenntnistheorie. Frankfurt/M. 1977.

Fischer, Helmut: Märchen auf Schallplatten. Zur Problematik der unbegrenzten Reproduzierbarkeit stereotyper Hörbilder. In: Das gute Jugendbuch. 25. 1975. S. 202–204.

Fischer, Helmut: Erzählgut der Gegenwart. Mündliche Texte aus dem Siegraum. Köln 1978.

Folk Narrative Research. Some Papers presented at the VI Congress of the international society for folk narrative research. Helsinki 1976. (Studia Fennica 20).

Fouccault, Michael: Sexualität und Wahrheit. Bd. 1: Der Wille zum Wissen. Frankfurt/M. 1977.

Frühwald, Wolfgang: Leben im Zitat. Anmerkungen zum Werk Clemens Brentanos. In: Zeitwende (Die neue Furche). 50. 1979. 2. S. 73–89.

Fühmann, Franz: Die Richtung der Märchen. Berlin 1962.

Gärtner, Hans: Rückkehr ins „entschwundene Land?" Beobachtungen auf der aktuellen Szenerie der Kinderliteratur. In: Hans Gärtner (Hrsg.): Jugendliteratur im Sozialisationsprozeß. 4. Jahrbuch des Arbeitskreises für Jugendliteratur. Bad Heilbrunn/Obb. 1978. S. 167–184.

Gelberg, Hans-Joachim (Hrsg.): Neues vom Rumpelstilzchen und andere Hausmärchen von 43 Autoren. Weinheim, Basel 1976.

Gelberg, Hans-Joachim: Grimms Märchen für Kinder von heute? Betrachtungen zu Janoschs Märchenbuch. In: Dieter Pesch (Hrsg.): Bilderbücher. Köln 1980. S. 27–39.

Gerstner-Hirzel, Emily: Aus der Volksüberlieferung von Bosco Gurín. Basel 1979.

Glaser, Hermann: Das Fernsehkind und die Trivialmythen. In: Anna Luise Heygster (Hrsg. zus. mit Dieter Stolte): Kinder vor dem Bildschirm. Mainz 1974. S. 213–226.

Grätz, Manfred (zus. mit Kurt Ranke und Elfriede Moser-Rath): Deutschland. In: Kurt Ranke (Hrsg. zus. mit anderen): Enzyklopädie des Märchens. Bd. 3. Berlin, New York 1980, S. 447–569.

Grimm, Wilhelm u. Jakob: Kinder- und Hausmärchen, gesammelt durch die Brüder Grimm. Mit den Zeichnungen von Otto Ubbelohde und einem Vorwort von Ingeborg Weber-Kellermann. Bd. 1–3. Frankfurt/M.: Insel-Verlag 1974.

Grimm, Jakob u. Wilhelm: Grimm's tales for young and old. The complete stories. Translated by Ralph Manheim. New York 1977.

Göttner-Abendroth, Heide: Die Göttin und ihr Heros. Die matriarchalen Religionen in Mythos, Märchen und Dichtung. München 1980.

Gustafsson, Lars: Utopien. Essays. München 1970.

Hänni, Fredi: Ein helvetisches Märchen: Hans-Franz im Glück. In: das konzept. 9. 1980. Nr. 10. S. 18.

Hengst, Heinz (zus. mit anderen): Auf Kassetten gezogen und in Scheiben gepreßt. Tonkonserven und ihre Funktion im Medienalltag von Kindern. Frankfurt 1979.

Hetman, Frederik (d.i. Hans-Christian Kirsch, Hrsg.): Die Reise in die Anderswelt. Feengeschichten und Feenglaube in Irland. Düsseldorf 1981.

Heuscher, Julius Ernst: A psychiatric study of myths and fairy tales. Springfield 1974.

Heymann, Karl: Fernsehkrankheit bei Kindern. In: Karl Heymann (Hrsg. zus. mit anderen): Fernsehen der Kinder. Basel [2]1964. S. 11–27.

Hofmann, Ota: Träume für die Zukunft. In: Film, Fernsehen, Filmerziehung. 1. 1964. 1. S. 21–34.

Honegger, Claudia: Die Hexen der Neuzeit. Studien zur Sozialgeschichte eines kulturellen Deutungsmusters. Frankfurt 1978.

Hopf, Georg Wilhelm: Ueber Jugendschriften. Mittheilungen an Aeltern und Lehrer. Fürth 1850.

Ireland, Norma (Olin): Index to fairy tales, 1949–1972. Westwood 1973.

Israel, Walter: Märchen und Bühnenmärchen im Zeitalter der Medien. In: Phantasie und Realität in der Jugendliteratur. 3. Jahrbuch des Arbeitskreises für Jugendliteratur. Bad Heilbrunn 1976. S. 108–120.

Jacoby, Mario (zus. mit Verena Kast u. Ingrid Riedel): Das Böse im Märchen. Fellbach 1978.

Jahnke, Manfred: Von der Komödie für Kinder zum Weihnachtsmärchen. Glan 1977.

Janin, Jürgen: Volksmärchen und Schallplatten. In: Wirkendes Wort. 24. 1974. S. 178–193.

Jaresmil, Tycho: Mul-ga-tol oder wie erzieht man Kinder zum magischen Denken. In: Ethnomedizin. 1. 1971. S. 134–135.

Jensen, Klaus (zus. mit Jan-Uwe Rogge): Der Medienmarkt für Kinder in der Bundesrepublik. Tübingen 1980. (Untersuchungen des Ludwig-Uhland-Instituts der Universität Tübingen. 50.)

Jensen, Klaus: Der kindliche Umgang mit Massenmedien. In: Zeitschrift für Pädagogik. 26. 1980. 3. S. 383–399. (II)

Jörg, Sabine: Was Bilder dem Kind erzählen. In: Fernsehen und Bildung. 13. 1979. 3. S. 209–222.

Joisten, Charles: Contes populaires de l'Ariège. Paris 1965.

Jung, Carl Gustav: Über die zwei Arten des Denkens. In: Karl Kerény (Hrsg.): Die Eröffnung des Zugangs zum Mythos. Darmstadt 1967.

Jung, Jochen (Hrsg.): Märchen, Sagen und Abenteuergeschichten auf alten Bilderbogen neu erzählt von Autoren unserer Zeit. München 1974.

Kaschnitz, Marie Luise: Überallnie. Ausgewählte Gedichte 1928–1965. München 1969.

Keilhacker, Margarete: Das Verhältnis von Kindern zu erzählten Märchen im Fernsehen. In: Jugend, Film, Fernsehen. 9. 1965. 2. S. 70–81.

Kirsch, Sarah: Gedichte. Ebenhausen b. München 1969. S. 23.

Klingberg, Göte: The fantastic tale for children. A genre study from the viewpoints of literary and educational research. Göteborg 1970.

Klingberg, Göte: Kinder- und Jugendliteraturforschung. Eine Einführung. Wien, Köln, Graz 1973.

Klingberg, Göte: Die phantastische Kinder- und Jugenderzählung. In: Gerhard Haas (Hrsg.): Kinder- und Jugendliteratur. Stuttgart 1974. S. 220–241.

Knauth, Joachim: Zum Beispiel Märchen. In: Neue Deutsche Literatur. 22. 1974. 6. S. 51–55.

Kolbenschlag, Madonna: Kiss Sleepy beauty good bye. New York 1979.

Krüger, Anna: Das Buch – Gefährte eurer Kinder? Stuttgart [2]1954.

Krüger, Anna: Das fantastische Buch. In: Jugendliteratur. 1960. S. 343–363.

Krüger, Anna: Kommentar zu den Texten für den Deutschunterricht. 2.–4. Schj. Frankfurt am Main 1969.

Kümmerle, Wilhelm: Der Märchenfilm in der Grundschule. In: Alfred Hammer (Hrsg. zus. mit Theodor Hornberger): Film-Bild-Ton-Arbeit. 1958. S. 68–71.

Künnemann, Horst: Kinder und Kulturkonsum. Überlegungen zu bewältigten und unbewältigten Massenmedien unserer Zeit. Weinheim, Basel [2]1974.

Künzig, Johannes (zus. mit Waltraud Werner, Hrsg.): Schwänke aus mündlicher Überlieferung. Freiburg i. Br. 1973.

Lauf, Detlef-Ingo: Symbole. Verschiedenheit und Einheit in östlicher und westlicher Kultur. Frankfurt/M. 1976.

Lévi-Strauss, Claude: Das wilde Denken. Frankfurt/M. 1977.

Liebermann, Marcia: Some Day my prince will come: Female acculturation through the fairy tale. In: College English. 34. 1972. S. 383–395.

Liebrecht, Felix: Grimm, Wilhelm. Zu den Kinder- und Hausmärchen. In: Literarisches Zentralblatt für Deutschland. 8. 1857. Sp. 335–336.

Lincke, Harald: Instinktverlust und Symbolbildung. Berlin 1981.

Lombardi-Satriani, Luigi Maria: Folklore e profitto. Techniche di distruzione di una cultura. Rimini 1973.

Lüthi, Max: Volksmärchen und Volkssage. Bern, München 1961.

Lüthi, Max: Volksliteratur und Hochliteratur. Bern, München 1970.

Lüthi, Max: Märchen. Stuttgart [6]1976.

Lüthi, Max: Das europäische Volksmärchen. Bern, München [6]1977.

Lüthi, Max: Zum Schutz von Dornröschen. Neue Zürcher Zeitung. Ausgabe vom 31.12.1977/1.1.1978. (II)

Lyons, Heather: Some second thoughts on Sexism in fairy tales. In: Grugeon, Elizabeth (Hrsg. zus. mit Peter Walden): Literature and learning. London 1978. S. 42–58.

Mallet, Carl-Heinz: Kennen Sie Kinder! Hamburg 1980.

Medick, Hans: Spinnstuben auf dem Dorf. Jugendliche Sexualkultur und Feierabendbrauch in der ländlichen Gesellschaft der frühen Neuzeit. In: Gerhard Huck (Hrsg.): Sozialgeschichte der Freizeit. Wuppertal 1980. S. 19–49.

Meier-Lenz, D.P.: Verlust des Märchens. In: Die Horen. 18. 1973. 2. S. 36.

Meyer zur Capellen, Renate: Das schöne Mädchen. Psychoanalytische Betrachtungen zur ,Formwerdung der Seele' des Mädchens. In: Brackert, Helmut (Hrsg.): Und wenn sie nicht gestorben sind ... Perspektiven auf das Märchen. Frankfurt 1980. S. 89–119.

Mieder, Wolfgang (Hrsg.): Grimms Märchen – modern. Prosa, Gedichte, Karikaturen. Stuttgart 1979.

Milillo, Aurora: Narrativa di tradizione orale. Studi e ricerche. Rom 1977.

Mönckeberg-Kollmar, Vilma: Das Märchen und seine Welt. Düsseldorf 1972.

Moser-Rath, Elfriede: ,Calembourg'. Zur Mobilität populärer Lesestoffe. In: Klaus Beitl (Hrsg. zus. mit anderen): Volkskunde. Fakten und Analysen. Festgabe für Leopold Schmidt zum 60. Geburtstag. Wien 1972. S. 470–481.

Mourey, Lilyane: Introduction aux contes de Grimm et de Perrault. Paris 1978.

Müller, Werner: Neue Sonne – neues Licht. Aufsätze zu Geschichte, Kultur und Sprache der Indianer Nordamerikas. Berlin 1981.

Muffler-Kluth, Thea (zus. mit Elke Ried): Vorstoß in die Wirklichkeit unserer Kinder. In: medium. 8. 1978. 10. S. 24–28.

Oberschelp, Reinhard (Hrsg. zus. mit Willi Gorzny): Gesamtverzeichnis deutschsprachigen Schrifttums 1911–1965. Bd. 83 (M-Mal). München, New York, London, Paris 1979.

Opie, Iona (zus. mit Peter Opie): The classic fairy-tales. London 1974.

Pazzini, Karl-Josef: Was lernen Kinder an alltäglichen Gebrauchsgegenständen? In: Hermann Sturm (Hrsg.): Ästhetik & Umwelt. Tübingen 1980. S. 173.

Peju, Pierre: La petite fille dans la forêt des contes. Paris 1981.

Piaget, Jean: Der Aufbau der Wirklichkeit beim Kind. Gesammelte Werke. Bd. 2. Stuttgart 1975.

Plessner, Helmut: Die verspätete Nation. Über die politische Verführbarkeit bürgerlichen Geistes. Stuttgart [3]1962.

Pomerancewa, Erna: I.F. Kovalev, ein belesener russischer Märchenerzähler. In: Deutsches Jahrbuch für Volkskunde. 11. 1965. S. 265–274.

Pröhle, Heinrich: Kinder- und Volksmärchen. Leipzig 1853.

Psaar, Werner (zus. mit Manfred Klein): Wer hat Angst vor der bößen Geiß? Braunschweig 1976.

Ranke, Kurt: Campbell, Marie: Tales from the Cloud Walking Country. In: Fabula. 3. 1959. 1/2. S. 188–189.

Renner, Rolf Günter: Kafka als phantastischer Erzähler. In: Phaicon. 3. 1978. S. 144–162.

Richter, Dieter (zus. mit Johannes Merkel): Märchen, Phantasie und soziales Lernen. Berlin 1974.

Ritz, H.: Die Geschichte vom Rotkäppchen. Emstal 1981.

Roche-Mazon, Jeanne: Autour des contes de fées, recueil d'études de Jeanne Roche-Mazon, accompagnées de pièces complémentaires. Paris 1968.

Röhrich, Lutz: Folklore and advertising. In: Venetia J. Newall (Hrsg.): Folklore studies in the twentieth century. Suffolk, Totowa 1981. S. 114–115.

Röhrich, Lutz: Gebärde. Metapher. Parodie. Studien zur Sprache und Volksdichtung. Düsseldorf 1967.

Röhrich, Lutz (Hrsg.): Kinder malen Märchen. Frankfurt/M. 1976.

Röhrich, Lutz: Der Froschkönig und seine Wandlungen. In: Fabula. 20. 1979. 1–3. S. 170–192.

Röhrich, Lutz: Märchen und Wirklichkeit. Wiesbaden [4]1979. (II)

Röhrich, Lutz: Märchen für Kinder und Erwachsene. In: Dieter Pesch (Hrsg.): Bilderbücher. Köln 1980. S. 19–25.

Röhrich, Lutz: Der Witz. Seine Formen und Funktionen. München [2]1980. (II)

Rölleke, Heinz: ‚Die Marburger Märchenfrau'. Herkunft der KHM 21 und 57. In: Fabula. 15. 1974. S. 87–94.

Rölleke, Heinz (Hrsg.): Die älteste Märchensammlung der Brüder Grimm. Synopse der handschriftlichen Urfassung von 1810 und der Erstdrucke von 1812. Köln, Genf 1975.

Rölleke, Heinz: Die ‚stockhessischen" Märchen der „Alten Marie". Das Ende eines Mythos um die frühesten KHM-Aufzeichnungen der Brüder Grimm. In: Germanisch-Romanische Monatsschrift. 25. 1975. S. 74–86. (II)

Rogge, Jan-Uwe: Medienverbund und Umwelt, Medienbiographie und Lebensgeschichte. In: Informationen Jugendliteratur und Medien (Jugendschriftenwarte). NF. 33. 1981. 4. S. 62–73.

Rogge, Jan-Uwe: Medienumgang und Medienbiographie. In: Informationen Jugendliteratur und Medien (Jugendschriftenwarte). NF. 33. 1981. 5. S. 82–97.

Rogge, Jan-Uwe: Kinder und Schallplatten. In: Buch und Bibliothek 34. 1982. 3. S. 23–35.

Rohr, Klaus: Überlegungen zu Sprach- und Spielformen des Märchentheaters. In: Märchen und Märchentheater in unserer Zeit. Bonn 1980.

Rouger, Gilbert (Hrsg.): Contes de Perrault. Paris 1967.

Salzmann, Christian Gotthilf: Unterhaltungen für Kinder und Kinderfreunde. 3. Bd. Neue verbesserte Auflage. Leipzig 1812.

Schaller, Horst (Hrsg.): Umstrittene Jugendliteratur. Bad Heilbrunn 1976.

Schambach, Georg (Hrsg. zus. mit Wilhelm Müller): Niedersächsische Sagen und Märchen. Göttingen 1855.

Schedler, Melchior: Schlachtet die blauen Elefanten. Bemerkungen über das Kinderstück. Weinheim, Basel 1973.

Schenda, Rudolf: Die Lesestoffe der kleinen Leute. Studien zur populären Literatur im 19. und 20. Jahrhundert. München 1976.

Schenda, Rudolf: Witze, die selten zum Lachen sind. Bemerkungen zur gegenwärtigen französischen Witzblatt-Produktion. In: Zeitschrift für Volkskunde. 74. 1978. S. 58–75.

Schenda, Rudolf: Kinder- und Märchenbücher, Märchenforschung und Geschichte. In: Börsenblatt für den deutschen Buchhandel. 4. 1978. 10. S. 25–29. (II)

Schenda, Rudolf (zus. mit Susanne Schenda): La donna e il concetto di lavoro nei racconti popolari siciliani della Gonzenbach e del Pitré. In: La Cultura materiale in Sicilia. Palermo 1980. S. 457–464. (Quaderni del Circolo Semiologico Siciliano. 12–13).

Schenda, Rudolf: Autobiographen erzählen Geschichten. In: Zeitschrift für Volkskunde. 77. 1981. S. 71–72.

Schenda, Rudolf: Alphabetisierung und Literarisierungsprozesse in Westeuropa im 18. und 19. Jahrhundert. In: Sozialer und kultureller Wandel in der ländlichen Welt des 18. Jahrunderts. In: Wolfenbütteler Forschungen 19. 1982. S. 1–20.

Schenda, Rudolf: Mären von deutschen Sagen. Bemerkungen zur Produktion von ,Volkserzählungen' zwischen 1850 und 1870. In: Geschichte und Gesellschaft. Im Druck. Voraussichtlich 1982. (II)

Schmölders, Claudia: Die Kunst des Gesprächs. München 1979.

Schneider, Hermann (Hrsg.): Die deutschen Sagen der Brüder Grimm. Teil 1–2. Berlin 1914.

Schnurre, Wolfdietrich: Die Zwengel. Baden-Baden 1967.

See, Klaus von: Germanen-Ideologie vom Humanismus bis zur Gegenwart. Frankfurt/M. 1970.

Sembdner, Wolfgang: Grimmskrams. Parodistische Hänseleien. Nürnberg [3]1979.

Sexton, Anne: Transformations. New York 1971.

Spielmann, Elisabeth: Auf der Anklagebank: Das Märchen. In: Jugend und Buch. 11. 1962. 2. S. 1–5.

Stanić, D. (Hrsg.): Kinder im KZ. Mit Kinderzeichnungen aus Theresienstadt, Zeichnungen der Theresienstädter Maler L. Haas u. F. Fritta, Fotos und Dokumenten. Berlin 1979.

Steig, Reinhold (Hrsg. zus. mit Hermann Grimm): Achim von Arnim und die ihm nahestanden. (Achim von Arnim und Jacob und Wilhelm Grimm. Bd. 3.) Stuttgart, Berlin 1904.

Stein, Helga: Einige Bemerkungen über die Märchengärten. Vortrag auf dem Folk Narrative Congress Helsinki 1974. (Vervielfältigtes Vortragspapier). Helsinki 1974.

Stone, Kay: Romanic heroines in Anglo-American folk and popular literature. Ph. D. Diss. Indiana 1975.

Stone, Kay: Things Walt Disney never told us. In: Farrer, Claire R. (Hrsg.): Women and folklore. Austin (Texas) 1975. (II) S. 42–50.

Storer, Mary Elizabeth: La Mode des contes des fées (1685–1700). Paris 1928.

Storer, Mary Elizabeth (Hrsg.): Contes de fées du grand siècle. New York 1934.

Streit, Jakob: Das Märchen im Leben des Kindes. Meisingen 1980.

Strobach, Hermann (Hrsg.): Deutsche Volksdichtung. Eine Einführung. Frankfurt/M. 1979.

Sullenberger, Tom E.: Ajax meets the jolly green giant. Some observations on the use of folklore and myth in American mass marketing. In: Journal of American folklore. 87. 1974. S. 53–65.

Thomsen, Christian W. (Hrsg. zus. mit Jens Malte Fischer): Phantastik in Literatur und Kunst. Darmstadt 1980.

Tilley, Arthur: The decline of the age of Louis XIV. Cambridge 1929.

Todorov, Tzvetan: Einführung in die phantastische Literatur. München 1972.

Tolksdorf, Ulrich: Eine ostpreußische Volkserzählerin. Geschichten — Geschichte — Lebensgeschichte. Marburg 1980.

Trevor-Roper, Hugh Redwald: Religion, the reformation and social change and other essays. London 1967.

Verweyen, Theodor (zus. mit Gunther Witting): Die Parodie in der neueren deutschen Literatur. Darmstadt 1979.

Verzeichnis lieferbarer Bücher 1975/76. Bd. 2. Frankfurt/M. 1975.

Vitouch, Peter: Emotion und Kognition. In: Fernsehen und Bildung. 12. 1978. 3. S. 195—213.

Wardetzky, Kristin: Zu Wirkungsabsichten und Wirkungsmöglichkeiten des Kindertheaters. In: Material zum Theater. Beiträge zur Theorie und Praxis des sozialistischen Theaters. Hrsg. vom Verband der Theaterschaffenden der Deutschen Demokratischen Republik. Berlin 1980.

Wartmann, Brigitte: Weiblich-männlich. Kulturgeschichtliche Spuren einer verdrängten Weiblichkeit. Berlin 1980.

Westphal(en), Ernst Joachim: De consuetudine ex sacco et libro in Germania sigillatim in Magapoli. Tractatio historica, etymologica et civilis. Rostock, Leipzig 1726.

Wetzel, Hermann Hubert: Märchen in den französischen Novellensammlungen der Renaissance. Berlin 1974.

Wolf, Johann Wilhelm: Hessische Sagen. Göttingen, Leipzig 1853.

Wolf, Steffen: Kinderfilm in Europa. München-Pullach 1969.

Yolen, Jane: America's Cinderella. In: Children's literature in education. 8. 1977. S. 21—29.

Zender, Matthias: Volkserzählungen als Quelle für Lebensverhältnisse vergangener Zeiten. In: Rheinisches Jahrbuch für Volkskunde. 21. 1973. S. 120.

Die Autoren

Jorge Enrique Adoum, Schriftsteller aus Ekuador, hat 1973 in Madrid die Gedichtanthologie „Informe personal sobre la situación" (Persönlicher Bericht über die Lage) und später „No son todos los que están" (Gedichte 1949–1979) und den Roman „Entre Marx y una mujer desnuda" (Zwischen Marx und einer nackten Frau) veröffentlicht. Sein Theaterstück „Die Sonne unter den Pferdehufen" (deutsch im Lamuv-Verlag, Bornheim, 1979) ist schon 1974 in den USA („The Sun Trampled Beneath the Horse's Hooves") erschienen und wurde in verschiedenen Ländern Europas und Lateinamerikas aufgeführt. Adoum hat an der UNESCO-Studie über die Kulturen Lateinamerikas teilgenommen. Er lebt in Paris. Sein hier abgedruckter Beitrag „Der Stachel im Märchen" erschien auch im UNESCO-Courier (1/1979).

Linda Degh ist seit 1981 Präsidentin der „American Folklore Society" und seit 1982 „distinguished Professor of Folklore" am Folklore Institute der Indiana University in Bloomington/Indiana, USA. Sie begann ihre Hochschullehrerlaufbahn in Budapest (Dr. phil. an der Pázmány Universität), wo sie bis 1964 Dozentin am Lehrstuhl für Volkskunde war. Degh ist Autorin von ca. zwanzig Büchern und weit mehr als hundert Aufsätzen zu Fragen der Volkserzählung, des Märchens und der Sage, der Gattungstheorie, der europäischen Ethnologie, der modernen technologischen Kultur in Europa und Amerika, ethnischer Gruppen in Nordamerika. Außerdem ist sie Schriftleiterin von Indiana Folklore.

Klaus Doderer ist Direktor des Instituts für Jugendbuchforschung und Germanistikprofessor der Universität Frankfurt am Main. Er war Gründungspräsident der „Internationalen Forschungsgesellschaft für Kinder- und Jugendliteratur". Unter seinen Veröffentlichungen und Herausgaben zur Literaturgeschichte, Gattungsanalyse und Jugendliteratur sind: „Die Kurzgeschichte in Deutschland" ([6]1980), „Klassische Kinder- und Jugendbücher – Kritische Betrachtungen" ([3]1975), „Fabeln. Formen – Figuren – Lehren" ([2]1977), „Das Bilderbuch – Geschichte und Entwicklung" ([2]1975), „Den Tyska Barnboken. Ideologiekritik och analys" (Stockholm 1980), „Ästhetik der Kinderliteratur" (1981). Doderer ist Herausgeber des vierbändigen „Lexikons der Kinder- und Jugendliteratur" (1975–1982).

Gerhard Haas ist Professor an der Pädagogischen Hochschule in Reutlingen. Bevor er als Dozent für Deutsch in die Lehrerbildung ging, war er Lehrer an

Volks- und Realschulen, studierte in Tübingen Germanistik, Geschichte und Politik, war Assistent und Gymnasiallehrer. Er schrieb eine Arbeit über den „Essay" (1965, 1969, 1975) und publizierte zahlreiche Aufsätze über Kinder- und Jugendliteratur und Literaturdidaktik. Haas gab die Bände „Kinder- und Jugendliteratur" (1974) und „Jugendliteratur im Unterricht" (1982) heraus.

Manfred Klein ist Professor für Ästhetik und Kommunikation an der Fachhochschule in Bielefeld. Er studierte Skandinavistik und Theaterwissenschaften in Kopenhagen und Wien, promovierte zum Dr. phil., war acht Jahre Dramaturg an den Theatern in Darmstadt, Bonn und Dortmund. Klein schrieb – gemeinsam mit Werner Psaar – das Buch „Wer hat Angst vor der bösen Geiß? – Zur Märchendidaktik und Märchenrezeption" (Braunschweig, [2]1980) und außerdem „Sage und Sachbuch" (Paderborn, 1980). Er gab „Gespenstergeschichten aus dem Baltikum" (Frankfurt/Main, 1980) heraus.

Carl-Heinz Mallet, seit 1974 Lehrer, war bis 1981 Leiter einer Sonderschule für Lernbehinderte in Hamburg. Außerdem hat er eine zehnjährige Praxis als Erziehungsberater. Mallet hat Aufsätze zum Thema Märchen in der Zeitschrift „Praxis der Kinderpsychologie und Kinderpsychiatrie" veröffentlicht und das von Bruno Bettelheims Auffassungen beeinflußte sowie auch mit einem Nachwort versehene Buch „Kennen Sie Kinder? Wie Kinder denken, handeln und fühlen, aufgezeigt an vier Grimm'schen Märchen" (Hamburg, 1981) geschrieben. „Das Einhorn bin ich. Das Bild des Menschen im Märchen" (Hamburg, 1982) ist seine jüngste Veröffentlichung.

Jan-Uwe Rogge studierte in Tübingen Germanistik, Politische Wissenschaften und Empirische Kulturwissenschaft. Er promovierte mit einer Dissertation über Kindermedien in der Bundesrepublik und der DDR. Seit 1977 ist er am Ludwig-Uhland-Institut der Universität Tübingen tätig. Rogge arbeitet an einem Projekt über Kinderfernsehen, Medienangebote für Kinder und Medienkultur mit. Er hat zu diesem Thema wiederholt Aufsätze verfaßt.

Lutz Röhrich ist Professor für Deutsche Philologie und Volkskunde, zugleich Direktor der Abteilung Volkskunde und des Deutschen Volksliedarchivs an der Universität Freiburg im Breisgau. Er ist Mitherausgeber der „Enzyklopädie des Märchens" und veröffentlichte u.a. die Bände „Sage" (Sammlung Metzler, Stuttgart, [2]1971), „Sage und Märchen. Erzählforschung heute" (Freiburg, 1976), „Lexikon der sprichwörtlichen Redensarten" (Freiburg, [5]1978) „Märchen und Wirklichkeit" (Wiesbaden, [4]1979) und „Der Witz" (München, [2]1980).

Rudolf Schenda ist Professor für Europäische Volksliteratur an der Universität Zürich. Nach der Promotion in München war er Mitarbeiter am Ludwig-Uhland-Institut der Universität Tübingen, danach Ordinarius in Göttingen. Seine zahlreichen Veröffentlichungen zur Literatursoziologie, zur deutschen und romanischen Volkskunde und Erzählforschung enthalten u.a. die Titel „Volk ohne Buch" (München, [2]1977), „Das Elend der alten Leute" (München, 1976) und „Lebzeiten" (Zürich, 1982). Schenda ist seit 1977 Mitherausgeber der „Enzyklopädie des Märchens".

Kay F. Stone ist Professor of English an der University of Winnipeg in Winnipeg (Kanada). Ihre Themen sind Erzählforschung und Volkskunde. Stone ist Schülerin von Linda Degh, bei der sie promovierte. Der hier abgedruckte Essay „Mißbrauchte Verzauberung" ist die bearbeitete und gekürzte Fassung eines Artikels, der unter dem Titel „The Misuses of Enchantment. Controversies in the Significance of Fairy Tales" in dem Band „Women's Folklore, Women's Culture" der Reihe „Publications of the American Folklore Society" bei „The University of Pennsylvania Press" erscheint. Die Übersetzung aus dem Englischen besorgte Helmut Müller (Frankfurt).

Jack Zipes ist seit 1972 Professor für Germanistik und vergleichende Literaturwissenschaft an der University of Wisconsin in Milwaukee, nachdem er Amerikanistik, Komparatistik und politische Wissenschaften am Dartmouth College (Hanover, New Hampshire) und an der Columbia University in New York studiert hatte. Zipes ist Mitherausgeber der Zeitschrift „New German Critique" und veröffentlichte neben vielen Aufsätzen bisher folgende Bücher: „The Great Refusal. Studies of the Romantic Hero in German and American Literature" (1971), „Political Plays for Children" (1976), „Breaking the Magic Spell: Radical Theories of Folk and Fairy Tales" (1979), „Rotkäppchens Lust und Leid" (1982) und „Fairy Tales and the Art of Subversion" (1982).

Bildnachweis

Die Abbildungen sind folgenden Werken und Sammlungen entnommen:

S. 11: The Juniper Tree and Other Tales from Grimm. Selected by Lore Segal and Maurice Sendak. Pictures by Maurice Sendak. New York 1973. – S. 15: Brüder Grimm: Der kluge Knecht. 22 Märchen von armen und reichen Leuten. Bilder von Friedrich Karl Waechter. rororo rotfuchs 18. Reinbek bei Hamburg 1972. – S. 20: Janosch erzählt Grimm's Märchen. Weinheim 1972. – S. 27: Elise Voiart und Amable Tastu: Contes de Fées. Paris 1838. – S. 48/49: Schneewittchen und die sieben Zwerge. Bilder-Märchen Nr. 10. Hamburg, o.J. – S. 53: Ch. Perrault: Märchen. Neu erzählt von Moriz Hartmann. Ill. von Gustave Dorée, 2. Auflage, Stuttgart: Hallberger (um 1869). – S. 62/63: Der verzauberte Prinz. Bilder-Märchen. No. 27, Hamburg, o.J. – S. 65: Madame Leprince de Beaumont: Le Magasin des Enfans ou Dialogues d'une sage Gouvernante avec ses Elèves. Bd. 1. Paris 1801. – S. 76: Beauty and the Beast. Classics Illustrated Junior, No. 509, June 1954. New York. – S. 84/85: Bryan Holme: Tales from Times Past. London 1977. – S. 87: Brüder Grimm: Kinder- und Hausmärchen. Gesamtausgabe mit 447 Zeichnungen von Otto Ubbelohde. Marburg 1941 (61.–80. Tsd.). – S. 91: Charles Perrault: Der kleine Däumling und andere Märchen. Nacherzählt von Moritz Hartmann. Illustrationen von Klaus Ensikat. Berlin (Ost) 1977. – S. 101: Janosch erzählt Grimm's Märchen. Weinheim 1972. – S. 105: The Juniper Tree and Other Tales from Grimm. Selected by Lore Segal and Maurice Sendak. Pictures by Maurice Sendak. New York 1973. – S. 107: Privatsammlung Lutz Röhrich, Freiburg im Breisgau (Quelle: Playboy). – S. 108: Privatsammlung Lutz Röhrich, Freiburg im Breisgau (Quelle unbekannt). – S. 111: Privatsammlung Lutz Röhrich, Freiburg im Breisgau (Kinderzeichnung). – S. 113: Privatsammlung Lutz Röhrich, Freiburg im Breisgau (Quelle unbekannt). – S. 117: The Indiana Daily Student, November 15, 1973. – S. 119: The New Yorker, November 8, 1980. – S. 121: The Wizard of Id – Comic-Streifen von Parker and Hart. – S. 125: The New Yorker. April 6, 1974. – S. 131: Werbe-Mater für den Fritz Genschow-Film „Rotkäppchen und der Wolf" (Kora Film-Verleih). – Werbe-Mater für den Schonger Film „Rotkäppchen" (Verleih Jugendfilm). – S. 147: Plakat „Der Froschkönig" (Verleih: Fritz Genschow Film). – S. 159: Brüder Grimm: Kinder- und Hausmärchen. Gesamtausgabe mit 447 Zeichnungen von Otto

Ubbelohde. Marburg 1941 (61.–80. Tsd.). – S. 161: Imme Geissler und Juliane Metzger (hrsg.): Der goldene Schlüssel. 101 Märchen. Illustrationen von Eva Johanna Rubin. München 1969. – S. 164: Brüder Grimm: Kinderund Hausmärchen. Gesamtausgabe mit 447 Zeichnungen von Otto Ubbelohde. Marburg 1941 (61.–80. Tsd.). – S. 165: Janosch erzählt Grimm's Märchen. Weinheim 1972. – S. 167: Bryan Holme: Tales from Times Past. London 1977. – S. 171: Ludwig Bechstein: Sämtliche Märchen. Darmstadt 1977. – S. 176: Wolfdietrich Schnurre: Die Zwengel. Baden-Baden 1967. – S. 178: Walt Disneys „Micky Maus". „Die Geburtstagsüberraschung" Stuttgart 1970. – S. 179: Ludwig Bechstein: Sämtliche Märchen. Darmstadt 1977. – S. 183: Charles Perrault: Der kleine Däumling und andere Märchen. Nacherzählt von Moritz Hartmann. Illustrationen von Klaus Ensikat. Berlin (Ost) 1977. – S. 187: Imme Geissler und Juliane Metzger (Hrsg.): Der goldene Schlüssel. 101 Märchen. Illustrationen von Eva Johanna Rubin. München 1969.

viele Artikel mit der Vergangenheit, auch um die Erscheinungen der Gegenwart besser verständlich zu machen.

Um eine weitreichende Unterrichtung über Personen und Sachverhalte zu ermöglichen, nähert sich das Lexikon in seinem Stil dem der Handbücher an: es geht vielfach über das knappe Informationsangebot eines üblichen Lexikons hinaus.

Jeder Artikel enthält im Geflecht der in ihm mitgeteilten Fakten und Daten auch die Auffassungen und individuellen Einschätzungen seines jeweiligen Verfassers. Um den Funktionszusammenhang des gesellschaftlichen Phänomens „Kinder- und Jugendbuch" so weit wie möglich zu sehen, wurden z.B. auch verpflichtende Schullektüre, Romanhefte, aber auch audiovisuelle Medien in die Schlagwörter-Auswahl miteinbezogen.

Neben der Darstellung der internationalen Situation und Zusammenhänge beschäftigen sich

Klaus Doderer (Hrsg.)

Lexikon der Kinder- und Jugendliteratur
Personen-, Länder- und Sachartikel zu Geschichte und Gegenwart der Kinder- und Jugendliteratur. In drei Bänden (A–Z) und einem Ergänzungs- und Registerband. Erarbeitet im Institut für Jugendbuchforschung der Johann Wolfgang Goethe-Universität in Frankfurt/Main.

Erster Band: A–H
1975. 2. Aufl. 1977. 491 Artikel, ca. 5.500 bibliographische Angaben auf XIV, 579 Seiten mit 147 Abb. Leinen DM 148,–

Zweiter Band: I–O
1977. 481 Artikel, ca. 6.500 bibliographische Angaben auf VIII, 625 Seiten mit 170 Abb. Leinen DM 148,–

Dritter Band: P–Z
1979. 572 Artikel, ca. 6.500 bibliographische Angaben auf VIII, 863 Seiten mit 197 Abb. Leinen DM 168,–

Ergänzungs- und Registerband
1982. 558 Artikel auf VIII, 705 Seiten mit 143 Abbildungen, Personen- und Sachregister für das Gesamtwerk. Leinen DM 168,–

Gesamtwerk
DM 538,–

Beltz Verlag Weinheim und Basel